primes privilège^{MC} / plum™rewards

Points requis / Points Required	Valeur de la prime / Reward Value
2 500 / 2,500	5 $ / $5
4 500 / 4,500	10 $ / $10
8 500 / 8,500	20 $ / $20
20 000 / 20,000	50 $ / $50

Les remboursements et échanges doivent être effectués dans les 14 jours suivant l'achat. L'article doit être dans le même état qu'à l'achat et inclure le reçu. Une note de crédit sera émise pour les échanges ou remboursements avec reçu-cadeau, en fonction de la valeur à l'achat. Les magazines et les journaux ne sont ni remboursables ni échangeables.

Refunds or exchanges may be made within 14 days if item is returned in store-bought condition with a receipt. Items with a gift receipt may be exchanged or refunded onto a credit note for the value of the item at the time of purchase. We cannot provide an exchange or refund on magazines or newspapers.

D1044457

LES ÉLUS

UNE TEMPÊTE DE VISIONS

Christina Dodd

Traduit de l'anglais par
Nathalie Tremblay

éditions

Éditeur : François Doucet
Traduction : Nathalie Tremblay
Révision linguistique : Féminin pluriel
Correction d'épreuves : Nancy Coulombe, Katherine Lacombe
Conception de la couverture : Paulo Salgueiro
Photo de la couverture : © Thinkstock
Mise en pages : Sébastien Michaud
ISBN papier 978-2-89667-754-2
ISBN PDF numérique 978-2-89683-799-1
ISBN ePub 978-2-89683-800-4
Première impression : 2012
Dépôt légal : 2012
Bibliothèque et Archives nationales du Québec
Bibliothèque Nationale du Canada

Éditions AdA Inc.
1385, boul. Lionel-Boulet
Varennes, Québec, Canada, J3X 1P7
Téléphone : 450-929-0296
Télécopieur : 450-929-0220
www.ada-inc.com
info@ada-inc.com

Diffusion
Canada :   Éditions AdA Inc.
France :   D.G. Diffusion
                  Z.I. des Bogues
                  31750 Escalquens — France
                  Téléphone : 05.61.00.09.99
Suisse :   Transat — 23.42.77.40
Belgique :   D.G. Diffusion — 05.61.00.09.99

Imprimé au Canada

Participation de la SODEC. SODEC
Nous reconnaissons l'aide financière du gouvernement du Canada par l'entremise du Fonds du livre du Canada (FLC)
pour nos activités d'édition.
Gouvernement du Québec — Programme de crédit d'impôt pour l'édition de livres — Gestion SODEC.

**Catalogage avant publication de Bibliothèque et Archives nationales du Québec et Bibliothèque
et Archives Canada**

Dodd, Christina

    Une tempête de visions
    (Les élus ; 1)
    Traduction de : Storm of Visions.
    ISBN 978-2-89667-754-2
    I. Tremblay, Nathalie, 1969-   . II. Titre.

PS3554.O332S7614 2012   813'.54   C2012-942200-2

Pour Susan Mallery
Nous avons survécu à tant d'années
dans l'édition et célébré tous les hauts et les bas
avec amitié et plaisir.

Il est temps de partager une autre
bouteille de champagne.

REMERCIEMENTS

Lancer une nouvelle collection implique des heures de création d'intrigue et de planification, de grands moments d'euphorie, et de longues heures passées à chercher humblement et désespérément l'inspiration. Heureusement pour moi, je ne suis pas seule — je peux compter sur le soutien de l'extraordinaire équipe de NAL. Merci à Kara Welsh de m'avoir donné la chance de présenter les Élus et de m'avoir encouragée à établir des liens avec mon autre collection bien-aimée. Merci à mon éditrice, Kara Cesare, qui me donne généreusement son inspiration lorsque la mienne me fait défaut. Merci à Frank Walgren et au service de production. Merci au service artistique dirigé par Anthony Ramondo, au service de la publicité avec Craig Burke et Michele Langley, et, évidemment, au spectaculaire service des ventes de Penguin. Merci à tous.

Un remerciement particulier à Shelley Key de Web Crafters pour la fabuleuse conception du nouveau site Web digne des Élus.

Il y a très, très longtemps, alors que l'univers était encore neuf, une jeune femme vivait dans un pauvre village en bordure d'une vaste et sombre forêt. Le visage qu'elle voyait en se mirant dans l'eau était glorieux dans sa splendeur, et tous les hommes du village se disputaient ses faveurs, désirant tous l'avoir en tant qu'épouse.

Leur bonne opinion à son sujet n'avait d'égale que sa propre suffisance, car elle se plaisait à dire qu'elle ne prendrait qu'un homme de même magnificence en tant qu'époux. Elle méprisait le visage noirci du forgeron, les mains abîmées du bûcheron, la poitrine balafrée du guerrier, ainsi que le dos du fermier voûté d'avoir tant semé.

Elle accepta plutôt la main du fils aîné du seigneur, un paresseux aussi célèbre pour ses cheveux noirs bouclés et ses yeux d'un bleu profond que pour sa vanité. Ensemble, ils se lovèrent au lit, firent passionnément l'amour et discutèrent de la famille qu'ils allaient fonder. Avant la fin de l'année, elle fut enceinte. Elle se pavanait, autant qu'une femme enceinte le pouvait, et s'imaginait comment elle présenterait au fils du seigneur un fils costaud qui les lierait à tout jamais.

Puis, vint le printemps et le temps de donner naissance à son enfant. Plutôt que d'accoucher d'un beau gros garçon en santé, elle donna naissance à deux poupons hurleurs, rougeauds et chétifs. Pis encore, en regardant de près, les deux nouveau-nés n'avaient rien d'elle et de son amant.

Ils n'étaient pas parfaits.

L'aîné semblait taché de vin du bout des doigts jusqu'à ses épaules anguleuses.

La benjamine, une fille, avait dans sa main une tache sale qui, selon sa mère, ressemblait à un... œil.

Dégoûtant. Et terrifiant.

Ces enfants-là ne convenaient pas.

La mère se leva de sa couche. Elle ignora les messagers du seigneur, ignora la consternation des femmes présentes à la naissance, ignora son propre corps sanguinolent. Elle prit les enfants qu'elle avait mis au monde, puis disparut du village avec une détermination qui poussa la sage-femme au coin du feu à marmonner une prière.

Elle emprunta le sentier qui menait au cœur de la forêt où, apparemment, les anciens dieux affamés attrapaient tous les humains qui osaient s'y aventurer. Là, elle abandonna le garçon.

La fillette, elle la lança dans les rapides d'une rivière.

Au moment de repartir, abandonnant chaque enfant sans se retourner, ils furent privés du don que chaque gamin reçoit automatiquement à la naissance — l'amour d'un parent. À ce moment, leurs petits cœurs cessèrent de battre. Ils moururent...

Puis, ils revinrent à la vie, transformés, doués, le vide de leur cœur remplacé par un nouveau don, l'un de pitié, l'autre d'amour.

Ces deux enfants furent les premiers Abandonnés.

Ils ne moururent pas, comme l'avait prévu leur mère.

Le garçon fut accueilli par un groupe de voyageurs, et amené vers le sous-continent indien, où il grandit et devint un homme. Là, il se transforma en légende, car il pouvait créer le feu dans le creux de sa main.

Là était son don.

Alors qu'il grandissait, en âge et en sagesse, il rassembla autour de lui d'autres qui lui ressemblaient, des bébés qui avaient été jetés comme des abats et qui en retour avaient reçu un don particulier. Ils étaient les Élus, sept hommes et femmes qui formaient une force puissante de lumière dans un univers obscur.

La fillette flotta dans le torrent glacial, remontant à la surface, et hurlant, lorsque son petit corps s'accrocha à une branche. Une femme — une sorcière — entendit les cris perçants et tira le bébé des eaux. Déçue par l'enfant chétif et inutile, elle allait le rejeter lorsqu'elle vit l'œil. Elle sut que l'enfant était particulier, elle l'amena chez elle et l'éleva, l'affama, la tourmenta et la traita comme une esclave.

Elle lui apprit la haine.

Le jour où la jeune fille devint une femme, et que le sang menstruel lui coula entre les cuisses, elle regarda la sorcière et, dans une vision, entrevit l'avenir. D'une voix emplie de satisfaction, elle raconta à la sorcière qu'une mort atroce l'attendait.

La fille était médium, là était son don.

Déterminée à éviter son destin, la sorcière dressa un autel au diable, son maître, et s'apprêta à sacrifier la jeune fille. Toutefois, la fillette avait grandi, la femme était maintenant âgée, et la jeune fille prit le couteau et le plongea dans le cœur de la sorcière.

Le diable apparut.

Il scruta la jeune fille, aussi belle que sa mère, sans être cruelle. Non, cette fille était pleine de colère, et grâce à son don, elle serait pour lui un atout précieux. Il lui montra donc ses merveilles, lui promit une place à ses côtés, puis lui intima de trouver d'autres comme elle et de les mener à lui pour faire le mal dans ce monde. Elle rassembla autour d'elle six autres enfants abandonnés, tordus, abusés et particuliers, qui devinrent les Autres.

La jeune fille leur indiqua leur première tâche. Ils trouvèrent le pauvre village et la vieille femme seule et misérable qui, quatorze ans auparavant, avait donné naissance à des jumeaux, et la tuèrent d'horrible façon.

Puis, les Autres se servirent de leurs pouvoirs pour traverser à la faux la campagne, répandant autour d'eux famine et peur, anxiété et mort.

Ainsi, à travers les siècles, par monts et par vaux, dans la campagne et dans les villes, grâce aux prophéties et aux révélations, un combat s'engagea entre les Élus et les Autres… et ce combat fut mené pour sauver le cœur et l'âme des Abandonnés.

Aujourd'hui, le combat se poursuit…

Chapitre 1

Vallée de Napa, Californie

Jacqueline Vargha ressortit son tire-bouchon de son jeans, puis d'une main de maître déboucha une autre bouteille de vin Blue Oak. La salle de dégustation bourdonnait de la conversation d'une vingtaine de touristes heureux — heureux parce que tout un chacun était à déguster certains des meilleurs cabernets-sauvignons de la vallée.

Elle versa des rasades généreuses au jeune couple devant elle. Ils étaient fortunés et croyaient s'y connaître en vins. Si elle s'y prenait habilement, elle pourrait leur vendre une caisse, peut-être davantage, de vins haut de gamme.

— La vinerie Blue Oak cultive ses raisins exclusivement dans les vignobles de son domaine, un dans la vallée de Napa et un autre dans la vallée d'Alexander.

Elle avait prononcé ces paroles des milliers de fois. Ce n'était pas toujours facile de leur donner un ton rafraîchissant. Peut-être si elle avait fréquenté Juilliard pour suivre un cours de théâtre…

— En sirotant ce cabernet, vous remarquerez les notes riches de cassis et de petits fruits qui composent la base du vin, puis, vous découvrirez les notes poivrées et épicées, ainsi qu'une touche de cerise.

Ils sirotèrent et opinèrent du chef, les sourcils froncés.

À l'autre extrémité du long comptoir, Michelle expliquait aux nouveaux venus, deux marines fraîchement rentrés au pays :

— La dégustation coûte vingt dollars, que nous vous rembourserons si vous achetez une bouteille.

Penchée en avant, elle posa deux coupes sur le comptoir. Le blason de Blue Oak sur son t-shirt bleu ajusté était tendu sur le côté droit de sa poitrine.

Les marines écarquillèrent les yeux et sortirent leur portefeuille sans sourciller.

Jacqueline sourit. Elle aurait juré que le viticulteur embauchait ses assistantes au volume de leur poitrine et à l'usage qu'elles en faisaient. Comment Jacqueline, qui portait du bonnet B, avait-elle décroché cet emploi, elle l'ignorait. Peut-être parce que la femme du viticulteur était passée par là durant l'entrevue et qu'il avait cru bon d'embaucher la jeune femme qui avait les plus petits seins. Peut-être parce que Jacqueline avait vingt-deux ans et une tête sur les épaules, le genre d'employé qui pouvait garder la mainmise sur la salle de dégustation, ce qu'elle faisait. Sûrement parce qu'elle était grande et élancée et qu'elle souriait comme si elle venait de gagner un concours de beauté.

Il s'agissait là d'un défaut développé par sa mère qui l'asticotait constamment pour qu'elle *sourît*. À un certain moment, il était plus simple d'abdiquer que de combattre.

Toutefois, elle ne remplirait jamais le t-shirt Blue Oak comme Michelle.

Un groupe de six personnes finirent leur dégustation et s'en allèrent, grommelant contre la chaleur.

Ils avaient raison. Le printemps était de retour en vigueur, et la température était implacable, comme une remontée des enfers.

Jacqueline releva ses cheveux mi-longs de son cou en espérant une petite brise.

Une remontée des enfers.

L'enfer...

L'univers prit une teinte sépia, et le mot évoqua dans son esprit un doux murmure qui n'augurait rien de bon...

Chaud. Explosivement chaud. Des flammes... qui jaillissent...

L'enfer.

L'enfer.

Le souffle de Jacqueline ralentit. Elle plissa les yeux. Ses mains, habillées de gants de cuir sans doigts, s'enroulaient dans ses cheveux. Elle resta là, figée, envahie par une vision se frayant un chemin au fin fond d'elle-même, la submergeant, l'entraînant là où elle n'avait aucune envie d'aller.

Puis, elle entendit vaguement un bruit d'eau qui goutte, et un petit coup de vent froid effleura son cou.

Elle revint à elle, à la salle de dégustation, à son travail derrière le comptoir à servir du vin à une douzaine de touristes assoiffés, à la voix de Michelle qui murmurait :

— Je l'ai vu d'abord, Jacquie. Il est divin. Je l'ai vu d'abord !

Qu'est-ce qui pouvait avoir détourné l'attention de Michelle de ses deux jeunes marines bien bâtis ?

Jacqueline jeta un regard à l'homme qui se tenait dans l'embrasure de la porte — et resta figée dans une appréciation prudente.

Sa silhouette était sombre contre la lumière vive du soleil : long et élancé, il était vêtu d'un jeans délavé ajusté sur ses hanches étroites et d'un t-shirt en soie noire tendu sur ses larges épaules. Il se tenait agressivement, les bras éloignés du corps, comme un toréador prêt pour l'ultime combat.

Pas étonnant que Michelle en soit impressionnée. C'était son genre de mec. Du genre fauteur de troubles.

Jacqueline avait eu assez d'ennuis dans sa vie. Elle relâcha ses cheveux, se plia les doigts pour se départir de la raideur qui les trahissait, puis répondit à mi-voix :

— Il est tout à toi.

— Absolument, chérie, parce que je l'ai vu en premier. Ne l'oublie surtout pas.

Puis, Michelle l'interpella en haussant la voix :

— Entrez, monsieur, et prenez place au comptoir. Il y a toujours de la place pour un connaisseur de bons vins.

Deux des dames plus âgées jetèrent un regard en arrière, et durent y regarder à deux fois, avant de s'écarter pour lui faire place. Elles étaient peut-être enseignantes et mariées, mais lorsqu'un homme de la trempe de monsieur Agressif faisait son entrée, comme un harceleur en mission, il commandait l'adulation.

Elles n'étaient que trop heureuses d'obtempérer.

Michelle débita son discours sur le coût de la dégustation et le remboursement sur achat, et vibra presque d'excitation, lorsque monsieur Agressif posa son billet de vingt dollars sur le comptoir. Elle lui versa une généreuse rasade du premier cabernet sauvignon, et l'observa avidement le faire tourner dans sa coupe. Sans faire exprès, monsieur Agressif attirait l'attention de toutes les personnes présentes dans la salle de dégustation. C'était un de *ces* types qui prennent de la place, sapent l'oxygène, et s'emparent de l'endroit, du moment et de l'ambiance.

Spontanément, l'attention de Jacqueline se tourna vers lui.

Il huma le bouquet, puis porta le verre à ses lèvres — et, d'un coup d'œil furtif, la darda de son regard.

Son image s'imprégna dans sa tête. Une chevelure sombre, coupée courte. Un teint olivâtre. Des pommettes tentantes. Et des yeux bleus. Des yeux d'un bleu pâle, brillant et froid, comme des diamants, qui la tenaient prisonnière de son regard.

Elle ne pouvait détacher son regard. Pas tant qu'il sirotait, goûtait et approuvait d'un hochement lent et régulier. Pas lorsque ses yeux se portèrent sur ses mains gantées de cuir. Pas lorsqu'il lui leva son verre pour la saluer. Pas tant qu'il ne détourna pas son regard, pour le reporter vers Michelle.

Michelle parla clairement, suffisamment fort pour que Jacqueline l'entende, pour que tout le monde l'entende.

— Voici Jacquie. Notre bonne sœur à demeure. Elle ne fréquente personne, ne s'intéresse pas aux garçons. Pour elle, il n'y a que le travail, la randonnée et la lecture.

Jacqueline rougit.

«Merci, Michelle. Voilà ce que tout le monde ici devrait connaître de moi.»

— Vraiment?

L'homme avait une voix extraordinaire, chaude et profonde, si vibrante que les filles tendaient l'oreille pour l'entendre. Non pas que Jacqueline eut envie de l'entendre, ni même d'essayer, mais à l'instar de Michelle, son ton était assez élevé pour qu'elle l'entende.

— Est-elle lesbienne?

— J'imagine, dit Michelle en jetant un regard à Jacqueline.

Quelque chose dans le regard de Jacqueline dut la faire changer d'idée, car elle répondit :

— Non, elle n'est tout simplement pas intéressée par le sexe.

— Peut-être n'a-t-elle tout simplement pas rencontré la bonne personne, ajouta-t-il.

«Et ce n'est sûrement pas toi, espèce de vaniteux», songea Jacqueline, sans toutefois laisser voir qu'elle avait entendu.

Toutefois, à son regard et son demi-sourire, elle sut qu'il avait lu dans ses pensées.

Inconsciente des courants sous-jacents, Michelle recula pour ouvrir une nouvelle bouteille et murmura à Jacqueline :

— Regarde-moi ces joues et ce sourire en coin. Donne-lui un martini et un permis de tuer, et il aurait l'air d'un nouveau James Bond — tu vois, du genre dur à cuire.

— Donne-lui un béret de marin et une boîte d'épinards, il aura l'air de Popeye. Voilà ce que j'en dis, répliqua Jacqueline d'un air décontracté, en réponse au regard scandalisé de Michelle. Je dis ça comme ça.

D'âge mûr et bien vêtus, deux couples se tenaient un peu à l'écart, sirotant leur vin, discutant et rigolant. Le quatuor achèterait peut-être une bouteille de vin, sans plus, mais leur présence était un plus dans la salle de dégustation. Cela donnait une chaleureuse ambiance sophistiquée, et Jacqueline fut reconnaissante lorsque l'homme aux cheveux grisonnants attira son attention et changea le sujet de conversation.

— Il fait chaud, ici. Peut-on mettre les ventilateurs de plafond en marche? demanda-t-il.

Elle soupira impétueusement.

— J'aimerais bien, mais vous aurez sûrement remarqué que nous sommes en rénovation, dit-elle en indiquant l'ancien comptoir sur le côté et le mur à moitié peint, et l'électricien n'a pas terminé avec le câblage électrique.

Elle était résolue à ne pas regarder monsieur Agressif, pourtant elle le *sentit* sourciller. Il respirait la désapprobation, et les autres sentirent son mécontentement.

Si elle ne faisait rien, tout le monde partirait — tout le monde, sauf lui —, et elle perdrait les ventes pour lesquelles elle avait tant travaillé. Élevant la voix, elle annonça:

— Toutefois, si cela vous plaît, je peux remplir vos coupes et vous emmener visiter la vinerie. Il fait plus frais dans la cave.

Comme prévu, la promesse d'autre vin fut accueillie avec enthousiasme, et sept des dix-neuf dégustateurs la suivirent à travers la boutique vers la vinerie.

Monsieur Agressif ne fut pas du lot.

«Ouais, Michelle est facile, fais-lui du charme.»

Peu importe que cette idée mette Jacqueline en colère.

Un petit sondage du groupe permit d'apprendre que seule la dame du Wisconsin en était à sa première visite de cave à vin, alors Jacqueline lui donna un cours de base sur la fabrication du vin, tout en soulignant les prix que le vignoble Blue Oak avait gagnés au cours de la dernière année. Ces récompenses impressionnèrent le couple fortuné et provoquèrent une discussion au sein du quatuor, à savoir s'ils achèteraient une bouteille pour le souper, ce soir-là. Alors qu'ils discutaient et rigolaient tout en se prélassant dans la cave — Jacqueline n'était pas pressée de retourner dans la salle de dégustation —, cette faible brise déjà familière lui donna la chair de poule.

Monsieur Agressif les avait rejoints.

Il se joignit au groupe avec nonchalance. Il se tint légèrement en retrait pour écouter tandis que Jacqueline recommandait le grill de Chez Cole pour déguster un steak. La générosité avec laquelle elle versait du vin fonctionnait bien auprès des visiteurs, et la discussion sur la nourriture se fit plus intense. Elle découvrit qu'un des couples du quatuor, l'homme à la chevelure argentée et sa femme, blonde et enjouée, était propriétaire d'un ranch au Texas. Ils s'y connaissaient en cuir.

— Ce sont de jolis gants, dit la femme en prenant la main de Jacqueline entre les siennes pour examiner les coutures et le cuir. Est-ce à la mode, ou servent-ils à vous protéger les mains lorsque vous débouchez des bouteilles?

Lorsqu'elle passa le bout des doigts sur la paume, Jacqueline tressaillit et ferma la main en un poing.

— Un peu des deux.

— Vous êtes donc esclave de la mode? dit monsieur Agressif, d'un ton aussi mesuré que ses manières.

La femme n'apprécia pas la critique sous-entendue, mais rien dans sa voix accentuée et sympathique ou dans ses manières vives ne changea.

— Mon cher, nous, pauvres femmes, aimons bien suivre les tendances et déterminer ce qui est en vogue.

Jacqueline jeta un regard en sa direction pour voir s'il avait compris qu'on se moquait de lui et qu'on le ridiculisait, d'une main de maître.

Il eut un sourire en coin, ce demi-sourire qui avait tant plu à Michelle. Ce sourire indiquait à coup sûr qu'il pouvait en prendre. Ce sourire déplut royalement à Jacqueline.

La blonde se retourna vers Jacqueline.

— Alors, où devrions-nous dîner ce soir?

De toute évidence, ils s'y connaissaient en bœuf également. Jacqueline pouvait leur garantir que Chez Cole était toujours l'un des grills les plus cotés du pays, avec une carte des vins digne de mention dans les plus grands magazines. Elle précisa, en passant, que la bouteille de cabernet Blue Oak d'une valeur de quatre-vingts dollars se détaillait à cent soixante-quinze dollars Chez Cole. C'est à ce moment précis qu'elle vendit une bouteille de cabernet au quatuor et une caisse mixte aux connaisseurs, et qu'elle consola la dame du Wisconsin en raison des prix élevés.

Puis, elle ramena rapidement le groupe à la salle de dégustation, où une Michelle déconfite avait perdu ses marines et ses enseignantes, et devait s'occuper de trois nouveaux venus.

Jacqueline remarqua avec une petite satisfaction qu'aucun ne semblait disposé à acheter quoi que ce soit.

Normalement, elle se serait approchée pour lui donner un coup de main, mais l'après-midi tirait à sa fin. Le quatuor acheta sa bouteille, avant de se diriger vers la prochaine vinerie. Les connaisseurs en vin se disputèrent à l'idée d'acheter une autre caisse ou non. La dame du

Wisconsin engagea une conversation avec l'un des nouveaux venus, un type bronzé du New Jersey. Elle avait sûrement lu l'étude financée par les vineries qui affirmait que les salles de dégustation étaient un bon endroit pour faire des rencontres.

Et monsieur Agressif sirotait son vin en silence... en attendant.

Qu'il aille au diable! Il attendrait longtemps.

Jacqueline se glissa dans l'arrière-boutique et décrocha le combiné du téléphone qui était en ligne directe avec la maison. Dès que la femme du vigneron répondit, elle dit :

— Madame Marino, la salle de dégustation est presque vide; nous fermons dans une heure et je ne me sens pas bien. Pourrais-je partir plus tôt?

— Bien sûr, ma chère, répondit madame Marino, d'un ton surpris, mais gentil — Jacqueline n'était jamais malade. Je viendrai au cas où il y aurait un achalandage de dernière minute. Es-tu en mesure de conduire jusque chez toi?

— Oui. C'est la chaleur qui me dérange.

— Et tu travailles trop. J'imagine que tu feras la serveuse ce soir?

— Je n'en sais rien. Je prendrai peut-être une soirée de congé.

Bien qu'elle ait besoin d'argent. Vivre dans la vallée avait son prix. Son petit appartement près du centre-ville de San Michael, à l'étage d'une maison victorienne datant du début du XXe siècle, lui coûtait presque autant que son appartement new-yorkais, c'était tout dire! Elle aurait pu s'installer ailleurs — rien ne la retenait dans la vallée —, mais elle aimait bien le temps sec et chaud, les longues rangées de vignes, les montagnes qui entouraient la vallée, les vignobles, leurs rivalités et leurs alliances, la nourriture, le vin…

Elle n'aimait toutefois pas les zigotos qui se pointaient à l'occasion. Des mecs comme monsieur Agressif qui agissait en ayant des droits qu'elle ne lui avait pas octroyés. Des droits qu'elle ne lui accorderaient jamais.

Michelle pouvait bien l'avoir. Jacqueline avait déjà eu son lot de chagrin.

Chapitre 2

Jacqueline prit son sac à dos dans son casier, puis sortit par la porte arrière pour se rendre à sa voiture, garée sous les larges branches d'un chêne bleu bicentenaire qui avait donné son nom, Blue Oak, au vignoble. Sa petite Honda Civic démarra sans problème, et elle emprunta l'autoroute 29 en direction sud, les vitres baissées et le vent dans les cheveux.

De la couleur d'un rayon de lune étincelant… lui avait-on dit. Elle se rendait maintenant compte qu'elle aurait dû les couper, et les teindre en noir, ou brun, ou mauve, n'importe quoi, sauf ce satané blond platine. Le blond était trop frappant, trop caractéristique. Plus d'une fois, elle avait jeté un coup d'œil par-dessus son épaule pour voir s'il y aurait un véhicule distinctif avec le type bizarre, mais tout semblait rentrer dans l'ordre. Tout ce qu'il y avait, c'était des VUS remplis de touristes et de vieux camions de ferme bondés d'ouvriers. Puis, en arrivant à San Michael, elle remarqua une Mercedes SL550 noire aux vitres teintées… et fut traversée d'un frisson.

Était-ce lui ? Pas nécessairement. Ici, les gens avaient de l'argent, et plusieurs roulaient en voiture de luxe.

Toutefois, si c'était lui… elle ne pourrait être plus rapide que lui. Elle devait être plus intelligente que lui.

Plutôt que de rentrer à son appartement, elle roula jusqu'à ce qu'elle trouve une place pour se garer près de la grande place. L'endroit bondé était au cœur du centre-ville de style renaissance. Des boutiques au charme suranné bordaient la place peuplée de grands chênes et équipée de bancs où les touristes se prélassaient à l'ombre. De l'autre côté, il y avait un vieux palais de justice en briques rouges orné de blanc et coiffé d'une coupole. Jacqueline adorait le palais de justice; elle aimait le regarder, sentir le pouls du passé dans son style ornementé. Elle aimait imaginer ce que cette ville, ce que cette vallée vinicole était il y a une centaine d'années. Lorsqu'elle parlait de sa décision de s'installer à San Michael, elle racontait que l'architecture du palais de justice et le style de la ville en étaient les raisons principales.

Évidemment, ce n'était pas la vérité. Le choix de s'installer à San Michael s'expliquait principalement par le fait que la ville était très éloignée de New York, tant par sa culture que par sa distance, tout en demeurant sur le territoire américain.

Elle scrutait maintenant la place, en quête de monsieur Agressif.

Elle ne le vit pas.

Sortant son téléphone cellulaire de son sac à dos, elle appela la vinerie.

Michelle répondit à la première sonnerie.

— Vinerie Blue Oak, où diable es-tu, Jacquie?

— Je n'aimais pas ce type, mais toi oui, alors je suis partie.

— Comme si j'avais besoin que tu partes pour avoir une chance auprès de lui !

Michelle était toujours revêche, surtout lorsqu'elle se sentait offensée.

— Alors, tu as un rancart avec lui ?

— *Non.* À peu près au même moment où je me suis rendu compte que tu ne ressortais pas de l'arrière-boutique, il a posé sa coupe et il est parti.

Pas étonnant que Michelle se sente offensée.

Michelle poursuivit.

— Il n'a fait que poser des questions à ton sujet, et n'a même pas fini la dégustation. Vingt dollars, et il n'a même pas bu son deuxième verre. Quel raté !

Raté n'était pas le quolibet que Jacqueline aurait accolé à ce type.

— D'accord, merci.

Elle raccrocha tandis que Michelle bafouillait.

Elle sortit de sa voiture. Verrouilla les portières. Balança son sac à dos sur son épaule. Et se mit en marche.

Dans la vitrine de Hills, une paire de chaussures à talons en satin rouge avec des boucles diamantées attira son attention. Elle s'arrêta, regarda fixement les chaussures et se demanda si elle pourrait un jour se payer de nouveau des chaussures comme celles-là. C'est alors qu'elle l'entrevit, ce reflet sombre dans la vitre. D'autres personnes déambulaient rapidement sur le trottoir, mais il resta là, sans bouger, légèrement en retrait. Lorsqu'elle lui jeta un coup d'œil, comme on le fait dans une foule, sans vraiment le regarder —, il l'observait.

Grand. Élancé. Les cheveux foncés. Les yeux bleu pâle et le regard froid de chasseur.

15

Elle avait déjà vu ce regard.

Se détournant de la vitrine, elle s'éloigna rapidement sur la rue, avec cette brise froide dans le cou.

Bon. Ce n'était pas l'une de ces coïncidences étranges. Il n'était pas là en vacances. Il *l'avait* suivie. Il était là, dans la foule anonyme rassemblée sur le trottoir. Personne d'autre ne la regardait. Seulement lui.

Le feu de circulation passa au vert. La foule fut propulsée vers l'avant. Elle la suivit.

La chaleur montait du trottoir et traversait les semelles de ses chaussures de course, et dans l'odeur de l'asphalte, elle pouvait presque déceler les flammes de l'enfer.

L'enfer…

Pendant un instant, les couleurs environnantes s'estompèrent, pâlirent et prirent une teinte sépia. Dans sa tête, elle entendit le bruit faible, mais constant de l'eau qui goutte… inlassablement…

Elle tituba et tomba sur un genou. La douleur la ramena à elle.

Dieu merci. Elle ne pouvait se le permettre à l'instant. Elle *n'allait pas* se le permettre à l'instant.

Fléchissant la tête, elle fit semblant de nouer son lacet. Lorsqu'elle se redressa, monsieur Agressif s'était approché. Se précipitant dans la boutique d'articles de courtepointes, elle se dirigea vers l'arrière.

Avec le sourire, la vieille commis lui dit :

— Bonjour, je m'appelle Bernice. Puis-je vous aider à choisir les tissus pour une courtepointe ?

— Je ne fais que passer, répondit Jacqueline, son attention portée aux nombreux ciseaux accrochés au mur. Combien sont-ils ?

— Les ciseaux? Cela dépend de la taille, de la qualité et de l'usage que vous comptez en faire, dit Bernice en s'approchant, prête pour une discussion approfondie.

Jacqueline scruta la sélection, choisit des ciseaux de vingt centimètres, à quinze dollars, et posa l'argent sur le comptoir.

— Voilà de bons ciseaux polyvalents, mais si vous prévoyez couper beaucoup de tissu, choisissez une paire légèrement plus dispendieuse plaqué chrome, des ciseaux tranchants comme un rasoir de la marque Héritage.

Jacqueline sortit son portefeuille et posa un billet de vingt dollars sur les ciseaux.

— Je m'apprête à poignarder quelqu'un avec ceux-ci, dit-elle, avec grande satisfaction.

Bernice ricana, mais son sourire disparut après avoir bien regardé Jacqueline dans les yeux.

— Bon… alors… j'imagine que cette paire fera l'affaire.

Elle recula lentement vers le comptoir et la caisse enregistreuse. Jacqueline ne pouvait pas attendre. Il lui restait environ une minute avant que monsieur Agressif comprenne qu'il avait perdu sa trace, qu'il revienne sur ses pas et qu'il suive de nouveau sa piste.

— Gardez la monnaie, dit-elle, en attrapant les ciseaux, avant de contourner le comptoir et de se faufiler dans l'arrière-boutique.

— Hé! cria Bernice, vous n'avez pas le droit! Vous n'avez pas le droit!

— C'est ce qu'on verra, murmura Jacqueline.

Elle glissa les ciseaux dans sa poche, puis sortit par la porte arrière jusque dans l'allée avant même que Bernice n'ait le temps d'ajouter quoi que ce soit.

Jacqueline vira sur la gauche et courut jusqu'à la rue. En regardant de chaque côté, elle se faufila dans la foule de nouveau et s'éloigna du palais de justice. À un moment opportun, elle se précipita dans la circulation pour s'engouffrer dans une autre allée. Elle se cacha derrière la première benne à ordures. Une benne de métal qui sentait la vieille nourriture mexicaine. Elle ouvrit une fermeture éclair et fouilla au fond de son sac à dos en quête de sa casquette. Elle la trouva, soupira de soulagement, et la mit en prenant soin de dissimuler sa chevelure, avant de repartir au pas de course à travers la foule, vers chez elle.

Son appartement était à deux pâtés de maison de là, sur l'ancienne artère à la mode. Si elle pouvait rejoindre la vieille maison, elle serait en sécurité. Son poursuivant serait loin derrière. Elle aurait le temps de décider quoi faire ensuite.

Téléphoner aux policiers?

Pas vraiment. Les gens de la trempe de monsieur Agressif avaient des contacts influents auprès des forces de l'ordre.

Faire ses valises et quitter la ville?

Pas question! Elle s'était déjà enfuie. Elle ne le referait plus.

Se cacher sous le lit?

Ouais, pourquoi pas!

Elle bifurqua sur sa rue tranquille, bordée de grands chênes et de jardins ombragés, puis ralentit le pas. Elle scruta les environs.

Nicki, le petit chien de madame Mallery, sortit et jappa sur son passage. Fouineur, le retraité monsieur Thomas cessa de désherber assez longtemps pour lui dire:

— Il fait chaud, n'est-ce pas?

— En effet, répondit-elle. Quelque chose aurait attiré votre attention dans la rue, dernièrement? Des étrangers?

— Non. Vous attendiez quelqu'un? demanda monsieur Thomas en s'appuyant sur sa pelle.

— Je demandais, tout simplement, répondit-elle en souriant.

Son regard se porta sur les gants de cuir de Jacqueline.

— Quelle fille étrange! murmura-t-il.

Elle ne se préoccupait pas beaucoup de son opinion. Elle ne se préoccupait seulement qu'aucun *homme* n'ait troublé la tranquillité du quartier.

Bon, elle avait chaud et elle transpirait, mais elle avait réussi. Monsieur Agressif était peut-être le meilleur pisteur du monde, mais elle l'avait semé. Ça lui apprendra à terroriser une jeune fille seule. Il avait le culot de croire qu'il avait le droit de s'immiscer de nouveau dans sa vie après toutes ces années.

Elle gravit l'escalier de bois qui menait au porche et vérifia le contenu de la boîte aux lettres. Un catalogue et une facture. Elle prit sa clé, ouvrit la porte qui menait à l'escalier de l'étage, puis gravit les marches.

La vieille maison était divisée en quatre appartements, avec une petite cuisine et un salon, ainsi qu'une chambre à coucher de la taille d'un placard. Elle était chanceuse; elle possédait sa propre salle de bain avec un plancher de tuiles de céramique noir et blanc, un lavabo sur colonne et une baignoire sur pieds.

Avec prudence, elle vérifia la poignée. La porte était bien fermée à clé.

Elle sortit les ciseaux de sa poche et les brandit comme un couteau. Elle inséra la clé dans la serrure, ouvrit grand la porte, puis jeta un regard à l'intérieur. Le salon et la cuisine étaient vides. L'endroit était comme elle l'avait quitté.

Maudit soit-il ! Elle était vraiment énervée à cause de lui.

Bon, on n'est jamais trop prudent. Elle referma rapidement la porte derrière elle. Elle remit les ciseaux dans sa poche, mit le verrou et la chaîne sur la porte, puis laissa son sac à dos et sa casquette près de la porte. En enlevant son t-shirt, elle se dirigea vers sa chambre à coucher. Elle balança ses chaussures vers le placard, retira ses gants — et fit une pause.

Elle pouvait entendre l'eau couler. Ça n'avait rien d'extraordinaire, les toilettes de l'étage supérieur étaient situées juste au-dessus et les tuyaux passaient dans les murs. Cependant, le bruit venait de *son* appartement. Elle franchit la porte menant à la salle de bain à l'ancienne, et la vapeur lui sauta au visage.

Elle avait oublié de refermer le robinet de la douche.

Ouais, ce matin elle était pressée, distraite par l'insupportable univers sépia qui lui emplissait l'esprit, et le bruit de l'eau qui goutte… qui goutte…

À cet instant, pendant une courte seconde, elle ferma les yeux et toucha de sa paume marquée son front, entre ses deux yeux.

Son esprit, son âme cherchait à donner naissance à… quelque chose…

Elle se ressaisit. Retira sa main.

Elle ne voulait pas reconnaître cette douleur qui l'accablait. Si seulement elle pouvait l'ignorer, elle se dissiperait. Ça avait toujours été comme ça…

La douche. Elle avait laissé la douche en marche.

Comme avait-elle pu être si négligente ? Elle avait la main posée sur le rideau de douche vert lorsque ce mot résonna dans sa tête.

« Négligente… »

Puis, elle comprit qu'il y avait quelqu'un…

Tirant rapidement le rideau de douche, il l'attira à l'intérieur.

Chapitre 3

Jacqueline atterrit sur les fesses dans la baignoire. Le bruit fut assourdissant, son cri, encore plus. Elle aperçut rapidement un mec nu — grand, élancé, un regard bleu glacial — au-dessus d'elle.

La rage monta en elle. Il ne l'emporterait pas. Pas cette fois-ci.

En se retournant à quatre pattes, elle glissa la main dans sa poche. En se retournant, elle avait les ciseaux bien campés dans son poing. Elle le poignarda dans les côtes, de toutes ses forces.

Il recula. Il siffla de douleur, mais s'en remit trop rapidement. Il lui attrapa le poignet alors qu'elle s'apprêtait à le frapper de nouveau. Il le tordit jusqu'à ce qu'elle perde toute sensation dans ses doigts. Elle lâcha les ciseaux ; ils percutèrent le côté de la baignoire avec fracas, avant de glisser vers le tuyau d'évacuation. Avec force et précision, d'un coup de pied, il les envoya valser à travers le rideau de douche.

Elle en eut le souffle coupé. Elle se rejeta violemment au fond de la baignoire ; s'y laissa glisser et se mit à le frapper à coups de pieds.

Il chuta, mais rebondit aussi rapidement qu'un chat, pour la chevaucher.

Toutefois, avec précaution, il absorba le gros de la chute avec ses mains et ses pieds, pour éviter de tomber sur elle de tout son poids.

Cependant, pour aucune raison apparente, avant qu'elle n'ait terminé de glisser au fond de la baignoire, il fit voler l'attache avant de son soutien-gorge.

Enragée, outragée, elle tenta de l'attraper par ses cheveux coupés courts. Elle les tordit, mais après avoir tiré de lui un cri de douleur satisfaisant, elle perdit prise.

Il posa les mains sur sa poitrine. Et la regarda. La regarda, tout simplement.

Du sang giclait de sa blessure. Sous le jet d'eau, le sang coulait le long de ses côtes sculptées. Le sang s'écoula sur son ventre à elle, puis dans les canalisations.

Elle était fière de l'avoir blessé, de savoir qu'il souffrait.

Puis, elle plongea son regard dans ses yeux bleus et intenses, et son corps se trouva suspendu dans une bulle composée d'un étrange mélange de haine et de désir.

Il la titilla de ses pouces, la caressa, lui faisant ainsi éprouver une douce et lente tentation.

L'univers de la douche était fait de chaleur et d'intimité. Les mamelons de Jacqueline se durcirent dans la paume de sa main. L'eau tombait sur eux, détrempant les épaules de l'homme, le visage de Jacqueline et leurs corps entrelacés. Le battement de son cœur ralentit, et ses paupières se firent de plus en plus lourdes.

Elle prit une profonde inspiration mesurée… La séduction était un jeu d'enfant pour lui.

Elle était pour lui un jeu d'enfant. L'idée l'excita, et l'enragea.

— Non ! s'écria-t-elle, en repoussant ses mains et portant son poing au nez de l'homme.

Elle ne réussit pas à le frapper. Il était trop rapide pour elle. Il était trop habitué. Il l'attrapa par le poignet et la retourna sur le ventre.

Elle posa les coudes sous elle et se releva aisément. Trop aisément ; il l'attendait.

Il passa le bras sous elle et déboutonna son jeans.

— Espèce de... dit-elle en se dirigeant vers le bord de la baignoire.

Encore une fois, elle lui avait facilité la tâche. Il n'aurait jamais réussi à lui retirer son jeans détrempé, mais il en retint la ceinture, et elle glissa hors d'eux. Il la laissa culbuter hors de la baignoire sur les tuiles froides du plancher, puis lui emboîta le pas. Il l'attrapa par les chevilles alors qu'elle se relevait pour tenter de s'enfuir. Elle le laissa la faire trébucher, puis frappa de ses pieds la blessure qu'il avait aux côtes.

Il laissa échapper un gémissement et perdit prise. Il s'en remit trop rapidement. Il l'attrapa de nouveau par la cheville. Frénétiquement, elle le frappa violemment de son pied libre.

Toutefois, il évita son coup, une fois, deux fois, et la troisième fois, il l'attrapa par son autre cheville. Il pouvait faire ce qu'il voulait de ses jambes. Il tira ses genoux de sous elle. Son ventre percuta les tuiles froides. Il l'attira vers lui, et lorsqu'elle tenta de se retenir sur le plancher pour ralentir l'inévitable, il ricana... doucement.

C'était comme d'être traînée dans une fournaise alimentée par le désir. L'eau sécha sur sa peau tandis qu'il l'attirait à lui. De ses larges mains, il lui écarta les jambes, puis lui caressa les mollets, les genoux et les cuisses. Il lui attrapa les hanches, et ses doigts se soulevèrent brièvement.

Elle en profita pour se débattre de nouveau en se dirigeant vers la chambre à coucher.

À deux mains, il déchira un côté de son string ficelle. Sa culotte pendouilla d'un côté de ses hanches. Puis, il la rattrapa.

L'estomac de Jacqueline se noua de peur et de fureur.

Et, que Dieu la garde, d'excitation.

Il déposa un baiser sur une fesse, puis, lorsqu'elle tenta de se retourner pour le frapper, il la mordit doucement, en représailles. Il passa un bras sous ses hanches et s'en servit comme point d'appui pour la presser sous lui. Il s'installa sur elle, la plaquant contre le plancher.

Les tuiles étaient froides. Et dures.

Il était lourd. Et chaud. Et dur. Son érection se pressait entre les cuisses de Jacqueline. Seul le tissu mince de sa culotte la préservait d'une intrusion.

Il sentait le savon, et l'homme, et le sexe qui durait des heures.

Il la rendait furieuse.

— Quel lâche ! dit-elle.

— Lâche ? Ma chère, mais que veux-tu dire ? répondit-il d'une voix suave et satisfaite.

— Tu as peur que je ne voie ton visage ? Tu as peur que je te blesse de nouveau ?

Il s'immobilisa, puis, la main sur sa taille, il la retourna face à lui.

Elle le regarda fixement dans les yeux, toujours bleus, mais plus du tout glaciaux. Ils brûlaient de passion, de désir, elle ne pouvait le nier.

— Dieu que tu m'as manqué, dit-elle, en l'attrapant par les cheveux, détrempés par la douche, pour attirer son visage vers le sien.

Elle l'embrassa avec force, goûtant pour la première fois depuis deux ans la saveur de Caleb D'Angelo, son seul et unique amant.

Chapitre 4

Caleb répondit à l'agression de Jacqueline avec une de son propre cru, enfonçant sa langue profondément dans sa bouche tandis qu'il faisait glisser sa culotte avec ses mains le long de sa jambe. Il enfonça un doigt en elle, la réclamant comme si les années ne s'étaient pas écoulées.

Et traîtreusement, évidemment, le corps de Jacqueline fit plus que céder. Il s'adoucit autour de son doigt, devint humide d'abandon, et se cabra sous lui, déjà au bord de l'orgasme.

— Ne songe même pas à jouir tout de suite, lui dit-il sur un ton de colère. Tu t'es sauvée. Tu as fait semblant de ne pas me reconnaître. Tu devras payer.

— Tu t'es comporté comme un idiot, alors s'il y a un prix à payer...

— J'ai déjà payé. Chaque jour qui nous éloigne, je paie, répondit-il.

— Ce n'est pas suffisant. Quoi que tu aies souffert, ce n'est pas suffisant.

Ses muscles intérieurs se durcirent, massant le doigt de Caleb.

Le regard de Caleb se rétrécit.

— Imagine ce que ce serait autour de ta verge, murmura-t-elle, avant de recommencer, et un long soubresaut le fit gémir de désir.

Il désirait la dominer ? Elle était équipée pour se défendre.

Et il avait la dureté, physique et mentale, pour la subjuguer. En un mouvement graduel et tortueux, il glissa son doigt hors d'elle.

Elle haussa les épaules et lui attrapa les bras, désirant qu'il la pénètre de nouveau.

Il se redressa entre ses cuisses. Elle l'observa, fascinée, tandis qu'une goutte d'eau glissait de sa gorge, le long de sa poitrine, suivant en zigzaguant le chemin le plus facile, entre les muscles, qu'il avait encore mieux découpés que dans son souvenir. Avait-il perdu du poids ? S'entraînait-il plus qu'auparavant ? Ou la réalité était-elle beaucoup plus intéressante que les souvenirs ?

La goutte d'eau rejoignit le petit suintement de sang de la blessure qu'elle lui avait infligée.

Il devait souffrir, mais cela ne semblait pas le préoccuper. Évidemment. Caleb avait toujours été capable de poursuivre son objectif, peu importe la douleur ressentie… ou qu'il lui causerait.

Pour l'instant, son objectif était déterminé par son érection et son désir. Qu'il soit maudit de faire de ses désirs les siens à elle !

Il ouvrit ses jambes et les replia sous lui, campé sur ses talons si près de son ouverture féminine ouverte à lui comme une fleur épanouie. Les genoux de Jacqueline étaient repliés, ses pieds étaient à plat au sol, et tandis qu'il baissait le regard, il caressa délicatement la peau sensible de l'intérieur de sa cuisse. Ce demi-sourire si particulier affiché au visage, il lui dit :

— Tu es enflée, Jacqueline.

Il l'observait. L'observait et s'amusait ferme. Elle releva le menton.

— Oui, et alors ? Toi également, répondit-elle en baissant les yeux.

De toute évidence.

— Par conséquent, chaque caresse est un calvaire pour chacun de nous.

— C'est à double sens.

Il se pressa contre elle, en glissant langoureusement le long de ses hanches.

Elle voulait se tordre contre son corps. Elle voulait se frotter contre lui jusqu'à la jouissance personnelle, puis le caresser jusqu'à ce qu'il y prenne son plaisir.

Cependant, comme d'habitude, il lut son intention sur son visage et l'agrippa par les hanches.

— Que désires-tu, Jacqueline ?

Elle détourna son visage, refusant de le regarder, de lui donner la satisfaction de déceler sa frustration.

— Jacqueline, dit-il en se penchant vers elle, glissant les mains sur le sol le long de son dos, sous ses bras, et jusque sous sa tête qu'il prit dans ses mains.

Il l'entourait, maintenant ; ses jambes étaient sous celles de Jacqueline et contre ses hanches. Ses bras enserraient son corps à elle. Sa poitrine touchait la sienne. Il fleurait bon son savon à elle, le citron et le romarin, et son odeur personnelle, force et puissante.

Cependant, une chose l'emportait sur sa conscience — son érection, puissante et chaude, pressée à l'entrée de son corps.

Sa voix se fit exigeante et amadouante.

— Regarde-moi, Jacqueline.

Que le diable l'emporte, si elle obtempérait !

Il lui caressa la joue du bout des lèvres, puis lui embrassa le cou sous l'oreille, et lui mordilla le lobe de l'oreille.

Elle sursauta.

Il rit, son haleine soufflant sur sa peau.

En un éclair, elle se retourna la tête et lui prit la lèvre inférieure entre ses dents. Elle le mordilla également, puis le relâcha en le dévisageant furieusement.

— Tu ne sais pas quand rendre les armes, n'est-ce pas ?

Par sa faute, le sang de Jacqueline bouillonna de rage.

— Jamais je ne m'abandonnerai à toi de nouveau. Je n'ai reçu en gage que rejet et…

Il s'inséra légèrement en elle de quelques centimètres.

Le choc lui coupa le souffle.

C'était déjà arrivé, auparavant, mais cela faisait si longtemps… De plus, il était plus imposant, ou elle plus étroite… Elle avait oublié ce que c'était que d'avoir un homme, cet homme, la remplir si pleinement.

— Ça va ? demanda-t-il, mais il poussa davantage sans attendre la réponse.

Il l'observa, l'étira, lui ordonnant avec force d'abandonner sa colère, sa résistance. Il exigeait que son esprit et ses sens soient tous centrés sur lui, sur sa grandeur, sur ce désir insouciant et impuissant.

Il bougeait sans hâte, elle gémissait à l'idée. Elle lui planta les ongles dans les épaules. Elle tenta de se soulever, d'activer les choses.

Toutefois, il la maintenait captive. Sa poitrine plaquée contre la sienne. Il la tenait étroitement dans ses bras. Sous elle, les tuiles étaient froides contre son corps encore humide. Au-dessus d'elle, il brûlait d'intensité.

Elle ne pouvait détourner les yeux de son regard bleu, bordé de cils foncés et lourd de passion. Lorsque, enfin, il la pénétra complètement, elle y vit un éclat triomphant.

Cependant, avant qu'elle n'ait le temps de ressentir la colère, il libéra la bête en lui.

Il la pénétrait et se retirait, la pénétrait et se retirait, progressivement. Lentement pour commencer, mais avec un rythme de plus en plus soutenu. Ses cuisses se cambrèrent contre celles de Jacqueline, et ses hanches dirigeaient avec force. Elle était grande ouverte. Chaque sensation était nouvelle et rafraîchissante. Avec chaque poussée, il se berçait contre elle. Avec chaque mouvement, sa domination sur elle grandissait. Elle se sentait de nouveau vierge, passant d'émerveillement en émerveillement, jusqu'à saturation de ses sens. Elle avait la vague impression de pleurer tandis que son âme s'étirait et cherchait la délivrance.

Il glissa une main sous sa tête ; posa l'autre sur son ventre. Près de son oreille, il murmura :

— Pas maintenant, Jacqueline. Attends encore un peu, juste encore un peu…

Attendre quoi ? Elle tenta de secouer la tête, de refuser. S'il pouvait simplement *cesser de parler* et la laisser se concentrer sur le moment présent, elle pourrait…

La main sur son ventre glissa vers le bas et, avec l'agilité d'un athlète-né, il la glissa entre eux et prit son clitoris entre ses doigts. Il connaissait trop bien son corps. D'un seul mouvement, il la mena de la privation surexcitée à un orgasme si intense qu'elle en hurla de plaisir.

Il la laissa hurler, l'écoutant avec le sourire, comme si son extase était une douce musique.

Puis, les spasmes de son corps le rejoignirent. Leur rythme devint rapide et intense. Jacqueline eut un nouvel orgasme, ou bien c'était le premier qui se poursuivait. Elle l'ignorait. Tout ce qu'elle savait, c'est qu'il avait atteint la limite de sa retenue, que ses coudes étaient posés par terre de chaque côté d'elle, et que ses bras tremblaient à l'effort. Elle savait simplement qu'il haletait et qu'il grognait au-dessus d'elle, pris au piège de la passion qui existait entre eux ; par cette passion qui survivait à tout.

Alors qu'il la pénétra encore plus profondément, qu'il jouissait enfin, il dit son nom, et elle entendit dans sa voix la douleur que lui avait causée leur longue séparation… et au cœur de son orgasme, elle sut également que si cela s'avérait nécessaire, il la quitterait de nouveau.

Chapitre 5

Caleb s'adossa, torse nu, au comptoir de la cuisine et observa Jacqueline nettoyer l'incision qu'elle lui avait infligée aux côtes. La plaie était irrégulière, profonde et douloureuse ; il était plutôt fier d'elle. Il lui avait appris à combattre de la sorte, et aucun homme vivant ne pouvait se vanter de l'avoir combattu ainsi.

Évidemment, aucun homme vivant ne le déstabilisait comme une Jacqueline à moitié nue. Après avoir fait l'amour sur le plancher de la salle de bain, et sur le matelas de mauvaise qualité, elle avait pris une douche seule — elle avait verrouillé la porte de la salle de bain et bloqué l'accès avec l'armoire. Elle avait ensuite enfilé un vieux pantalon de pyjama défraîchi à motifs écossais, et un grand t-shirt propre. Il s'imagina que s'était sa façon naïve de lui dire de *garder ses mains pour lui.*

Elle paraissait plutôt douce et proprette, et sentait bon le savon et Jacqueline.

Le soleil de la Californie lui allait à ravir, sa caresse lui avait laissé la peau d'une jolie teinte basanée. Tandis que ses cheveux séchaient, des mèches blond pâle s'enroulaient autour de son visage et leurs extrémités lui frôlaient le cou en un doux baiser. Le t-shirt arborait un logo défraîchi de l'un des premiers endroits où elle avait travaillé lorsqu'elle s'était enfuie, et ses bras étaient bien musclés. Elle s'entraînait.

Évidemment.

Il le lui avait également enseigné.

— Tu as besoin de points de suture, lui répéta-t-elle pour la dixième fois.

Et pour la dixième fois, il avait répliqué :

— Les ciseaux sont neufs et propres ; j'ai reçu mon vaccin contre le tétanos et je peux avoir des antibiotiques à New York. Mets-moi simplement un bandage papillon. Puis, fais tes valises.

Elle trempa les essuie-tout dans la cuvette d'eau tiède propre, puis nettoya doucement la région de la blessure. Elle ne releva pas la tête et ne répondit pas.

Le regard de Caleb se posa sur les gants en cuir sans doigts qu'elle portait. Ils étaient de bonne qualité, presque de la même couleur que sa peau, et suffisamment souples pour suivre ses mouvements.

— Tu n'avais pas l'habitude de toujours porter des gants.

— Je n'en ai pas l'habitude non plus. Pas tout le temps.

— Pourquoi les porter ?

— Tu m'as entendue, aujourd'hui, à la cave à vin. C'est à la fois par style et par protection.

— Protection ? dit-il en se moquant d'elle. Pour te protéger des tire-bouchons ?

Cette Jacqueline était plus sage que l'adolescente qu'il avait connue, moins susceptible de mordre à l'hameçon, plus encline à prendre son temps avant de lui répondre — ou de ne pas lui répondre du tout.

— Comment m'as-tu retrouvée ? lui demanda-t-elle.

Il rit vivement, puis grimaça de douleur.

— Nous n'avons jamais perdu ta trace.

Il l'avait suivi de la côte est à la côte ouest, à travers les bons et les mauvais moments, pendant les deux longues années d'exil.

Elle prit les ciseaux.

Il aurait pu être plus délicat en le lui avouant. Il se tendit, prêt à réagir à une nouvelle attaque.

Elle leva les yeux et le vit la regarder avec inquiétude.

— Ne t'inquiète pas. Je ne te poignarderai pas de nouveau.

Elle découpa des bandelettes de ruban de premiers soins et les colla sur le bord du comptoir.

— Enfin, que pourrais-tu me faire d'autre ? Me baiser encore ?

— *Je ne t'ai pas baisée !* précisa-t-il.

Croyait-elle qu'il avait oublié la deuxième fois, celle où elle avait pris les devants, l'avait mené vers le lit, l'y avait poussé et s'était installée sur lui à califourchon ? Osait-elle imaginer qu'il ne chérirait pas cette douce folie qui s'était de nouveau emparée d'eux, sa façon de l'enfourcher, comment il était lorsqu'il la pénétrait, encore et encore, ne désirant rien d'autre que de la posséder aujourd'hui, hier, et chaque jour de sa vie ?

Il n'avait jamais cru que les pensées d'un homme pouvaient ressembler à celles d'une femme, mais pour une fois, ils devaient être sur la même longueur d'onde, car elle répondit :

— Non, j'imagine que non.

— Et oui, si on m'en donnait l'occasion, je récidiverais.

Elle ne rit pas. Il n'était pas là depuis assez longtemps pour en être certain, mais cette Jacqueline ne semblait pas sourire du tout, et c'était là un changement qu'il n'appréciait pas du tout.

— Tu récidiverais, hein? J'imagine. Ça faisait bien deux ans. C'est long comme abstinence.

Une à une, elle coupa les bandelettes pour former le bandage papillon.

— J'imagine cependant que je suis la seule à m'être abstenue.

Il ne répondit pas. C'était inutile. Aucune réponse ne lui ferait plaisir.

Malgré toute son hostilité, elle usa de douceur pour rapprocher la peau et apposer la première bandelette.

— Elle t'a envoyé, n'est-ce pas?

— Ta mère? Oui.

— C'est l'heure de la Sélection.

— Oui.

— Je ne rentrerai pas.

Il ne releva pas non plus cette affirmation. Elle rentrerait, que ça lui plaise ou non.

Jacqueline posa une nouvelle bandelette sur la blessure.

— Comment va-t-elle?

— Ta mère? Bien.

— J'ai de ses nouvelles par les journaux à sensation. Elle est de nouveau divorcée?

— Oui.

— Pour quelle raison, cette fois-ci?

— Je ne pose pas de question.

— C'est vrai. Parce que ça ne te regarde pas.

— En effet.

— Tu fais simplement ce qu'elle te demande de faire.

— Ce pour quoi elle me paie fort bien.

Une excuse. Généralement, il ne présentait aucune excuse, mais Jacqueline venait toujours le chercher.

Jacqueline était si prise avec sa propre amertume qu'elle ne le remarqua même pas.

— J'oserais avancer qu'elle a divorcé pour les mêmes raisons que les fois précédentes. Parce qu'elle s'ennuie. Et parce qu'elle a un nouveau petit ami.

— Et pourquoi ça t'intéresse ? Tu as à peine connu son dernier mari.

— Ça ne *m'intéresse* pas. J'aimerais simplement que, pour une fois, elle se comporte comme une femme de son âge, mais j'imagine que c'est trop demander, dit-elle en ouvrant violemment une bandelette de gaze stérile.

Au cours des deux dernières années, Jacqueline avait changé, avait grandi en tout, sauf en une chose — elle méprisait toujours sa mère d'être elle-même. Il aurait pu lui dire que c'était là une perte de temps. Il avait appris à la dure que les parents étaient aussi humains que qui que ce soit d'autre, et que leurs erreurs avaient parfois de graves conséquences.

Cependant, Jacqueline n'aurait pas voulu l'entendre. Elle le méprisait également. Elle le méprisait et l'aimait à la fois. C'était un mélange d'émotions difficile à concevoir pour lui et à accepter pour elle. Il aurait aimé… sauf qu'il était trop tard pour lui pour défaire ce qu'il avait fait, et s'il en avait l'occasion, il le referait de toute façon. Apparemment, il pouvait résister à tout, sauf à la tentation — et Jacqueline était la seule tentation de sa vie.

Elle finit de bander sa blessure et fit un pas en arrière pour observer le résultat. Elle hocha la tête comme par satisfaction. Puis, son regard se porta sur les épaules, la poitrine, le ventre de Caleb...

Dieu. Ce qu'elle lui avait fait.

Et ce qu'il lui avait fait, songea-t-elle en fermant ses yeux bruns ambrés pendant un bref instant, révélateur, avant de détourner la tête.

— Tu peux enfiler ton t-shirt, maintenant.

Il tendit la main pour le prendre.

— Et tu peux partir, dit-elle en avançant vers la cuisine et salle à manger miniature en direction de la porte.

La main suspendue au-dessus de son t-shirt, il lui posa une question, feignant de ne pas comprendre :

— Tu veux partir maintenant ?

— Je t'ai dit que je ne rentrerais pas.

Elle était assez intelligente pour savoir qu'elle aurait dû l'avoir à l'œil. Elle se retourna donc pour lui faire face.

— Bon, eh bien, que vas-tu faire ? Tu vas me forcer, criant et gesticulant, à passer la sécurité à l'aéroport ? Je ne le *crois* pas, finit-elle, la main sur la poignée.

Il lui dit doucement :

— Je n'ai pas besoin de te faire passer la sécurité. Le nouvel, hum, amoureux de ta mère lui a prêté son jet. Il est à l'aéroport, prêt pour le décollage.

Jacqueline inspira brusquement, de toute évidence tiraillée entre l'idée de discuter du nouvel amoureux de sa mère ou de son propre retour.

Il n'attendit pas.

— Tu as jusqu'à demain pour prendre ta décision.

— Ma décision est déjà prise.

— Alors, tu as jusqu'à demain pour changer d'idée. D'ici là…

Elle remarqua cet éclat dans son regard et, telle une proie devant son prédateur, figea.

Il franchit en deux longues enjambées l'espace qui les séparait pour se retrouver devant elle. Doucement, il retira sa main de la poignée de la porte, la porta à ses lèvres et baisa ses doigts.

— D'ici là, je sais ce que j'aimerais faire…

— Pardon ?

Son hostilité transparaissait dans sa posture, son ton et son expression.

Toutefois, son désir brûlait comme des braises. Il n'avait qu'à souffler légèrement pour le faire renaître, et elle serait sienne. Il se rapprocha, la pressa contre la porte, puis l'embrassa d'un baiser langoureux qui attisa l'intensité à chaque instant, à chaque toucher. Contre ses lèvres, il murmura :

— C'est ce que je veux faire, jour et nuit, avec toi.

Elle inspira pour pouvoir parler.

Il ne lui en donna pas l'occasion. Il glissa les doigts dans ses cheveux, ce blond blanc extraordinaire qui brillait comme le platine et étincelait comme les diamants. Penchant son visage, il l'embrassa jusqu'à ce qu'elle oublie tout, sauf lui, l'embrassa jusqu'à ce qu'il n'y ait plus que lui qui existe. Il fit fondre sa résistance d'un baiser.

Pourtant, lorsqu'il éloigna ses lèvres des siennes, il découvrit qu'il avait tort, puisqu'elle dit :

— Je ne rentrerai pas.

Elle rentrerait. C'était son travail de s'en assurer.

Pour l'instant, toutefois, il n'y avait qu'eux. Seulement qu'eux.

Et le reste du monde pouvait aller au diable.

Chapitre 6

Si Aaron Eagle doutait de la démence de ces personnes, le fait qu'elles étaient debout au centre d'un cercle de craie tracé avec soin à l'étage inférieur du métro new-yorkais venait le confirmer. Les membres du conseil d'administration de l'Agence de voyages Gitane étaient cinglés, du premier au dernier, et s'il n'avait pas eu de bonnes raisons de se prêter à leur chantage stupide, il se serait déjà tiré de là !

Malheureusement, ses raisons étaient bonnes. Plus que bonnes.

Par conséquent, il resta là à observer tandis qu'une étrange vieille dame prévenait les cinq autres pauvres types de faire attention à ne pas faire baver la craie en pénétrant précautionneusement dans le cercle. Ouais, parce que s'ils faisaient baver la craie, un truc horrible pourrait survenir. Par exemple, tous les New-Yorkais qui se précipitent à la maison après le boulot pourraient regarder de travers le drôle de groupe qui enjambait un cercle de craie sous l'escalier du métro. Diable, si personne ne leur marchait sur les pieds, les New-Yorkais n'avaient que faire si Aaron et ses nouveaux compatriotes se rassemblaient pour danser. Et Aaron espérait bien que cela ne serait pas le prochain point à l'ordre du jour, parce qu'il devait bien fixer sa limite quelque part.

Son regard se porta sur le sol de béton immaculé encerclé de craie rouge et bleue, et il rit, d'un rire bref et amer.

Non, il n'allait pas fixer de limite. Tant que cela le protégeait, il serait leur homme.

Il était Aaron Eagle. Il avait donné sa parole, et il la tenait toujours. Il espérait simplement qu'ils tiendraient la leur.

L'une des deux femmes s'approcha, lui tendit la main et serra la sienne avec enthousiasme.

— Bonjour, je suis Charisma Fangorn, de l'Oregon. N'est-ce pas génial ? J'ai hâte à la petite fête de ce soir.

— La fête ? Celle aux bureaux de l'Agence de voyages Gitane ? dit-il en se souvenant de ce qu'on lui avait dit.

— Tous ceux associés de près ou de loin à l'organisation y seront. Tous les anciens Élus et tous les anciens directeurs. Il y aura tout un festin — du genre Hogwarts, à l'Halloween — et à boire et à danser. Puis, il y aura une cérémonie où nous serons présentés au groupe en bonne et due forme, dit-elle, les yeux brillants d'excitation.

— À mon avis, cela tiendra surtout de l'absurde, dit-il.

Il eut toutefois un remords de conscience en voyant le visage de Charisma changer. Voilà pourquoi il s'était donné pour règle de ne pas fréquenter des jeunes femmes comme elle. La tenue à la Heidi, le collier de chien clouté et les mèches mauves dans les cheveux lui donnaient l'impression d'être vieux — ou du moins, plus vieux que ses trente-cinq ans.

— En fait, ils doivent nous présenter, ou les Élus des années précédentes pourraient nous confondre avec, tu sais... un des *Autres*, ajouta-t-elle à voix basse en jetant un regard autour.

— Ils pourraient tout simplement faire circuler nos photos par courriel, répondit-il.

Ainsi, il n'aurait pas à être présent pour ce qui lui semblait être une initiation étudiante.

— Et si le courriel était intercepté et que les Autres découvraient notre identité ?

— Ne l'apprendront-ils pas de toute façon ?

— Oui, mais cela nous donne le temps de suivre une formation auprès des Élus émérites, poursuivit-elle.

C'était fort logique, mais elle ajouta en souriant :

— De toute façon, la présentation est une tradition.

Capitulant devant son enthousiasme, il dit :

— Puisque c'est une tradition, aussi bien s'y plier.

— En effet. Dans une telle organisation, c'est une tradition qui lie l'ensemble. C'est ce que j'ai lu dans *À l'aube du monde : une histoire des Élus*.

— Ouais, répondit-il.

Le conseil lui avait également remis une version reliée de cuir, mais il n'avait pas daigné le lire.

— Lorsque ma mère s'est rendu compte que j'avais un don, elle a tenu quelques séances, mais évidemment ce n'est pas *ce genre* de don, dit-elle en s'installant à côté de lui et en observant les autres avec enthousiasme.

— Je fais dans les pierres, poursuivit-elle, comme s'il devait savoir de quoi elle parlait.

— Les pierres ?

— Les cristaux, principalement. Je les entends chanter, dit-elle en faisant cliqueter les bracelets d'or et d'argent qu'elle portait aux poignets.

— Chanter ?

Il remarqua des pierres de différentes couleurs à chaque bracelet, et en dessous, les tatouages. Seulement, il était prêt à le parier, ils n'avaient pas été appliqués délibérément. Ils étaient plutôt apparus spontanément au cours de l'adolescence. Ou peut-être était-elle née avec ces tatouages.

Il connaissait seulement la façon dont la marque était apparue sur sa peau à lui. Qui sait comment cela s'était produit pour les autres ?

— J'entends la chanson de la terre, dit-elle avec enthousiasme. Quel est ton don ?

— Hum ?

— Nous sommes les Élus. Nous avons des dons. Quel est ton don ?

— Je ne parle jamais de mon don.

On lui avait garanti qu'il avait beaucoup en commun avec ces personnes. Pour l'instant, il en doutait.

— Tu es Amérindien, non ? demanda-t-elle, toujours imperturbable.

Elle marquait des points pour avoir utilisé le bon terme pour désigner son peuple.

— Voilà pourquoi tu es si silencieux et si impénétrable.

Elle venait de perdre des points pour s'être enlisée dans les clichés.

— Tu as raison, répondit-il.

Si Charisma le voyait en smoking, un verre à la main, à discuter de finances avec les hommes, charmant les dames, alors que personne ne s'en doutait… Bon, presque personne. Si personne ne s'en était douté, il ne serait pas ici.

— Que fais-tu dans la vie ?

— Je suis un voleur.

— Évidemment, dit-elle.

Elle accepta sa réponse si allègrement qu'il ne put dire si elle le croyait ou non.

Cela importait peu, puisqu'elle baissa la voix et lui demanda en faisant un signe de tête en direction du blondinet de type surfeur :

— Quel est son don, à ton avis ?

« Silencieux et impénétrable. » C'est comme ça qu'elle le percevait, et cela lui convenait. Par conséquent, il croisa les bras sur sa poitrine à l'instar de Sitting Bull et resta coi.

— C'est un joyeux mélange, annonça Charisma après avoir fait cliqueter ses bracelets en direction du type.

Le blondinet se retourna. Il posa fixement son regard d'un bleu hypnotique sur elle.

Elle le lui rendit, fouillant son visage et affirmant avec soulagement :

— Ah, évidemment. C'est Tyler Settles. C'est un guérisseur et un médium. Il n'est tout simplement pas un très bon médium.

Sa façon de l'affirmer avec une telle certitude prit Aaron au dépourvu, et il délaissa son costume d'impénétrabilité.

— Comment peux-tu l'affirmer ?

— Les pierres me l'ont dit.

C'était complètement idiot de croire que les pierres détenaient certains renseignements et les lui fournissaient à volonté.

Cependant, personne ne pouvait croire son don à lui, alors… Dieu merci, parce qu'il avait fait fortune grâce à sa particularité.

— Bon, et lui, alors ? demanda-t-il en indiquant cet autre beau type basané qui avait un air d'autorité.

— C'est Samuel Faa, dit-elle en riant. Il est avocat et ferait n'importe quoi pour gagner une cause.

— Être avocat n'est pas vraiment un don, répondit-il.

Aaron avait de bonnes raisons de détester les avocats. La moitié des membres du conseil de l'Agence de voyages Gitane étaient avocats.

— Ça l'est, lorsque tu peux manipuler les esprits.

— Aïe.

— Ne t'inquiète pas. Il ne peut manipuler les nôtres. Il n'en a de toute façon aucune envie. Il ne voulait pas venir. Ils ont dû lui faire du chantage pour qu'il soit présent.

Ça se produisait la plupart du temps.

— Tu as appris tout ça en faisant cliqueter tes pierres dans sa direction ?

— Non, en ayant écouté aux portes.

Aaron la considéra avec un peu plus de respect.

Elle avait les yeux vert émeraude, cerclés de charbon pour s'agencer à ses cheveux noir et mauve, un doux visage rond avec des fossettes aux joues crémeuses. C'est alors qu'il se rendit compte qu'elle se moquait de sa prudence. Cette femme mordait dans la vie à pleines dents.

— Quel âge as-tu ? demanda-t-il.

— Vingt ans.

— Je t'en aurais donné seize.

— Parfait ! Je me suis rendu compte que les gens me sous-estiment lorsqu'ils me croient plus jeune.

Le respect qu'il éprouvait pour elle augmenta encore d'un niveau.

— Tu es plus intelligente qu'il n'en paraît.

— Toi aussi.

Ils se sourirent, et une solide amitié se noua.

Un peu plus loin, une femme dans la vingtaine était debout au centre d'un cercle. Elle avait la chevelure parfaite, le maquillage parfait et des vêtements griffés dispendieux. L'œil aiguisé d'Aaron nota un tailleur Chanel noir et classique, mis en valeur par un sac et des chaussures mode en léopard de marque Betsey Johnson, des dormeuses en platine sertis d'un diamant d'un carat et une bague à diamant de trois carats montée sur du platine à la main droite. Du pur bostonien, si on se fiait à son accent, mais pas si pur que ça, après tout. Elle avait l'air exotique ; sa structure osseuse était délicate comme de la porcelaine et elle avait les yeux légèrement bridés. Quelque part dans sa lignée, elle pouvait s'enorgueillir d'un ancêtre asiatique. Elle se tenait à l'écart des autres, jetait un regard à sa montre, une Cartier classique qui valait davantage que tout le reste de son attirail, avec une patience dont pourrait se vanter une femme de politicien.

— C'est Isabelle Mason, lui dit Charisma.

— De la famille Mason de Boston.

Il connaissait la famille, il avait participé à des fêtes chez eux, mais il n'avait jamais rencontré Isabelle. Elle était probablement au pensionnat, ou en voyage en Europe, ou à faire quelque chose de très classe et très BCBG.

Charisma continuait de sourire à pleines dents, mais sa voix était plus étouffée et plus déprimée lorsqu'elle ajouta :

— Je ne peux mettre le doigt sur son don. Elle ne l'aime pas, ne le reconnaît pas et le garde étouffé.

Isabelle surprit Aaron qui l'observait et lui sourit poliment. Lorsqu'elle surprit l'avocat à l'observer, son expression se fit plus rigide.

— Ouf, elle ne l'aime pas celui-là, fit remarquer Charisma.

— Non… répondit Aaron, incertain.

Il y avait quelque chose entre eux. Il indiqua de la tête le jeune homme en jeans effiloché, souliers de course sales et veste en jeans, puis demanda :

— Qui est-ce ?

— Tu ne le *connais* pas ? répondit Charisma les yeux écarquillés. C'est Aleksandr Wilder.

Aaron haussa les épaules. Il avait déjà compris que s'il se taisait, elle lui donnerait tous les détails qu'elle connaissait.

Et c'est ce qu'elle fit.

— Il y a dix-neuf ans, la famille Wilder a mis fin à son alliance avec le diable. Ça a fait tout un tabac dans l'univers des Élus, et j'imagine également dans l'univers des Autres.

— En effet.

Le conseil, un groupe d'hommes avertis d'âge mûr en habit avait tracé à Aaron un portrait rapide de l'organisation. Ils se nommaient l'Agence de voyages Gitane, sise dans un édifice historique en béton du quartier de SoHo. Ils étaient célèbres pour les grands périples qu'ils organisaient dans les parties les plus reculées du monde, ce qu'ils faisaient depuis la fin du XIXe siècle et qui apparemment leur rapportait beaucoup d'argent de clients satisfaits… Selon eux, l'agence était née de leurs origines gitanes et de leur détermination à combattre le diable.

Aucun des directeurs n'avait l'air romanichel, à son avis. C'était plutôt un groupe d'hommes blancs d'âge mûr en habit et un homme noir bien mis par souci de rectitude politique. De plus, aucun d'entre eux ne semblait avoir combattu quoi que ce soit d'autre qu'un investisseur new-yorkais.

Toutefois, il ne se souciait guère de qui ils étaient et de ce qu'ils faisaient, puisque bien qu'ils lui aient clairement laissé entendre qu'il leur servirait de guide touristique au besoin, son véritable boulot était lié à son don particulier — et ils le détenaient, lui et son don, pour les sept prochaines années.

— Alors, les Wilder travaillaient-ils pour l'Agence de voyages Gitane ?

— Les Wilder cultivent le raisin à Washington et vendent du vin en Californie.

Aaron cligna des yeux.

— Est-ce également une couverture comme l'Agence de voyages Gitane ?

— Non, ils cultivent vraiment le raisin et vendent du vin. Ils sont sortis de l'univers paranormal. Aucun d'entre eux ne peut plus changer de forme, maintenant.

Cherchant à bien comprendre, Aaron demanda :

— Voyons si j'ai bien compris. Les Wilder ont mis fin à une alliance avec le diable qui leur permettait de changer de forme.

— Exactement.

— Alors, que fait ici le fils Wilder ? Quel est son don ?

Le jeune Wilder se rapprocha.

— Pour commencer, dit-il, j'ai une très bonne ouïe.

Aaron l'admirait pour son sang-froid. Il devait admirer les deux jeunes, car Charisma sourit et lui tendit la main.

— Je m'appelle Charisma Fangorn. Heureuse de faire ta connaissance Aleksandr.

Aleksandr lui serra la main, puis serra celle d'Aaron.

— Alors, quel est ton don ? demanda Charisma.

Aleksandr enfouit les mains dans ses poches, puis répondit :

— Je n'en ai pas.

Charisma parut vexée.

— Bien sûr que tu en as un. N'as-tu pas traversé le feu avec ta mère ?

— Ouais, dit Aleksandr se traînant les pieds sur les tuiles du plancher. On dit, et probablement à juste titre, que le don de ma mère m'a protégé.

La tête d'Aaron pivota de l'un à l'autre. Il ignorait de quoi ils parlaient, mais il devait avouer que cela était fascinant.

— Pourquoi, «à juste titre»? demanda Charisma.

— Lorsque j'avais treize ans, j'ai décidé que c'était peut-être moi qui avais un don, alors j'ai tenté de prendre un morceau de bois en feu dans ma main. Dieu que je me suis attiré des ennuis! Mon père et mon grand-père ne sont pas exactement impressionnés par les adolescents qui font des idioties.

Aleksandr rejeta en arrière sa chevelure blonde décoiffée.

— Alors que nous étions aux urgences, j'ai cru que ma mère et ma grand-mère allaient également m'arracher la tête.

— C'était si pire que ça ? demanda Charisma

Aaron se dit que le jeune homme exagérait l'ampleur de ses blessures afin d'impressionner Charisma.

C'est alors qu'Aleksandr leva la main.

Des cicatrices de brûlure lui marquaient la peau, et deux des doigts étaient fusionnés.

Charisma fit une grimace.

— Pourquoi as-tu fait une telle sottise ? demanda hargneusement Aaron.

Cette hargne le fit se sentir aussi vieux que le grand-père du jeune homme, mais... Nom de Dieu ! C'était horrible à voir, et ça devait être très douloureux. Ce l'était peut-être encore.

— Nous étions dans les bois. Mes cousins étaient présents. Les cousins Wilder sont plus jeunes, et leur opinion m'importait peu. Cependant, la famille de ma grand-mère est romanichelle, et ils sont tous si hardis et si courageux, je cherchais à les impressionner, ajouta Aleksandr, d'une voix à peine audible, en haussant les épaules.

— Bon, je peux comprendre ça, dit Aaron, qui avait lui-même été un peu idiot étant enfant.

Charisma fit cliqueter ses bracelets en direction d'Aleksandr. Elle les secoua de nouveau et fronça les sourcils.

— Tu n'as vraiment pas de don ?

— Pas que quiconque sache, répondit Aleksandr.

— Et tu as une famille ? Tu n'es pas un enfant abandonné ?

Aaron regarda fixement la vieille dame qui se tenait à l'extérieur du cercle, celle qui les avait guidés ici, celle qui était apparemment une domestique dévouée de l'Agence de voyages Gitane.

— Hé! Martha!

La dame se tourna vers lui. Son visage foncé était marqué par les années. Ses cheveux gris étaient longs, tressés et enroulés autour de sa tête comme une jodleuse autrichienne. Ses doigts tordus étaient tachés de craie.

— Le conseil a dit qu'il y avait sept Élus, dit Aaron.

— Chut! dit Martha en se précipitant — hum, en clopinant — vers lui autour du cercle.

— Ils ont dit que nous avions tous des dons, reçus pour cause d'abandon, poursuivit Aaron.

— Monsieur Eagle, ce n'est pas une discussion à avoir en public! dit Martha, qui se tenait à quelques centimètres de lui, les orteils presque sur le cercle, et qui le dévisageait sans broncher.

Eh bien, Aaron venait de découvrir la gitane de l'Agence de voyages Gitane.

— Alors, on ne devrait pas se trouver en plein milieu d'une station de métro, non?

— C'est là où les pouvoirs de Suzanne sont à leur paroxysme, répondit Martha, sur un ton qui indiquait qu'Aaron aurait déjà dû le savoir. Mais je ne suis pas censée t'adresser la parole, pas tant que tu es dans le cercle! ajouta-t-elle.

— Alors, explique-moi discrètement de quoi il en retourne avec le jeune, dit Aaron, qui avait Martha à sa merci, et celle-ci le savait.

Charisma et Aleksandr se rapprochèrent.

À voix basse, Martha dit :

— Au cours des sept derniers cycles, les dons se sont affaiblis.

Les Abandonnés étaient élus tous les sept ans. Par conséquent, sept cycles équivalaient — Aaron l'avait calculé — à quarante-neuf ans, selon Martha.

— Les dons se sont *affaiblis*? Mais qu'est-ce que ça signifie, *que diable*?

— Monsieur Eagle, évitons de mentionner le diable, lorsque nous sommes si près de sa gueule qu'on peut sentir le soufre, répondit Martha avec une si virulente conviction qu'Aaron chercha les flammes autour d'eux. Je veux dire que les dons que vous six avez reçus ne sont plus qu'un pâle reflet des dons octroyés par le passé.

— Vraiment? dit Aaron, qui avait toujours été plutôt impressionné par son don.

Cependant, il devait avouer que ce dernier s'était *en effet* affaibli. Voilà pourquoi il se retrouvait là.

— Sait-on pourquoi?

— On prétend que nous nous sommes éloignés de notre mission, ou que la modernité nous a corrompus, ou...

Martha s'interrompit.

— Qu'en penses-tu, *toi*, Martha? demanda Charisma.

— Je n'ai pas à me prononcer, répondit Martha d'un ton guindé.

— Tu n'as pas à te prononcer, ou tu ne veux pas en parler si près de la gueule du diable? dit Aaron, qui détestait ces tergiversations.

— Cette conversation si peu convenable est-elle bientôt terminée? dit Martha avant de tourner les talons.

Aaron tendit la main pour la retenir, mais quelque chose comme une décharge électrique l'en empêcha... quelque chose de dangereux, de très, très dangereux. Martha le regarda avec une froide satisfaction dans le regard.

Aaron avait pénétré dans le cercle de son propre chef, mais il n'en sortirait seulement lorsque quelqu'un l'en autoriserait.

Bon, il avait appris quelque chose aujourd'hui, à faire attention aux cercles de craie.

— Est-ce tout ? demanda Martha.

« Absolument pas », songea-t-il.

— Voyons si nous avons bien compris. Vous avez accepté ce jeune homme, dit Aaron en désignant Aleksandr, parce qu'il n'y avait personne d'autre, et vous espérez qu'il se découvrira un don ou une particularité qui peut vous être utile ?

— Je ne suis pas dans le secret des décisions du conseil, répondit Martha, tout en hochant la tête.

— Est-ce pour cela que nous ne sommes que six ? Parce que le nombre a toujours été de sept ? dit Charisma, qui savait de quoi elle parlait.

Pour la première fois, Aaron se demanda s'il aurait accepté d'apposer sa signature sur la ligne pointillée, s'il avait consulté le livre en question d'abord.

— Une autre personne devrait arriver. Du moins, nous l'espérons, répondit Martha avec dégoût.

Puis, elle regarda au-delà du groupe, et le visage de la vieille dame s'éclaira d'un sourire. D'une voix teintée de plaisir et de dévotion, elle dit :

— Suzanne vient d'arriver.

Chapitre 7

Aaron en resta bouche bée d'étonnement.

Martha ne disait pas *Suzanne*. Elle disait plutôt *Zusane*, et il n'y avait rien d'étonnant au fait qu'elle ressemblait à une adolescente impressionnée.

Zusane était… Zusane. Une de ces femmes qui n'ont qu'un prénom, qui sont célèbres d'être célèbre. Elle était Hongroise ou Romanichelle, ou toute autre nationalité qui lui donnait cet accent riche et voluptueux. Zusane avait eu plus de maris — sept ou huit? — qu'on pouvait se souvenir, tous riches. Et elle les avait tous laissés, considérablement moins riches et plus geignards.

Elle traversait maintenant la station de métro, devancée par trois gardes du corps qui lui frayaient un chemin comme la proue d'un navire à travers la foule de l'heure de pointe, et suivie de deux autres gardes du corps qui protégeaient ses arrières. Car vêtue ainsi, elle était une cible de choix. Elle portait une longue robe moulante couverte de paillettes d'or de l'encolure jusqu'à la bordure, en suivant chacune de ses courbes. Chaque pas laissait entrevoir une partie de sa jambe musclée, et elle marchait si élégamment sur des talons aiguilles qu'on aurait dit des espadrilles. Ses gants de soie noire allaient du bout des doigts jusqu'au-dessus du coude, sur ses bras au teint parfait, et elle portait un petit sac de soirée orné de cristaux Swarovski. À l'instar des membres de la royauté à l'américaine, elle salua la foule au passage d'un signe de main et signa des autographes.

— Tu as l'air d'un poisson hors de l'eau, lui dit Charisma.

Elle s'adressait à Aleksandr, mais Aaron referma également sa bouche.

Quand elle s'arrêta à côté de Martha, les gardes du corps s'installèrent en bordure du cercle, et se retournèrent pour faire face à la foule.

Zusane posa les mains sur les épaules de Martha et déposa un baiser sur chaque joue. Elle lui murmura quelque chose qui lui fit hocher la tête, lever les yeux au ciel et désigner le cercle.

Relevant sa robe, Zusane pénétra précautionneusement dans le cercle.

Comme par magie, les gens cessèrent de la dévisager et de la pointer du doigt.

Comme par magie… Aaron regarda les autres participants. Le cercle avait-il quelque chose de particulier qui les rendait invisibles au reste du monde?

Bien sûr. La *magie* expliquait bien des choses.

Zusane retira ses gants, en un long effeuillage excitant et divertissant. Et pendant tout ce temps, elle observa les six participants autour du cercle de son regard bleu profond et pénétrant. Elle glissa les gants dans son sac, puis se tourna vers Aaron.

— Monsieur Eagle, quel plaisir de vous revoir! dit-elle d'une voix gutturale et amusée.

Aaron avait déjà croisé Zusane à une autre occasion, environ un an auparavant, juste après avoir terminé un boulot, et elle l'avait regardé et lui avait parlé, comme si elle pouvait le *voir*.

Maintenant, il comprenait. Elle *l'avait* vu. Elle avait aussi un don.

— Je parierais que vous êtes la raison de ma présence ici, dit-il.

Elle rigola, lançant sa tête en arrière pour laisser échapper son rire guttural.

— Vous ne m'en voulez pas trop ?

— Non, non. J'aimerais bien, mais ce n'est pas possible.

De près, elle n'était pas aussi jeune qu'elle paraissait. Elle avait des rides près des yeux et une petite cicatrice près de l'oreille gauche laissée par un déridage.

Cela n'avait aucune importance. Elle était superbe.

Prenant sa main dans la sienne, il lui baisa les doigts.

— Il fait bon de vous revoir également, Zusane.

— La séduction est une qualité rare chez un Américain, dit-elle en posant une main sur la poitrine d'Aaron, vis-à-vis son cœur.

Pendant un long moment, elle le regarda dans les yeux, et il se sentit presque étourdi, comme une mouche prise dans une toile d'araignée invitante.

— Mais dans votre métier, c'est essentiel, non ?

— Ça, et autre chose, répondit-il.

— Vous vous débrouillerez très bien, dit-elle.

— Merci, crut-il bon d'ajouter.

Elle retira sa main, et il fut du coup libéré de son emprise. Il observa avec curiosité et fascination tandis qu'elle se tournait vers Charisma pour lui offrir sa main. D'un ton vif et sérieux, elle lui dit :

— Bonjour, ma chère, comment vas-tu aujourd'hui ?

Charisma prit la longue et pâle main.

— Je suis enchantée de faire votre connaissance. Vous êtes une légende, et la plus célèbre de toutes.

— Ne te laisse pas impressionner par le prestige, répondit-elle.

— Je ne le suis pas, répondit Charisma avec un enthousiasme effervescent, j'ai lu à propos de vous dans *À l'aube du monde : une histoire des Élus.*

— Tu te plais bien à l'Agence de voyages Gitane, n'est-ce pas ? demanda Zusane en attrapant les poignets de Charisma dans ses mains, y compris ses bracelets.

— Absolument !

— Seras-tu prête pour relever les défis qui se présenteront ? poursuivit Zusane, dont le sourire avait disparu et qui paraissait presque chagrinée. Ils seront sûrement de taille pour toi.

— J'étudierai. Je serai prête. Et lorsque mon tour viendra, je ferai ce qui doit être fait, répondit Charisma, avec l'assurance de la jeunesse.

— Tu auras peur et tu te retrouveras dans le noir.

Charisma dévisagea Zusane, ferma les yeux lentement — on aurait dit qu'elle s'endormait — et les ouvrit de nouveau. Lorsqu'elle les ouvrit, Aaron fut surpris de voir les grands yeux de Charisma remplis de larmes.

— Oui, je vois, je suis plutôt trouillarde.

— Non, tu n'es pas trouillarde, dit Zusane en posant un baiser sur son front, avant de se tourner vers Aleksandr.

D'une voix comme un coup de fouet, elle lui dit :

— Regardez-moi dans les yeux, monsieur Wilder, ils sont plus hauts !

Brusquement, Aleksandr releva les yeux de son décolleté vers son visage, et rougit.

— Laissez-moi voir vos mains, vos deux mains !

Il les tendit, paumes vers le ciel, puis, à son signal, les retourna pour qu'elle puisse en voir le dos.

Elle glissa ses mains à elle en dessous. Se retournant brusquement, elle regarda Martha d'un regard maléfique.

— Ce garçon devrait être à l'université.

— Oui, Zusane, répondit Martha. Il va à l'université.

— Où ? Qu'étudiez-vous ? demanda-t-elle à Aleksandr en se retournant vers lui.

— À Fordham. L'ingénierie.

Aaron n'avait pas besoin d'être médium pour comprendre ce que pensait Zusane. Ce jeune homme n'était pas un idiot.

— Bien, acquiesça-t-elle, parfois la vie n'est pas ce qu'on croit, et nous devons nous préparer à tout.

— Alors, vous ne voyez aucun don ? murmura Aleksandr.

— Non, mais il y a quelque chose... dit-elle en faisant glisser son regard de l'épaule d'Aleksandr vers sa poitrine. Le tatouage ?

— Il y est.

— Il est venu à l'adolescence, affirma-t-elle. Ressemble-t-il à celui de votre père ? De votre grand-père ?

— Par sa coloration, oui, mais le dessin, c'est du jamais vu, dit Aleksandr en se dandinant inconfortablement d'un pied à l'autre. Du moins, c'est ce qu'en dit mon grand-père.

— Il sait de quoi il parle, dit Zusane en lui tapotant la joue. Bon. Ne t'inquiète pas. Étudie bien. Que ta famille soit fière de toi !

— C'est ce que je fais toujours, répondit Aleksandr.

Zusane lui sourit et se dirigea vers les autres membres du cercle.

À voix basse, Aaron demanda à Charisma :

— Zusane est la plus célèbre *quoi* ?

— Médium, dit Charisma qui semblait vraiment tout savoir. Elle est le médium actuel de l'Agence de voyages Gitane.

— Et les médiums sont toujours des femmes ? demanda Aaron en observant Zusane donner son accord pour Isabelle Mason.

— Pas toujours, mais les hommes ne semblent pas être tout à fait à la hauteur.

Charisma observait également, concentrant son attention sur la scène qui se déroulait devant eux.

— Et ce médium, ce type, Tyler Settles. Zusane a toujours été très volubile à propos de sa désapprobation des médiums masculins. C'est la première fois que les directeurs tentent d'en faire entrer un.

Zusane passa les mains autour de Tyler, près de sa peau, mais sans jamais le toucher.

Tyler se pomponna, flatté de l'attention de Zusane.

Elle fronça les sourcils.

Il lui adressa la parole, tout sourire. Attira son regard vers le sien.

Après une pause plutôt tendue, elle éclata de rire et se détendit.

— Martha dirait que c'est en raison du manque de talent cette année qu'ils ont dû s'abaisser jusqu'à mettre un devin masculin à l'essai, dit Aaron.

— Ouais, je crois que tu as raison, frissonna Charisma. Ça fait froid dans le dos, non, de penser que nous sommes le groupe le plus faible depuis la création des Élus.

— Je ne vois pas quelle différence ça peut faire, dit Aaron avec indifférence. Ce n'est pas comme si nous devions faire autre chose que ce pour quoi nous avons un don.

Charisma lui décocha un regard prudent de travers.

Se souvenant de sa description de tâches faite par les directeurs, il réfléchit et comprit qu'ils le rémunéraient bien, lui garantissaient protection, et — s'ils disaient la vérité — n'exigeaient que très peu en retour.

— Qu'est-ce qui peut aller de travers ?

— En temps normal, un emploi au sein de l'Agence de voyages Gitane est monotone, répondit Charisma, d'un réconfort éclatant.

— Et en temps anormal ? dit-il, inquisiteur.

— Hum, j'imagine qu'on peut affirmer que, par le passé, en temps « anormal », les choses étaient plutôt... excitantes.

— Est-ce là un euphémisme pour « dangereuses » ? demanda-t-il.

Il avait rejoint l'organisation pour s'éloigner des choses « dangereuses »

— Tu dois vraiment lire cet ouvrage, lui dit-elle.

— Dès que l'on sort de ce cercle, promit-il.

Zusane était debout entre Isabelle Mason et Samuel Faa, les sourcils de nouveau froncés et l'air soucieux. Elle ouvrit grand les bras, dans un geste englobant. Ses paillettes brillaient sous les tubes fluorescents. Ses doigts, vernis de rouge, formaient des étoiles.

— Je n'ai jamais, au grand jamais, senti quelque chose du genre.

De l'extérieur du cercle, Aaron entendit une onde d'amusement.

Zusane n'y prêta pas attention.

— Il y a quelque chose qui ne va pas du tout dans cette combinaison, quelque chose de malsain. Et tant que je n'ai pas trouvé le problème, je ne peux dégager cette équipe.

La vague de rigolade prit de l'ampleur dans la station de métro. Aaron vérifia rapidement. Les New-Yorkais pointaient du doigt cet Italien en habit qui avait l'air dangereux et qui portait une blonde en jeans. Il la tenait comme un pompier, alors qu'elle se débattait et criait. Le drôle de couple se dirigeait droit vers eux.

N'était-ce pas tout à fait normal ? Pour l'instant, cette station de métro n'était-elle pas l'épicentre de l'étrange ?

Implacablement, Zusane poursuivit :

— Que chacun de vous s'avance, afin que je puisse découvrir la discordance... dit-elle en apercevant l'Italien et la jeune femme.

Sa voix s'estompa. Le mélodrame fut abandonné comme un vieux manteau. Elle tapa du pied. Elle plissa les yeux. Elle avait l'air d'une vieille acariâtre ou d'une mère désapprobatrice.

L'Italien arrivait à grands pas, faisant fi des rires et de la jeune femme qui lui donnait des coups de pied dans les côtes. Son regard était posé fixement sur le cercle.

Il déposa la jeune femme à ses pieds juste à l'extérieur du cercle de craie, la tint par les bras, puis baissa son regard vers elle, exigeant... quelque chose.

La jeune femme était rouge de colère.

— Non, lui cria-t-elle.

L'homme ne broncha pas. Il ne faisait que la regarder fixement.

Zusane lui lança un regard furieux.

La jeune femme répéta son refus, mais le ton était plus doux, presque rêveur. Des gouttes de sueur perlaient sur son front, et elle releva ses cheveux de sa nuque. Sa poitrine se gonfla et se dégonfla dans un mouvement lent et hypnotique. Aaron pouvait presque voir sa conscience s'évanouir.

Tous les gens du cercle, et ceux de l'extérieur du cercle, observaient, envoûtés par l'anticipation.

Attiré par une certitude qu'il ne pouvait expliquer, Aaron regarda Zusane. Elle se pencha vers l'avant, les mains sur la poitrine, le regard languissant.

Elle aimait la jeune femme, mais elle désirait quelque chose d'elle... Ou bien désirait-elle quelque chose pour elle.

À ce moment, la jeune fille revint à elle, à la réalité. Elle repoussa l'Italien, acquiesça à la demande et, telle une danseuse, entra dans le cercle.

À cet instant, Aaron devint amoureux. Qui qu'elle fût, elle était musclée, blonde, gracieuse, et elle possédait cet éclat qui lui rappelait Zusane à son meilleur.

La déception ravagea le masque de beauté de Zusane. Pour la première fois, sa voix perdit son timbre rauque chaleureux.

— Finalement, notre septième membre est arrivée. Elle aurait pu être ponctuelle. Elle aurait pu être dévouée. Elle aurait pu être organisée. Elle pourrait porter une tenue adéquate pour cet événement capital. Elle pourrait à l'occasion faire le ménage de sa chambre.

La jeune fille jeta un regard aux Élus du cercle. Elle leva les yeux au ciel, et d'un geste en direction de Zusane, elle articula silencieusement «Désolée!»

D'un ton perçant, Zusane poursuivit :

— Elle pourrait au moins se montrer aussi bonne que le jeune Wilder et fréquenter l'université alors que sa mère fait des pieds et des mains pour qu'elle soit admise à Harvard même si ses notes ne sont pas à la hauteur...

Zusane s'arrêta et retrouva son calme.

La jeune fille salua les autres d'un air embarrassé et dit :

— Bonjour à tous, je suis Jacqueline, la fille de Zusane.

Bon, alors Zusane était mère, la mère de Jacqueline, et peu importe le prestige de Zusane, elle était comme toutes les autres mères — frustrée de la rébellion de sa fille.

À ses côtés, Charisma salua Jacqueline et fit les présentations.

— Aleksandr Wilder, Isabelle Mason, Samuel Faa, Aaron Eagle, Tyler Settles, et je suis Charisma, ajouta-t-elle avec un autre petit salut.

Zusane lança un regard furieux, et sa voix se fit majestueuse.

— A-t-on *terminé*?

— Oui, désolée, dit Charisma d'une voix craintive.

— Mère, ne soyez pas grossière, dit Jacqueline.

Charisma parut impénitente lorsqu'elle murmura à Aaron :

— Mais Zusane ne peut être sa véritable mère... pas si elle fait partie des Élus abandonnés.

— Peut-être est-elle comme Aleksandr — une expérience des directeurs, répondit Aaron.

— Hum, peut-être.

Charisma désigna l'homme qui avait porté la fille de Zusane.

— Regarde celui-là.

Il était immobile où la jeune femme l'avait laissé, le regard vide, en attente.

Charisma secoua ses bracelets en sa direction.

— Il a une liaison avec Jacqueline.

— De toute évidence, répondit Aaron, qui n'avait pas besoin de pierres chantantes pour le constater.

— Et il n'a aucun pouvoir, parce qu'il sait que nous sommes là, mais il ne peut pas nous voir, dit Charisma.

— Ouais, dit-il, en pensant que c'était là une étrange situation dans laquelle il se trouvait.

Prenant le poignet gauche de Jacqueline dans sa main, Zusane tourna sa paume vers le ciel pour l'observer. Elle exprima son dégoût de manière éloquente, songea Aaron, même s'il ne saisissait aucun mot de cette langue qu'elle parlait.

Jacqueline portait des gants coupés en cuir dont la teinte s'apparentait à celle de sa peau.

— Bon, voilà où on en est, dit Zusane. Tu caches tes dons derrière un écran protecteur.

— Un gant n'est pas un écran protecteur, et je n'ai aucun don, dit Jacqueline.

Zusane sourit de façon triomphale.

— Retire-moi ce gant.

— Bon, dit Jacqueline en retirant le gant.

— Regarde, dit Zusane en portant la paume de Jacqueline à son visage. Le signe le plus puissant de tous, un signe que personne n'a vu depuis les deux premiers Abandonnés.

À voix basse, Charisma expliqua :

— La marque sur sa main doit être stylisée, formée de traits noirs.

Aaron s'étira le cou, mais ne put voir la marque.

— La jumelle maléfique, dit Jacqueline à Zusane. Souvenez-vous, mère, elle était la jumelle *maléfique*.

Zusane poursuivit, ignorant l'objection farouche de sa fille.

— Tu renies ton don, prétendant ne pas être à la hauteur de me remplacer !

— Je ne le peux pas ! répondit Jacqueline.

Elle s'approcha de Zusane et renifla.

— Avez-vous fumé ?

— Absolument pas !

— Vous fréquentez de nouveau les bars à cigares ?

— Non.

Jacqueline huma l'air ambiant.

— Pouvez-vous sentir ça ?

— Tu tentes de détourner mon attention.

— Pas du tout. Quelque chose brûle, dit Jacqueline avec conviction.

— Je me fous que quelque chose brûle. Je ne me préoccupe que de ce que je vois… et j'ai vu…

Zusane pencha la tête. Son regard devint vague. Son corps était présent, mais Zusane — sa personnalité, elle-même — n'était plus là. Sous le maquillage habile, son teint passa de pâle à verdâtre, et ses lèvres bougeaient sans pouvoir rien dire.

— Que s'est-il passé avec elle ? murmura Charisma.

— Ça ne me plaît pas, marmonna Aleksandr.

— Mère ? dit Jacqueline en prenant la main de Zusane.

Au contact, ses yeux se fermèrent, et elle devint également pâle.

Zusane poussa un cri aigu. Le cri était si perçant que Jacqueline sursauta, ouvrit les yeux et secoua la tête comme au réveil d'une transe.

— Attention! cria Zusane.

Son visage se déforma, ses bras battaient l'air.

— Attention! Ça va exploser! Il y a une bombe! *Vite*!

Chapitre 8

De toutes les visions opportunes et de toutes les incessantes mises en scène de Zusane, Jacqueline n'avait jamais vu sa mère agir comme tel.

— Mon Dieu, mon Dieu! Regardez, ça a été soufflé! dit Zusane, les yeux écarquillés et le regard fixe et horrifié.

— Mère! Cette bombe, où est-elle? demanda Jacqueline, effrayée à mort par Zusane.

— Au feu! Au feu! Oh, mon Dieu! Les reliques, elles ont disparu. Quel carnage! Voyez tous ces corps. Du sang, tant de sang, cria Zusane.

— Est-ce *ici*? questionna de nouveau Jacqueline.

— C'est fini, fini. Au feu! *Au feu*!

Zusane était en nage et gémissait, comme si le feu lui léchait la peau.

— Maman, je t'en prie. Tu vas te blesser, dit Jacqueline en la serrant dans ses bras, tentant de maîtriser les gestes de violence, les mouvements incontrôlés.

Rien ne pouvait arrêter Zusane. Rien — pas de murmures rassurants, pas de petites tapes apaisantes — ne pouvait la réconforter. Quoique Zusane était de plus petite taille que Jacqueline, elle était solidement bâtie et forte, et son combat laisserait des meurtrissures. Cependant,

Jacqueline ne pouvait la laisser à elle-même. Elle pourrait se blesser. Elle pourrait briser le cercle, et Jacqueline ne savait que trop bien combien cela pouvait être dangereux.

Les autres Élus avaient l'air de ne pas savoir s'ils devaient aider ou s'enfuir.

Désespérément, elle jeta un regard en direction de Caleb.

Les cris aigus de Zusane avaient filtré à l'extérieur du cercle puisqu'il avait abandonné son mince vernis de civilisation. Ses yeux étaient de minces fentes féroces, ses lèvres, serrées et ses narines, dilatées par la colère. Les gardes du corps avaient saisi leur arme, et Caleb leur donna l'ordre d'être sur un pied d'alerte. En se retournant, il s'apprêta à pénétrer dans le cercle.

Martha le plaqua.

Caleb donna un coup de poing avant de se rendre compte, à la dernière minute, qui l'avait bousculé. Il évita de justesse de casser le nez de Martha.

Martha retint Caleb, tandis que Caleb regardait fixement au cœur du cercle. Il n'écoutait pas vraiment — Jacqueline le voyait bien —, mais il comprenait lui aussi le pouvoir du cercle.

Zusane se mit à sangloter bruyamment. L'absence de larmes rendait la situation encore plus pénible.

— Elles ne sont plus là, elles ne sont plus là. Tout a disparu. Qu'allons-nous faire ? Qu'allons-nous faire ?

Les passagers du métro se retournaient pour voir d'où provenait le bruit de l'agitation, mais ne distinguaient pas bien l'action qui se déroulait dans le cercle.

— Sommes-nous en sécurité ? demanda Isabelle.

— À l'intérieur du cercle, oui, dit Charisma. Il est protégé par…

— De la craie ? demanda Isabelle, qui paraissait particulièrement calme, mais dont la voix trahissait la nervosité.

— L'enchantement, murmura Charisma d'un ton hésitant.

— Le feu… tout est parti en fumée, dit Zusane dont la voix s'estompait.

— Mère. Parlez-moi. Où est le feu ? Qui est parti ? *Que s'est-il passé* ? demanda Jacqueline en la secouant, désespérée de communiquer avec elle.

Zusane cligna des yeux. Une fois. Deux fois. Comme une marionnette tirée par des ficelles, elle bougeait la tête à petits coups. Elle regarda sa fille. Elle la vit — et s'effondra dans ses bras.

Sous le poids mort de sa mère, Jacqueline tituba et perdit pied.

Les hommes se précipitèrent. Tyler tenta de les attraper, mais leur poids combiné lui fit perdre prise. Aaron et Samuel les attrapèrent quelques secondes avant que leur tête ne percute le plancher de béton.

Jacqueline se dégagea de l'emprise de Zusane, puis ordonna de l'allonger sur le plancher.

Doucement, les hommes posèrent Zusane, pâle et inconsciente, sur le sol. Ils s'agenouillèrent à ses côtés, dans l'attente et inquiets.

Charisma vint les rejoindre et s'installa à la tête de Zusane, caressa son aura… ou quelque chose du genre.

Cela dut fonctionner, car Zusane grogna — pas un joli petit gémissement, mais plutôt un râle profond et désespéré. Elle ouvrit les yeux, et avec soulagement, Jacqueline comprit que sa mère était de retour d'où elle était allée. Zusane s'accrocha désespérément à Jacqueline, à l'instar d'un enfant malheureux.

— C'est ce qui pouvait arriver de pire. C'est la fin du monde.

— Explique-moi, demanda-t-elle en lui caressant les cheveux pour dégager son front en sueur.

— Jamais dans mes pires cauchemars n'aurais-je pu prévoir une telle chose, mais maintenant… maintenant… je l'ai vu. Je l'ai senti. L'explosion a fait trembler le sol sous mes pieds. Les flammes me léchaient les mains et le visage. Je voulais m'enfuir, mais j'en étais incapable. L'Agence de voyages Gitane n'existe plus, dit Zusane dans un sanglot douloureux et déchirant.

Les gars se regardèrent.

— L'édifice de l'agence est vieux, mais solide, dit Samuel. Qu'est-ce qui a bien pu se passer?

Zusane répondit avec conviction.

— Du sabotage. Du sabotage! Alors que tout le monde est réuni pour la sélection. Les bureaux, la bibliothèque, les dortoirs, tout y est passé. Tout brûle. Tous ceux qui étaient à l'intérieur sont morts. Morts. Les directeurs ne sont plus. Les Élus ont disparu. Ils ont tous disparu, dit-elle en un murmure tremblotant.

Charisma continuait de caresser l'aura de Zusane.

— Ne vous en faites pas, *nous sommes* encore là.

— Oh, mon Dieu, dit Zusane en se relevant péniblement.

Elle porta ses doigts manucurés à son front et dit :

— Le monde est fichu.

— Mère !

Une fois de plus, la grossièreté de Zusane laissa Jacqueline sans voix et gênée. Elle se demandait pourquoi tout le monde la regardait comme si elle était la bête de cirque.

— Je suis désolée, dit-elle à Charisma. Lorsqu'elle revient d'une vision, elle...

— ...dit la vérité ? répliqua la femme qui sembla impassible.

— Ça aussi.

Personnellement, Jacqueline considérait que sa mère se servait de la vérité comme d'une arme et d'un outil, et la détournait pour servir ses fins quand bon lui semblait.

Zusane se balança sur ses pieds, puis reprit visiblement contenance.

— Ce désastre aura toutefois du bon, dit-elle en tirant un mouchoir de son sac pour s'éponger le front et la lèvre supérieure. *Tu* devras finalement prendre tes responsabilités.

Elle s'adressait à Jacqueline.

— De quoi parlez-vous ? dit Jacqueline, un brin de panique familier dans la voix.

Zusane laissa choir le mouchoir au sol.

— Je veux dire que je dois assister à une fête. En Turquie.

Jacqueline le ramassa.

— Vous ne pouvez pas parler sérieusement.

Même Zusane ne pouvait pas crier au meurtre, annoncer que l'agence avait été réduite en miettes... et aller assister à une fête. Personne ne pouvait être si égoïste.

LES ÉLUS

— Tu devras prendre les rênes de ton petit groupe. Ils seront perdus sans ton don de médium.

Zusane jeta un regard à Tyler, fronça les sourcils comme si elle était préoccupée, puis ajouta à voix basse à Jacqueline :

— De médium compétent.

— Pas moi, protesta Jacqueline désespérément.

Zusane prit de nouveau le poignet de Jacqueline pour lui montrer la paume de sa main.

— Tu *sais* ce que cela signifie.

Jacqueline regarda fixement l'œil noir et catégorique dessiné dans sa peau avec le talent d'un de Vinci peignant sa *Mona Lisa*.

Elle s'en foutait. Elle détestait la marque.

— Cela signifie que je suis bizarre.

— Bizarre peut-être, mais une visionnaire bizarre, dit Zusane en laissant tomber la main de Jacqueline pour sortir les gants de satin noir de son sac et les enfiler dans un processus lent et complexe que Jacqueline ne connaissait que trop bien.

Quand bien même Jacqueline avait été élevée avec les légendes et traditions des Élus, elle n'avait jamais voulu être du nombre, ne serait-ce que parce que sa mère, elle, le désirait. Maintenant, en raison d'un malheureux instant de faiblesse, elle était entrée dans le cercle. Elle avait supposé qu'il ne s'agissait rien de plus qu'une cérémonie dans la tradition scoute, une inoffensive promesse enfantine.

Pourtant... elle était *encore* abonnée au magazine scout, et elle conservait sa veste ornée de badges dans du papier de soie au fond de son coffre en cèdre, alors la promesse faite à huit ans était peut-être plus importante qu'elle n'y paraissait — une promesse qui pouvait lui coûter son âme.

Et peut-être que de pénétrer dans le cercle de craie tracé sur le sol crasseux d'une station de métro new-yorkaise était un serment tacite de même importance.

Ce n'était ni la promesse ni le geste qui était important, mais le fait qu'elle choisisse ou non d'y faire honneur.

Elle ne faisait pas partie des Élus. Mais puisqu'elle était entrée dans le cercle de son propre gré, elle *avait* choisi elle-même de faire partie des Élus.

Maintenant, elle observait pitoyablement Martha qui sortait une petite brosse de la poche de sa robe pour effacer le cercle de craie sur le plancher.

Comme si une imposante barrière avait été retirée, le bruit de la station de métro s'était intensifié, et Caleb posa de nouveau son regard sur elle.

Évidemment. Jusqu'à ce qu'elle pénètre dans le cercle, il ne l'avait pas quitté des yeux depuis San Michael. D'une manière ou d'une autre, elle sentait qu'elle ne pourrait jamais plus lui échapper.

— Ma chérie, dit Zusane en lui pinçant le menton pour attirer son attention. Le jour où je t'ai accueillie, j'ai anticipé le jour où tu prendrais la relève au sein des Élus.

— Vous m'avez adoptée parce que vous désiriez un clone, répondit Jacqueline à voix basse, souhaitant désespérément que cette confrontation demeure privée.

Zusane haussa le ton puisque rien ne lui plaisait davantage qu'un mélodrame joué devant un public.

— Je t'ai adoptée, car je savais que tu étais mienne dès le premier regard. Est-ce si inconcevable ?

Jacqueline tressaillit.

— Considérant que j'ai passé mon enfance à attendre que vous reveniez d'une fête ou d'une autre, je crois que oui.

— Je ne pouvais compter que sur moi-même. Si je voulais nous offrir la vie dont je rêvais, je devais rester maître de la situation.

— Vous auriez pu étudier. Vous étiez suffisamment intelligente pour cela.

Ça, Jacqueline en était certaine. Le QI de Zusane battait des records, et elle avait une bonne perception d'autrui qui tenait moins de la télépathie que d'une solide connaissance de la race humaine.

— Ma chère, quel charmant hommage ! Mais regarde-moi bien ! dit Zusane en désignant son corps à la Marilyn Monroe couvert de paillettes brillantes. Là n'est pas le corps d'un comptable, et je l'ai utilisé à bon escient pour nous. Pour *toi*. Pour que tu aies une belle vie.

— Mère, le temps n'est pas à la discussion. Nous — nous tous — devons nous rendre à l'Agence de voyages Gitane et…

Zusane poursuivit à voix haute, pour que tous l'entendent.

— Je voulais pour toi l'enfance que je n'ai pas eue, alors, j'ai préservé ton innocence jusqu'à ce que…

— Jusqu'à ce que votre garde du corps me séduise, interrompit Jacqueline, impatiente.

Zusane s'arrêta. Elle baissa les yeux.

— Oui, répondit-elle avant de relever les yeux. Mais j'ai pris des mesures pour rectifier la situation.

— Vraiment ?

Jacqueline s'était déjà posé la question. Maintenant, elle avait sa réponse. Sans pour autant que cela la soulage. Sur ordre de Zusane, Caleb avait abandonné Jacqueline comme une vieille chaussette.

Tout un homme.

— Vous l'avez envoyé me chercher en Californie.

Jacqueline se remémora le jour et la nuit avant qu'il la traîne vers le jet privé à l'aéroport de la vallée de Napa… les heures de passion, le vol et le combat qui s'étaient ensuivis.

— À quoi pensez-vous ? demanda Jacqueline.

Le regard bleu de Zusane devint doux et rêveur, comme lorsqu'elle savait quelque chose que tous ignoraient. Puis, elle jeta un regard perçant à Jacqueline, et sa voix fut plus animée.

— Je devais faire appel à lui. C'est le seul homme qui pouvait te ramener.

Ça en était trop pour Jacqueline, qui se retourna pour regarder Caleb.

— Votre propre chien de garde. Pas besoin de lui donner une prime, je l'ai déjà remboursé.

Zusane les examina tous les deux, et Jacqueline se souvint qu'elle était experte en matière de relation homme-femme.

— Vraiment ?

Même Jacqueline reconnaissait les ressemblances dans la voix, dans le timbre. Peu importe que Zusane ne soit pas sa mère biologique, ou qu'elle n'avait pas envie de lui ressembler — Zusane était son modèle, et elles se ressemblaient.

Prenant Jacqueline dans ses bras, Zusane pressa sa joue contre la sienne.

— Bon, chérie, j'ai un rendez-vous important, et c'est plus urgent que jamais. Alors, j'y vais, dit-elle en envoyant des baisers aux Élus.

Caleb dirigea les gardes du corps vers leur place.

Agacée et gênée, Jacqueline resta là, de manière guindée et distante.

Voyant son expression, Zusane laissa tomber son air de diva et la supplia :

— Ne sois pas ainsi, ma chérie.

— Si seulement vous restiez... commença Jacqueline.

Zusane sortit une montre gousset d'entre ses seins et l'examina.

— Je vais être en retard. Je ne peux pas être en retard. Bon... sois sage et fais que je sois fière de toi, dit-elle.

Elle serra de nouveau Jacqueline dans ses bras, se glissa dans le cercle de gardes du corps et se dirigea vers l'escalier de la station de métro.

— Je sais que tu seras un médium extraordinaire pour l'Agence de voyages Gitane...

— Tu as dit que l'agence avait été soufflée, répondit Jacqueline.

Zusane s'arrêta.

Martha se redressa, brosse en main.

Zusane se retourna face au groupe de sept rassemblé dans ce qui restait du cercle.

— Oui, mais les Élus ne sont pas vaincus ! dit-elle d'un ton incrédule.

Les Élus la regardèrent fixement comme si elle parlait sa langue maternelle.

Zusane souffla vers le haut pour tenter de se rafraîchir le front.

— Mes chéris, Jacqueline a raison. L'édifice est détruit. Les combattants d'expérience ne sont plus, mais vous êtes les Élus. En pénétrant dans le cercle, vous avez accepté votre destin, qui est de vaincre le mal. Tant que vous êtes en vie, les Élus sont en vie.

Samuel prit la parole au nom du groupe.

— J'ai signé un contrat avec le conseil d'administration de l'Agence de voyages Gitane. Si ce contrat a disparu, qu'est-ce qui m'oblige à respecter mon engagement auprès de l'agence?

Pour la première fois de sa vie, Jacqueline vit Zusane se départir de son personnage vain pour devenir celle qu'elle aurait toujours pu être — une créature noble et lucide.

— Je l'ignore, Monsieur Faa. Vous êtes avocat. *Qu'est-ce* qui vous oblige à respecter votre engagement auprès de l'Agence de voyages Gitane?

Personne ne répondit. Ils échangèrent des regards, puis regardèrent Zusane. Même monsieur Faa semblait gêné de cette question sans détour.

— Oui, dit-elle. Que le document ait brûlé ou non, vous y avez apposé votre signature en toute connaissance de cause. Vous avez donné votre parole. Vaut-elle encore quelque chose si le contrat a disparu?

Les sept Élus furent mal à l'aise, comme des enfants pris à mentir.

— Nous sommes liés les uns aux autres, dit Aleksandr.

— Aleksandr, chéri, tu es si brillant. Je ne sais pas comment, mais un jour tu nous seras indispensable!

Zusane envoya un autre baiser volant à Jacqueline, et d'un salut enjoué de la main, elle se dirigea vers la sortie.

Caleb exhorta aux gardes du corps de se presser, de prendre position devant et derrière, et de garder leur arme à portée de la main.

Zusane avait peut-être déjà mis de côté l'explosion de l'agence avec désinvolture, mais ce n'était pas le cas de Caleb. Il jeta à Jacqueline un regard sombre, puis se précipita sur les pas de Zusane. Il l'arrêta, lui parla doucement, avec un sentiment d'urgence.

Elle lui prit la main et lui dit, d'une voix portante :

— Non, chéri, tu restes ici. Je compte sur toi pour protéger Jacqueline.

Jacqueline crut qu'il allait s'opposer.

Toutefois, il resta en place, se pencha pour que Zusane puisse poser un baiser sur chacune de ses joues, puis l'observa tandis qu'elle s'éloignait.

Chapitre 9

Caleb prit un moment pour observer les expressions qui se bousculaient sur le visage de Jacqueline : la surprise, la méfiance, l'horreur et potentiellement... le plaisir. Avec un peu de chance, le plaisir. Toutefois, il était alimenté par la peur.

— Vite, Martha. Termine ton travail. Nous devons quitter cet endroit.

Il se sentait comme un berger défendant ses brebis sans défense contre un péril obscur.

Les nouveaux Élus le regardaient avec différentes expressions. Un à un, il les inscrivit dans son esprit : le voleur, Aaron Eagle ; l'avocat, Samuel Faa ; la dame, Isabelle Mason ; le jeune garçon, Aleksandr Wilder ; le jeune médium, Tyler Settles ; Charisma Fangorn, la fille aux tatouages et aux cristaux ; et Jacqueline, la voyante réticente.

Il les connaissait tous. Il était là, lorsque Zusane et le conseil avaient débattu de ceux qui possédaient les dons tout indiqués pour ce cycle. Il avait suivi les entretiens, et à plusieurs occasions Zusane lui avait demandé son avis. Pourtant, il ignorait comment les nouveaux Élus réagiraient à cette nouvelle contrainte. Ils n'avaient pas encore été mis à l'épreuve. Pas besoin d'être devin pour comprendre qu'il s'agissait là d'un désastre aux proportions inouïes et qu'il devait agir prudemment ou il les perdrait tous.

Les hommes étaient conscients du danger, mais jouaient du coude pour prendre les rênes. Le jeune, l'air morose, attendait, les mains dans les poches, que quelqu'un lui dise quoi faire. Les femmes n'étaient pas aussi préoccupées de leur position hiérarchique, puisqu'elles comprenaient mieux que les hommes les ramifications de la vision de Zusane.

Caleb s'adressa au groupe d'une voix basse, mais intense.

— Nous devons nous serrer les coudes. Pour l'instant, suivez-moi. Lorsque nous serons en sécurité, nous déciderons qui dirigera, dit-il en saluant les hommes et les femmes, leur intelligence et leur volonté.

— Pourquoi devrions-nous te suivre ? demanda monsieur Faa, son regard sombre fixé sur Caleb. Pour autant que l'on sache, il peut s'agir d'un canular. Il s'agit peut-être d'une épreuve. Tu pourrais être de connivence avec le diable.

Martha se redressa.

— Monsieur D'Angelo est depuis longtemps chef des gardes du corps de madame Vargha. C'est un gentilhomme de confiance.

— Merci, Martha, dit Caleb, attendant que monsieur Faa et les autres hommes se fassent une idée.

Et en attendant aussi que Jacqueline vienne à sa défense.

À l'expression sur son visage, il comprit qu'il pourrait attendre éternellement.

— Mes chers, vous pouvez faire comme bon vous semble, mais moi je suis le garde du corps de madame Vargha, dit Isabelle en s'avançant vers Caleb.

— Ça me va aussi, enchaîna Charisma.

Aleksandr les rejoignit.

Monsieur Faa et les deux autres opinèrent du chef. Les Élus étaient d'accord ; tous, sauf Jacqueline, qui continuait à regarder l'escalier de la station de métro.

Caleb avait gagné, pour l'instant.

— Martha, vite ! dit-il.

Martha termina son travail, rangea sa brosse et rejoignit Caleb.

— Où allons-nous, monsieur ?

— D'abord, nous irons chez Zusane. L'endroit est sécuritaire, puis…

— Monsieur ? dit Martha en indiquant une silhouette qui s'éloignait d'eux.

— Jacqueline !

Caleb partit à sa poursuite.

En entendant sa voix, elle s'éloigna au pas de course et gravit les marches de l'escalier menant à la rue.

Il la suivit, et entendit derrière lui Martha crier aux Élus :

— Suivez-les. Il faut rester ensemble et les suivre !

La nuit tombait, mais il y avait encore de la lumière. La rue était bondée de monde du quartier, principalement des Italiens et des Asiatiques. Des véhicules prioritaires, sirène criante, se frayaient un chemin à travers la circulation. Devant Caleb, Jacqueline se faufila dans la foule en direction de l'endroit où se trouvait l'Agence de voyages Gitane, deux pâtés de maisons plus loin. Elle était mince et élancée, rapide et déterminée, et il la rattrapa alors qu'elle tournait le coin de la rue vers le cœur du tumulte.

Il l'attrapa par le bras pour l'arrêter avant qu'elle ne franchisse le périmètre de sécurité.

Cependant, elle s'arrêta d'elle-même, clouée sur place par l'horreur.

Les édifices en béton étaient érigés sur le trottoir comme des rangées de dents et, au centre du pâté de maisons, l'une des dents était tombée. L'édifice avait disparu, il n'y avait qu'un trou noir béant dans le sol.

Par-dessus le marché, et encore plus étrange, aucun des édifices avoisinants n'avait été touché. Il n'y avait aucun débris sur la chaussée ; l'édifice semblait avoir implosé. Le feu brûlait toujours, contenu au cœur de l'édifice disparu.

— Même la fumée monte en ligne droite vers le ciel comme si elle passait par une cheminée... remarqua Isabelle.

À voix basse, Charisma dit :

— Les enchantements qui protègent l'extérieur de l'édifice sont toujours présents.

— Oh, répondit Isabelle, silencieuse et réfléchie, Oh !

Ce n'est que lorsque la fumée quittait l'ancienne enceinte de l'édifice que le vent l'emportait et la balayait au loin.

Les gens attroupés autour d'eux, les gens de la rue, les policiers et les pompiers, étaient tout aussi étonnés qu'eux et discutaient à voix basse.

— Bizarre.

— Comment est-ce possible ?

— Comment des terroristes peuvent-ils faire ça ?

— Il fallait que je voie... j'espérais qu'elle ait tort. Mais elle avait raison. Mère avait raison. L'explosion les a... anéantis. A anéanti les locaux, les documents, la bibliothèque, les… amis, dit Jacqueline en frissonnant, sous le choc.

Caleb l'enveloppa de ses bras, attira son corps tremblotant contre le sien, et elle se blottit contre lui comme si être seule était insupportable.

— Ça n'a pas l'air vrai, murmura-t-il dans ses cheveux.

— Un film d'horreur, dit Martha, derrière lui.

Les Élus se pressèrent autour de Caleb et de Jacqueline, bouche bée, paralysés par l'impossible.

Près du périmètre de sécurité, les policiers gesticulaient et criaient :

— Reculez! Reculez! Il y a d'autres camions de pompiers en chemin. Reculez!

Tyler et Samuel sortirent leur téléphone cellulaire pour prendre des photos.

Tout le monde prenait des photos.

Pire, à moins de dix mètres de là, une équipe des nouvelles télévisées installait ses caméras.

Recouvrant ses esprits, Caleb dit :

— Éteignez-moi ça et rangez-les.

— Pardon? dit Samuel sur un ton étonné et glacial.

— Si nous sommes chanceux, aucun des Autres ne sait que vous êtes en vie. Cependant, s'ils pistent vos GPS…

Tyler referma son téléphone cellulaire et le rangea dans sa poche.

Caleb devait le reconnaître, c'était un homme intelligent.

Samuel fit de même, mais à contrecœur et avec plus de méfiance.

— Faites passer le mot, dit Caleb. Éteignez-les.

Jacqueline n'en tint pas compte ; elle regardait toujours fixement les vestiges de l'édifice de l'Agence de voyages Gitane.

— Nous devons nous éloigner.

Caleb l'éloigna de force, tout en mettant la main dans sa poche. Il éteignit le téléphone cellulaire de Jacqueline et lui dit qu'il fallait y aller en remontant la rue en direction inverse du désastre, des caméras, des badauds qui pourraient le reconnaître, ou reconnaître Jacqueline, ou tout autre nouvel Élu.

Un coup d'œil rapide lui permit de constater qu'ils étaient sur ses talons.

Aaron fermait la marche, les rameutant comme un chien de berger. Tyler tenait le bras d'Isabelle. Samuel marchait d'un pas vif, sourcils froncés, en vrai avocat, sans doute, il examinait les preuves. Aleksandr allait d'un pas traînant au côté de Charisma, et les deux jeunes avaient les yeux écarquillés de peur.

Leur sens de l'odorat était peut-être plus développé que celui des autres, puisque l'odeur infecte du danger emplissait les narines de Caleb. Il avait les poils du cou hérissés, farfouillant du regard en quête de quiconque ne semblait pas à sa place, quiconque portait une attention excessive aux nouveaux Élus. Qui ou quoi que ce soit qui avait réussi à déjouer les mesures de protection de l'Agence de voyages Gitane manifestait une virtuosité démoniaque inégalée depuis la nuit des temps. S'il… s'ils… si *la chose* se rendait compte que ces Élus inexpérimentés avaient été épargnés, Jacqueline, Faa, Aleksandr, Charisma, et les autres seraient enlevés, torturés, tués…

Des gens passaient près d'eux à toute vitesse, en direction du désastre. Des camions de pompiers arrivaient en trombe, sirène criante. Toutefois, tandis que les Élus franchissaient un pâté de maisons après l'autre, la circulation diminuait, et New York retrouvait son cours normal. Caleb entreprit de faire des plans pour pouvoir transporter neuf personnes jusqu'à l'appartement de Zusane. Des taxis, oui, peut-être, mais il pourrait aussi communiquer avec une des relations de Zusane. De qui se méfiait-il le moins ? Tandis qu'il scrutait la rue, pour prendre une décision, il se rendit compte de quelque chose.

Une limousine Rolls Royce Silver Wraith 1952, aux vitres teintées, les suivait pas à pas.

Charisma tira sur sa manche.

— Il y a une *magnifique* limousine qui nous suit.

— Je vois.

Bonnes nouvelles ? Il l'espérait bien. Ils auraient bien besoin d'un peu de chance.

Caleb observa la Rolls ralentir et s'arrêter en bordure du trottoir à côté de lui.

Jacqueline reconnut la limousine. Son regard s'alluma, et elle tenta de faire un bond en avant.

— Irving !

Caleb la retint. Il sortit son pistolet.

— Attends. S'ils ont été capables de détruire l'agence…

Elle se figea sur place.

Le chauffeur sortit d'un bond par la portière du conducteur, son chapeau de travers, son manteau déboutonné de travers.

— C'est McKenna, dit Jacqueline, d'un ton si soulagé que Caleb détesta détruire son espoir.

— Attends, dit-il tout de même.

Pour l'instant, il n'avait confiance en personne.

Le courtaud et trapu Celte contourna rapidement la voiture, ouvrit la portière arrière, et Irving Shea, âgé de quatre-vingt-treize ans, mais plus vif que le jeune homme de trente-cinq ans qui l'avait remplacé, se pencha à l'extérieur et cria :

— Vite, montez !

— Attendez, dit Caleb pour la troisième fois.

Avec délicatesse, il fit reculer Irving et jeta un coup d'œil dans la limousine.

Elle était vide.

— C'est sécuritaire, dit Irving en posant une main tremblotante sur le poignet de Caleb. Ils ne m'ont pas eu... pas encore.

— Bon, dit Caleb en faisant un signe aux Élus. Montez.

La galanterie n'était pas chose du passé. Les hommes bousculèrent les femmes en premier à l'intérieur de la limousine, puis les suivirent de près.

— Au volant, dit Caleb à McKenna, qui se précipita vers le siège du conducteur.

Caleb monta la garde, pistolet bien en main, scrutant la rue, la circulation, les piétons, les édifices.

Rien ni personne n'attira son attention. Avaient-ils été assez chanceux pour s'en tirer ?

— Caleb !

Jacqueline l'appela. Sa voix était dure et impatiente, mais au moins elle l'appelait. Elle se préoccupait de lui. Qu'elle le reconnaisse ou non, elle se préoccupait de lui.

Il se glissa à l'intérieur de la limousine, ferma la portière derrière lui, et fit le décompte. Même avec deux banquettes, une vers l'avant et l'autre vers l'arrière, ils étaient à l'étroit dans la Rolls de luxe. Sur la banquette en face de Caleb, Aleksandr avait coincé son petit postérieur dans le coin. Jacqueline était à côté de lui, et Irving à ses côtés, grand, la peau foncée, les cheveux blancs, en santé, mais tout de même fragile en raison du fardeau grandissant des années. Isabelle était coincée dans l'autre coin, et pour une femme qui venait de marcher cinq pâtés de maisons en talons hauts, elle avait l'air décontractée, calme et raisonnable.

Martha était assise par terre, adossée contre l'autre portière, la tête appuyée sur ses genoux relevés. Elle tenait la brosse dans sa main et dessinait lentement un cercle dans les airs, observant le mouvement avec fascination... ou frayeur.

Charisma était assise sur le sol de l'autre côté, les yeux fermés, tenant ses bracelets et prenant de grandes inspirations.

Les quatre hommes étaient assis penchés vers l'avant, les épaules s'entrechoquant.

McKenna dégagea le frein et prit la route avec dignité, vers le nord, en direction de Central Park et du manoir du XIXe d'Irving dans l'Upper East Side.

À côté de Caleb, Aaron Eagle dit :

— J'espère qu'on ne nous poursuit pas.

— Tu ne croirais pas le moteur de cette voiture. Il en *déplace*, de l'air, lui répondit Caleb en se tournant vers lui.

— Je sais ce dont cette voiture est capable, répondit Aaron avec le sourire, connaissant de toute évidence la puissance des Silver Wraith, mais qu'en est-il du chauffeur?

Caleb éclata de rire. Cette brève explosion d'hilarité déplacée lui attira les foudres de Jacqueline.

— Au besoin, je prendrai le volant.

Tyler se pencha vers les deux hommes, regarda Caleb et dit :

— J'aimerais bien voir sa vitesse avec l'un de nous au volant.

— Ce serait bien *maintenant,* dit Samuel Faa, manifestement irrité par le pas de tortue.

— Les policiers new-yorkais tendent à être agités quand des édifices explosent, Monsieur Faa, et la dernière chose que nous voulons, c'est attirer leur attention, sourit Irving avec sérénité à l'homme assis en face de lui, démontrant non seulement que son intelligence était tout aussi affûtée que jamais, mais également que la pile de son appareil auditif était bonne.

Caleb scruta Samuel et prit une décision.

— Je veux tous vos cellulaires. Tous.

Tous les regards se tournèrent vers lui, horrifiés.

— Allez, insista-t-il. Je sais que c'est difficile. Voilà pourquoi je vous les demande. Vous en êtes capables. Je veux absolument m'assurer que les GPS ne sont pas activés.

Isabelle mit la main dans son sac et sortit le sien.

— C'est également ce que je veux, Monsieur D'Angelo. Où que nous allions, je veux que personne ne soit au courant.

— N'allons-nous pas chez Irving? demanda Jacqueline avec une hostilité évidente. Ne va pas croire que les Autres n'y songeront pas comme notre premier refuge.

— Plus longtemps ils ignoreront que nous sommes en vie, plus facile sera notre survie, lui dit Aaron, en glissant son téléphone cellulaire dans la main de Caleb.

Un par un, les téléphones cellulaires se rendirent jusqu'à lui. Il vérifia chacun d'eux pour s'assurer qu'ils soient éteints, puis les glissa dans la poche de sa veste. À la fin, il ne resta que celui de Jacqueline à confisquer.

— L'heure n'est pas à livrer une dernière bataille, lui dit-il doucement. Il y a trop de vies en jeu.

D'un mouvement vif, elle lui lança son téléphone cellulaire.

McKenna profita de la taille de la voiture pour se forcer un chemin dans la circulation dense.

Caleb chercha par la vitre tout ce qui pouvait constituer un danger. Étonnamment, tout semblait normal. Les New-Yorkais allaient d'un bon pas au théâtre ou au restaurant. Les touristes avaient l'air ahuris ou consultaient un plan. Les taxis faisaient la course aux intersections. Le crépuscule tombait sur la ville, les lumières des boutiques et des enseignes s'allumaient.

Pourtant, Caleb savait pertinemment que plus rien ne pouvait être normal, dorénavant. Il avait abandonné ses devoirs envers Zusane, et maintenant ne veillait que sur sa fille.

Jacqueline... Elle lui en voulait tellement. Pourtant, elle n'avait jamais eu tant besoin de lui.

Elle tenait la main arthritique d'Irving, et lui présenta les Élus un à un. Puis, d'une voix lente et précise, elle dit :

— Notre sauveur, monsieur Irving Shea, le directeur à la retraite de l'Agence de voyages Gitane. Il est toujours membre du conseil, et y travaille quotidiennement. Ils lui demandent conseil…

— Et ils les suivent même parfois, ajouta Irving.

Les Élus, sept hommes et femmes propulsés au dépourvu aux premières lignes de l'éternel combat entre le bien et le mal, rigolèrent et contre toute attente, se détendirent.

McKenna longea Central Park, puis vira vers l'est, puis vers le nord de nouveau à une vitesse constante et convenable tandis qu'ils passaient devant des musées, des hôtels, des universités et certaines des résidences les plus dispendieuses au monde.

— Comment leur avez-vous échappé, monsieur ? demanda Caleb.

— Je suis rentré faire la sieste. Je suis simplement rentré faire la sieste et, sur le chemin du retour, j'ai entendu les nouvelles à la radio. Mon univers s'était envolé en fumée.

Irving avait commencé en force, mais sa voix devint tremblotante, vieille et faible, et des larmes perlèrent aux coins de ses yeux. Il ferma les yeux et s'efforça de retrouver son calme. Il redressa ses épaules, en faisant fi du poids de l'âge. Il leva les yeux vers Caleb, et son regard noir perçant pénétra les recoins sombres de l'esprit de Caleb. Sa voix changea, il prit le ton dirigeant d'un chef, et lui demanda :

— Que sais-tu ?

— Je ne suis certain que d'une chose, dit Caleb en prenant une inspiration, avant de dévoiler la vérité toute nue, c'est que l'Agence de voyages Gitane a été sabotée par quelqu'un… de l'intérieur.

Chapitre 10

Plus tard, beaucoup plus tard, ce soir-là, Caleb entra, se mettant à l'abri de la nuit et de la pluie. Il posa son sac de sport, tendit sa veste à Martha, secoua l'eau de ses cheveux et demanda :

— Comment vont-ils ?

— Les Élus vont bien, monsieur. Aucune blessure, quoique leur humeur soit quelque peu dépressive, mais j'imagine que c'était prévisible, dit Martha en se retournant vers Caleb, après être allée mettre l'alarme.

Martha avait toujours été un peu coincée en ce qui concerne Caleb et sa situation privilégiée au sein des Élus, considérant le garde du corps de Zusane de haut. Cependant, elle avait l'air si pitoyable, la veste de Caleb à la main, qu'il dut lui demander :

— Qu'est-ce qu'il y a, Martha ? S'est-il passé quelque chose que je devrais savoir ?

— Non, monsieur.

L'anxiété de Caleb monta d'un cran.

— Jacqueline est-elle toujours là ?

— Oui, monsieur.

Il se détendit légèrement.

— As-tu eu des nouvelles de Zusane ? Comment va-t-elle ?

— Je n'ai eu aucune nouvelle, mais tout semble bien aller. Tout le monde ici se porte bien.

Martha jeta un regard autour d'elle et baissa le ton.

— J'ai présumé que vous étiez sorti sillonner la ville pour glaner quelques renseignements.

— Oui, répondit-il.

Cet après-midi-là, Caleb avait fait le tour du manoir d'Irving, s'était assuré que Jacqueline était bien installée, puis était sorti. Brièvement, il s'était informé de sa mère, puis avait passé les deux dernières heures à arpenter la ville en taxi, à prendre un verre dans différents bars, à discuter d'un air détaché de l'explosion à l'Agence de voyages Gitane, à écouter les différentes opinions et théories, et à fulminer de colère et de frustration.

Comment cela s'était-il passé? Comment quelqu'un avait-il pu déjouer la sécurité de l'Agence de voyages Gitane? Les Autres les rechercheraient-ils ici, ou présumeraient-ils que tous les Élus avaient été tués par la déflagration?

Martha reprit :

— Je me demandais si vous aviez trouvé... qui ou quoi que ce soit de l'agence?

Martha devait être âgée entre soixante et quatre-vingt-dix ans, était employée de l'agence depuis aussi long-temps qu'on puisse se rappeler, pourtant elle n'était pas, ni n'avait jamais fait partie des Élus. La Tzigane avait décroché son emploi, et avait travaillé comme domestique toute sa vie. Elle était toujours présente lorsque le médium approuvait la nouvelle liste d'Élus et, en gage de confiance et avec leur aide, elle avait eu la permission de créer l'enchantement qui leur permettait d'être invisibles aux yeux des passagers du métro. Elle n'avait aucun don, mais elle connaissait tout le monde. Elle connaissait tout. Elle ne répandait jamais de commérages. Et aujourd'hui, elle enfreignait sa propre règle immuable.

Caleb s'imagina que cela était prévisible. Martha faisait tellement partie intégrante de l'agence qu'elle désirait désespérément savoir ce qui avait causé l'explosion... ou peut-être cherchait-elle à découvrir si sa trahison avait été démasquée.

Après tout, qui était mieux placé pour trahir l'agence qu'une employée de confiance, sans don et pleine de ressentiment ?

Caleb l'observa attentivement en répondant :

— Tout est calme, là-bas. Je n'ai trouvé aucun Élu. Cela n'exclut pas que certains aient pu s'échapper, mais si c'est le cas, ils se cachent. J'espérais que certains aient pu se rendre jusqu'ici.

— Non, monsieur, mais vous savez qu'ils attendaient au siège social la confirmation de Zusane après sa rencontre avec les nouveaux, normalement. Je crains qu'aucun n'ait survécu, dit Martha d'une voix tremblante en s'éclaircissant la voix.

Elle avait l'air de toute évidence abattu, mais après tout, si elle avait été une domestique fidèle, elle aurait perdu des gens qu'elle connaissait et avec lesquels elle travaillait. D'un autre côté, si elle les avait trahis, jouer la comédie serait de mise... et sans importance.

— Avez-vous croisé... certains Autres ?

— Aucun signe d'eux, répondit-il en demi-vérité, sans en dévoiler davantage, surtout à Martha. Peut-être me surveillaient-ils dissimulés par un enchantement en rigolant. Par contre, puisqu'ils ont gagné aujourd'hui, pourquoi se cacher?

— Puissent-ils tous brûler en enfer, dit Martha.

— Ça, c'est une certitude, dit-il en dénouant sa cravate. Mais quand? Là est la question.

Martha émergea de son apparent abattement.

— Les invités sont à table. Ils ont demandé que vous vous joigniez à eux à votre arrivée.

— Merci, je suis affamé.

Une myriade d'odeurs alléchantes interpellait Caleb. Ramassant son sac, il se dirigea vers la salle à manger, un espace caverneux aux murs de panneaux sombres couverts de miroirs dorés et au plafond orné de chérubins. Les Élus étaient rassemblés autour de la longue table qui pouvait aisément accueillir une trentaine de personnes. Sept étrangers réunis par le désastre. Irving était en bout de table, Jacqueline à sa droite. Le regard brûlant de mépris qu'elle jeta à Caleb ne le troubla absolument pas. Elle était toujours là, en sécurité. Voilà tout ce qui le préoccupait.

Toutefois, alors qu'il tolérait les imbécillités de Jacqueline, il n'était pas prêt à entendre les jérémiades des autres —, mais ils ne se gênèrent pas pour se plaindre.

— Pourquoi es-tu parti sans nous demander notre avis? demanda Samuel Faa, un imbécile arrogant qui avait intérêt à se calmer.

— Il fait toujours ce qu'il veut quand il veut, dit Jacqueline, toujours prête à le poignarder d'un commentaire acerbe.

— Qu'as-tu trouvé ? demanda l'enfant chéri, Tyler Settles, un autre homme trop habitué à obtenir tout ce qu'il désirait.

— Je ne crois pas, Monsieur D'Angelo, que vous vous prêtiez à ce comportement suspect sans raison, dit Isabelle Mason, d'une voix douce, mais ferme.

Irving frappa son verre de vin de sa cuillère.

— Mesdames ! Messieurs ! Monsieur D'Angelo est sans aucun doute fatigué et affamé. Finissons notre repas, laissons-le manger, puis nous écouterons ce qu'il a à nous dire.

— Merci, Irving, dit Caleb en inclinant la tête. Et pour vous autres, vous devriez noter que bien que je travaille pour Zusane et que je reçoive des ordres d'elle, je n'ai aucun compte à vous rendre. À l'avenir, ne l'oubliez pas.

Samuel s'apprêta à prendre la parole.

Caleb soutint son regard.

Samuel abdiqua.

Caleb s'assit à la place libre à côté de Tyler et devant Charisma et Aaron, deux personnes qui semblaient avoir rapidement noué une amitié inattendue. Il posa le sac sous la table, et sans tarder, McKenna apparut à côté de Caleb pour lui proposer deux sortes de vin, un blanc et un rouge, et une variété de plats gardés au chaud à la cuisine. Comme toujours chez Irving, la nourriture était excellente : un carré d'agneau à l'ail sur un lit de ratatouille, et des pommes de terre cuites deux fois. Avec une appréciation tout italienne d'un bon repas, Caleb dit à McKenna :

— Mes compliments au chef.

— J'ai dû commander chez un traiteur, monsieur, je n'avais pas prévu une telle foule. Merci tout de même du compliment, je ferai certainement de nouveau appel à ce restaurant.

McKenna, qui devait être âgé d'environ quarante-cinq ans, était un majordome très compétent, qui avait la confiance d'Irving pour bien des tâches.

Un autre suspect.

Les Élus terminèrent leur repas avec différents degrés d'enthousiasme ; apparemment, rien n'empêchait Charisma et Aleksandr de savourer un bon repas, tandis que Tyler, la tête appuyée dans sa main, toucha à peine son repas. Isabelle regardait fixement son assiette, tandis que le regard de Samuel traînait trop souvent sur son visage.

Jacqueline avait apparemment terminé. Peut-être n'avait-elle pas faim. Peut-être avait-elle de la peine pour les morts, ou parce que sa mère l'avait, une fois de plus, abandonnée. D'une manière ou d'une autre, elle mangeait en tenant son couteau fermement dans sa main gantée… hum. Caleb prit son propre couteau. Peut-être contemplait-elle un meurtre… le sien.

Si tel était le cas, il savourerait le combat ultime.

Il mangea avec l'appétit d'un homme qui connaissait la faim, qui savait que le prochain repas n'était pas toujours pour bientôt. Lorsqu'il posa sa fourchette, il remarqua huit paires d'yeux qui le regardaient fixement. Il sourit, les lèvres serrées.

— Qu'est-ce qu'il y a pour dessert ?

— Pour l'amour du ciel ! explosa Samuel.

McKenna apparut au côté de Caleb sans tarder.

— J'ai préparé une charlotte à la hâte. J'espère que cela vous convient.

— Ça me semble parfait, McKenna, répondit Caleb en l'observant se diriger à la hâte vers la cuisine à l'étage inférieur.

Il observa également Martha aller d'une personne à l'autre pour retirer les couverts sales. Puis, il se tourna vers Samuel.

— Pour répondre à ta question, je suis sorti puisque je suis le seul ici dont on peut se passer.

Samuel frappa sur la table de la paume de la main, se leva et se pencha vers l'avant.

— Ou peut-être parce que tu manigances avec l'ennemi pour nous faire sauter également?

— Assoyez-vous, Monsieur Faa, dit Irving.

Lorsque Samuel l'ignora, la voix d'Irving le fouetta.

— *Assoyez-vous!*

Samuel obtempéra.

Isabelle esquissa un petit sourire. Un sourire que Samuel remarqua avec ressentiment.

— Si monsieur D'Angelo tentait de nous faire sauter, il serait déçu, dit Irving en regardant tout un chacun pour les mettre en garde. Depuis l'explosion de l'agence, j'ai apporté des changements au système de sécurité de ma maison.

— Au système de sécurité? dit Tyler en ébouriffant sa chevelure blonde avec un air de stupéfaction.

— Aux enchantements, si vous préférez. Je suis le seul à les connaître.

Dangereux. Caleb croisa le regard de Jacqueline. Si quoi que ce soit arrivait à Irving, ils ne pourraient ni sortir ni entrer. Et un homme de quatre-vingt-treize ans n'avait pas besoin d'être assassiné ni d'avoir un accident. Il pouvait simplement... mourir de vieillesse.

Toutefois, Irving connaissait le risque mieux que quiconque, et il avait pourtant pris cette décision. En soutenant le regard de Caleb, il précisa :

— Aux grands maux les grands remèdes.

— Oui, intercéda Caleb, avant que les Élus n'en viennent à leurs propres déductions. La confirmation des Élus est une célébration consacrée. Presque tous les Élus précédents y participent. Selon mes dossiers, Zusane est arrivée à l'Agence de voyages Gitane à quatorze heures. Elle a pris un verre, a rencontré des Élus d'il y a douze cycles...

— D'il y a douze cycles ? Ça fait quatre-vingt-quatre ans, dit Tyler, bouche bée. C'est impossible.

— Ce ne l'est pas, dit Irving. Par le passé, les Élus nous venaient dès l'âge de treize ans. Par le passé, en atteignant l'adolescence, leurs dons étaient à leur paroxysme. Les Élus étaient tout puissants et seule la venue de l'âge mûr voyait leurs habilités diminuer. De plus, les dons semblent donner longue vie à ceux qui les reçoivent. Ainsi, à la sélection aujourd'hui, j'ai rencontré des hommes et des femmes beaucoup plus avancés que moi en âge et en sagesse.

— Ils ne sont plus. Morts. À leur dernier repos, dit Caleb qui n'en doutait pas. Zusane a quitté l'agence à seize heures quarante-cinq. Elle a salué des admirateurs dans la rue...

— Attends un instant. Tu n'étais pas avec Zusane, dit Jacqueline en lui lançant un regard furieux. Tu n'étais pas avec Zusane, tu étais avec moi.

— Tu m'as vu au téléphone. Que croyais-tu que je faisais ?

Comme elle ne répondit pas, il poursuivit :

— Je supervisais les gardes du corps de Zusane. Je suis responsable de sa sécurité.

— Que fais-tu ici, alors? demanda Aaron.

— Je suis maintenant responsable de la sécurité de sa remplaçante, expliqua Caleb.

Non pas qu'il sentait le besoin de s'expliquer, mais parce que ces gens étaient inquiets et apeurés. Parce que les événements de la journée les avaient conduits dans une nouvelle ère de ce monde, et parce que d'une certaine façon, il savait qu'il faisait partie intégrale de sa réussite.

McKenna arriva avec la charlotte et déposa le bol de façon théâtrale devant Irving. Des baies rouges garnies de crème fouettée blanche, avec des biscuits doigts de dame dorés arrangés avec art — une œuvre que personne n'avait ni le temps ni la patience d'admirer.

— Très joli. Tu nous sers, dit Irving.

— Rustres! grimaça McKenna avec dédain.

— McKenna, dit Irving, en guise d'avertissement.

— Oui, monsieur.

Avec les soins d'un Michel-Ange démontant son *David*, McKenna posa la charlotte sur le buffet, la répartit en neuf parts égales, et posa les portions dans des assiettes anciennes de marque Meissen.

Il les considérait peut-être comme des rustres, mais cela ne signifiait pas qu'il devait abaisser ses propres normes de service.

Alors qu'il posait la charlotte devant chaque convive, Caleb dit :

— Zusane est arrivée au cercle de craie à dix-sept heures trente, en pleine heure de pointe, et je suis arrivé avec Jacqueline à dix-sept heures quarante-cinq.

Il y eut des hochements de tête approbateurs autour de la table.

— Durant l'absence de Zusane, aucun Élu n'a quitté l'édifice. Aucun membre du conseil n'a quitté l'édifice, poursuivit-il.

La quête de faits peignait un portrait immuable et sinistre, peu importe le nombre de fois que Caleb les révisait.

— Toutefois, cinq autres Élus sont arrivés et se sont précipités à l'intérieur de l'édifice.

— Pourquoi étaient-ils pressés ?

Aleksandr prit sa fourchette pour goûter.

— C'est délicieux !

— Merci, jeune homme, dit McKenna d'un ton morne d'appréciation. Devrais-je servir le porto, Monsieur Shea ?

— Du porto, du cognac ou du café, selon ce qu'ils désirent, dit Irving avec un geste de bénédiction.

Caleb demanda un café, prit sa fourchette et attendit... attendit de voir si Aleksandr allait défaillir sous le coup d'un empoisonnement ou de drogues.

Le jeune homme engloutit son dessert et leva les yeux pour en redemander.

Jacqueline lui fit passer le sien. Avec un sourire, il la remercia et tandis que tous avaient les yeux rivés sur lui, il l'engloutit, puis demanda à McKenna s'il pouvait avoir un peu de vodka.

— Tu as un estomac d'acier, dit Tyler avec admiration.

Aleksandr haussa les épaules.

— Cela va sans dire, dit Irving, il est jeune, c'est un homme, et il est Ukrainien.

— Je suis Américain, dit Aleksandr avec fierté.

Irving inclina la tête et reformula son commentaire :

— Aleksandr est jeune, c'est un homme, et il est d'origine ukrainienne.

— Merci, répondit Aleksandr en inclinant la tête à son tour.

Caleb prit sa fourchette et goûta à la charlotte, et la trouva assez bonne pour risquer un poison lent, et l'engloutit.

— Pourquoi étaient-ils pressés ? demanda Aleksandr en jetant un regard autour de la table, pour ramener tranquillement la conversation sur le sujet de l'heure. Caleb a dit que cinq autres Élus se sont précipités dans l'agence. Pourquoi étaient-ils pressés ?

— Parce que si les Élus n'étaient pas là avant dix-sept heures trente, à l'heure du cocktail, ils n'auraient pas pu entrer. Telles sont les règles.

Caleb examina les visages autour de la table. Un à un, Samuel, Aaron, Tyler, Charisma et Isabelle prirent leur fourchette pour manger leur dessert avec différents degrés d'appétit et d'appréciation.

Personne ne sembla malade, et personne ne semblait avoir le cœur brisé. Ils avaient accepté les morts de l'après-midi comme une tragédie, mais leur principale préoccupation était pour eux, à savoir quel impact la situation aurait sur eux. Une seule des membres des Élus connaissait les victimes, c'était Jacqueline, et elle n'avait jamais prétendu aimer ceux qui avaient si souvent éloigné sa mère d'elle.

Même s'il soupçonnait tout un chacun, il ne pouvait concevoir comment un des six autres, si néophytes dans cet univers de protection et d'héroïsme, aurait pu avoir la connaissance et la force de perpétrer une offensive si odieuse.

— Telles sont les règles depuis la constitution de l'Agence de voyages Gitane il y a quarante-neuf ans.

— La charlotte est des plus délicieuses, McKenna. Merci de tes efforts dans une situation des plus difficiles, et à toi aussi Martha, dit Irving, en posant sa fourchette après quelques petites bouchées. Lorsque j'étais directeur, j'exigeais toujours d'arriver à l'heure, et cette tradition a heureusement été perpétuée.

Jacqueline expliqua à ceux rassemblés autour de la table :

— Jusqu'à la venue d'Irving, l'agence était dirigée par les Élus eux-mêmes. Elle était au bord de la faillite et du désastre, et Irving leur a donné, nous a donné, la solvabilité financière.

— Et quelques règles grandement nécessaires, ajouta Irving. C'était des rebelles, ils l'étaient tous.

Les nouveaux Élus observèrent Irving, dans son habit foncé avec sa cravate rouge qui en imposait, et aucun d'eux ne parut surpris.

Irving se retourna vers Caleb.

— Comment sais-tu qui est parti et qui est arrivé ?

— J'ai accédé aux dossiers, qui sont conservés hors site. On peut voir la vidéo, Irving. On peut avoir plusieurs points de vue sur les entrées et les sorties, dit Caleb en soutenant le regard insistant d'Irving.

Irving acquiesça avec réticence. Il s'y connaissait assez en nouvelles technologies pour savoir que des vidéos pouvaient être modifiées, mais peut-être pas si rapidement et si bien, et il était un vieil homme intelligent. Comme Caleb, il n'avait confiance en personne, mais il avait fait la connaissance de Caleb la première journée où celui-ci avait posé le pied à New York. S'il devait faire confiance à quelqu'un, c'était bien à Caleb.

— L'explosion est survenue à dix-huit heures, une demi-heure après le début du cocktail, dit Caleb en faisant le tour de la table du regard. De mauvais augure, ce six.

— Pourquoi ? demanda Aaron.

Comme une collégienne, Charisma leva la main. Ses bracelets tintèrent et ses tatouages étaient vibrants de couleur.

— Je le sais ! Je le sais ! Je l'ai lu dans *À l'aube du monde : une histoire des Élus*. Suis-je la seule à avoir fait les lectures obligatoires ?

Selon leur personnalité, les Élus eurent l'air coupable ou exaspéré.

— Parce que six est le chiffre du diable, poursuivit Charisma.

D'un air pincé d'irritation, Samuel dit :

— Je doute sincèrement que le diable ait quoi que ce soit à voir avec ce désastre.

Caleb fut surpris de constater que Charisma puisse se montrer aussi irritée que Samuel. Sa chevelure noire et pourpre ressemblait à un collier de loup, et elle frappa légèrement sur la table avec ses jointures.

— Monsieur Faa, ne comprenez-vous pas qui nous sommes ? Nous sommes le rempart entre l'ombre et la lumière, et le diable est exactement celui contre qui nous luttons.

— Si le diable est responsable de ceci, alors pourquoi la réussite n'est-elle pas totale ? Pourquoi ne sommes-nous pas morts ? Et, en fait, pourquoi le diable ne se débarrasse-t-il pas de nous lui-même ? répondit Samuel, dont la colère était celle d'un homme coincé dans une situation insoutenable.

Charisma n'avait aucune patience pour ses interrogations.

— Parce que Lucifer ne peut intervenir lui-même. Ça va à l'encontre des règles.

— Les règles de qui ? demanda Samuel.

— Les règles de qui croyez-vous ? dit-elle, les poings à la taille.

Aaron eut un rire qui se transforma rapidement en toussotement.

Caleb jeta un regard à Jacqueline, dont les yeux trahissaient clairement son amusement, un amusement qu'ils partagèrent pendant ce moment précieux, avant qu'elle ne se souvienne de son hostilité à son égard et qu'elle détourne les yeux.

— Lucifer est un ange déchu, ce qui fait de lui un être puissant. Cependant, il n'est pas responsable de ce monde, ou de tout autre, dit Irving, en parlant lentement, pesant bien ses mots. Monsieur Faa, à moins d'accepter cela, vous allez avoir de la difficulté à jouer votre rôle au sein de l'organisation. Les Élus qui succombent au désespoir sont ceux qui succombent à la flatterie de l'ennemi.

Samuel était avocat. Il exsudait le pouvoir dans sa façon de se vêtir, de parler et d'être. Il n'apprécia *pas* leur amusement, ou de se faire remettre à l'ordre par un vieillard de quatre-vingt-treize ans. Dans ses yeux sombres, il y eut un éclair de ressentiment, et Caleb nota qu'il devrait aussi garder l'œil sur lui.

Dans la pièce, les seules personnes en qui il avait confiance étaient Jacqueline et lui-même, et il savait que si elle en avait l'occasion, Jacqueline lui planterait un poignard dans le cœur.

Par contre, elle, au moins, avait de bonnes raisons. Des raisons personnelles.

Aleksandr s'éclaircit deux fois la voix avant de réussir à dire d'une voix rauque :

— Es-tu en train de dire que les Élus peuvent passer de l'autre côté ?

— Oui, en effet, répondit Irving, la main sur le cœur comme si cela le faisait souffrir.

Il baissa son regard vers la table et murmura :

— N'importe lequel d'entre vous peut briser sa parole et nous trahir.

— Cela s'est-il déjà produit, auparavant ? demanda doucement Jacqueline.

Il leva les yeux comme s'il était étonné de la voir là.

— Pas souvent, dit-il d'une voix douce et lente. Pas souvent, mais cela se produit, et lorsque cela se produit… il s'agit d'un échec qui me coûte beaucoup.

Un frisson parcourut l'échine de Caleb. Pour la première fois depuis aussi longtemps que Caleb se souvienne, l'esprit d'Irving semblait errer. Il était âgé, mais il avait toujours semblé si vif, si intelligent. Les avait-il tous trompés ?

Ou… Caleb avait-il vu simplement ce qu'il voulait voir, le chef infaillible des Élus ?

En fait, le vieillard souffrait-il d'un début de démence?
D'Alzheimer?

Était-ce lui qui avait abandonné la sécurité de l'agence
aux mains de l'ennemi? Était-il à l'origine du meurtre de
tant d'hommes et de femmes prodigues?

Chapitre 11

Depuis aussi longtemps que Jacqueline connaissait Irving, elle ne l'avait jamais considéré comme une personne âgée. Cependant, en ce moment, sa voix était faible et chancelante, ses mains tremblaient, et la peau sous ses yeux était marquée par la tristesse et l'inquiétude.

— Irving, tu ne peux te considérer comme responsable de tout et de tous. De plus, cela signifie que les Autres peuvent également venir vers *nous*.

— Oui, cela s'est produit, mais rarement. Si rarement. Et nous ne leur faisons pas vraiment confiance, n'est-ce pas ? répondit Irving, regardant fixement le visage de Jacqueline, en quête de quelque chose.

De sagesse, de bonté, ou... d'une certaine compréhension.

Elle jeta un regard à Caleb, à McKenna, à Martha, sans comprendre ce chagrin qui semblait si lourd sur les épaules d'Irving.

Caleb secoua la tête légèrement. Il n'en savait trop rien, lui non plus. Et même si son aversion pour Caleb et ses méthodes était évidente, elle le crut.

Cependant, McKenna s'avança.

— Monsieur, je suis désolé d'interrompre un si joli discours, mais devrais-je servir les digestifs ici ? Ou bien préféreriez-vous le confort de la bibliothèque pour les déguster ? La bibliothèque est chaleureuse et invitante. J'y ai allumé un feu, et il y a une table de billard, si ces jeunes gens désirent faire une partie, et, évidemment, il y a une table pour le poker et d'autres plaisirs amusants.

Jacqueline dissimula son envie de rire. McKenna était un Celte austère, qui n'approuvait aucune forme de jeu. Pourtant, ce soir, il allait jusqu'à le proposer afin de mettre un baume sur le cœur d'Irving. Saisissant la main d'Irving, elle dit :

— McKenna a raison. Allons à la bibliothèque. Par une telle nuit, cette pièce est trop vaste et trop sombre.

Irving se leva péniblement.

— Pour ceux qui s'entraînent régulièrement, sachez qu'il y a une salle d'entraînement tout équipée au sous-sol. Il y a des serviettes et des vêtements d'entraînement. Vous n'avez qu'à demander à McKenna, si le cœur vous en dit.

— Dieu merci, prononça Samuel. Je deviendrais cinglé enfermé ici à ne rien faire.

Jacqueline prit le bras d'Irving et lui permit de la mener vers l'entrée.

Avec un bruit de frottement de chaises sur le plancher, les Élus se levèrent et leur emboîtèrent le pas.

La bibliothèque était chaleureuse et invitante, comme l'avait promis McKenna, avec ses murs couleur moutarde, ses étagères en acajou garnies de livres aux couvertures de cuir, et sa collection de tapis anciens Aubusson sur le plancher. Il y avait une imposante cheminée, dont l'âtre était aussi grand que Caleb et aussi large que ses bras tendus de chaque côté, où brûlait un joyeux feu. Des fauteuils confortables étaient groupés devant. La table de jeu et celle de billard dominaient le centre de la pièce, et de lourdes draperies en velours bleu les protégeaient des menaces de la nuit.

Aleksandr parla au nom de tous quand il prit une queue de billard, la soupesa et dit :

— Génial, absolument génial !

Même le renfrogné McKenna sembla satisfait de l'approbation. Lui et Martha s'activaient autour d'eux, remplissant leurs commandes de digestif. Ensuite, les deux domestiques disparurent.

Rapidement, le groupe se divisa en joueurs et en observateurs. Isabelle prit une queue et choisit Tyler comme partenaire. Aleksandr attendit que quelqu'un décide de se joindre à lui, et lorsque Samuel prit une queue, les équipes furent formées.

Les autres s'installèrent pour regarder, digestifs à la main, et Jacqueline inspecta l'ensemble du groupe.

Charisma s'assit sur le sol près du foyer, un verre à dégustation de brandy se balançant langoureusement dans sa main.

Aaron s'installa de tout son long dans la causeuse, une tasse de café coincée entre les deux mains.

Irving se lova dans son fauteuil de cuir patiné et accepta un petit verre Waterford de porto Tawny de la part de McKenna.

Caleb… avait disparu en chemin vers la bibliothèque. Un arrêt à la salle de bain, supposa Jacqueline.

Ainsi, ces personnes étaient les seuls survivants des Élus.

Était-ce là une bonne chose ? Était-ce mauvais ? Jacqueline l'ignorait. Elle avait rendu visite à l'Agence de voyages Gitane à maintes reprises au cours de sa vie. L'entreprise avait toujours été présente dans sa vie. Sa mère était au service du conseil. Les administrateurs l'envoyaient en déplacement, l'encourageaient dans ses fréquentations amoureuses, le tout dans le but de garder le monde en sécurité contre les manigances du diable. À l'exception d'Irving, Jacqueline n'avait jamais apprécié aucun d'eux… À l'occasion, elle s'était même dit que si elle avait connu Irving au cours de ses années glorieuses, elle ne l'aurait peut-être pas aimé non plus. Pour elle, les administrateurs semblaient être des hommes distants et renfermés qui s'occupaient de la partie profitable de l'entreprise avec enthousiasme tout en préservant leur réputation angélique de protecteurs des Élus.

Elle se lova dans les coussins jetés négligemment sur le siège de la fenêtre et sirota son Grand Marnier.

Elle connaissait les traditions des Élus. Au début, idéalement, ils connaîtraient des difficultés et se disputeraient, puis ils trouveraient un chef naturel, et s'occuperaient de ce qu'il y a à faire. Généralement, ce travail consistait à retrouver et à sauver d'autre comme eux… les Abandonnés. S'ils trouvaient les bébés à temps, les enfants étaient adoptés dans des familles et disparaissaient dans le vrai monde pour vivre leur vie dans l'obscurité. S'ils échouaient dans leur quête des bébés, les Autres les prenaient. Parfois, ils les sacrifiaient. Parfois, ils les élevaient pour faire le mal. Toujours, toutefois, ils rappelaient aux enfants que les Élus n'avaient pas pris soin de les sauver. Ainsi, ils cultivaient toujours chez eux un certain ressentiment envers les Élus.

Parfois, la sélection des Élus était loin d'être idéale. Parfois, il y avait deux, voire trois ou quatre, chefs, et le groupe se disputait en vain, sans jamais établir une bonne relation entre eux. Parfois, les Élus naissaient à une époque qui nécessitait de la force physique et de l'héroïsme, et ils devenaient les bastions de la lutte contre le mal.

Pour l'instant, avec les conflits et les querelles, il semblait que ce groupe était voué à être un groupe d'Élus insignifiants.

Toutefois, ils devaient être bien plus que ça.

Les joueurs de billards arrangèrent les boules dans le triangle. Isabelle ouvrit le jeu, et empocha cinq boules avant de passer le bâton à l'autre équipe. Elle observa et frotta l'embout de sa queue avec de la craie tandis qu'Aleksandr empocha trois boules dans trois poches différentes, puis se tourna vers Irving.

— Je dois téléphoner à ma mère pour lui dire où je suis et ce que je fais.

— La situation est délicate. Tu ne peux pas lui téléphoner, répondit Irving.

Samuel croisa les bras sur sa poitrine et appuya une hanche sur la table.

— Quelle horreur ! Ta mère pourrait s'inquiéter.

Pour le peu d'attention qu'Isabelle portait à Samuel, il aurait pu ne pas exister.

— Je ne peux pas ne pas lui téléphoner. Si elle n'a pas de mes nouvelles avant demain, elle communiquera avec le FBI. Et ce dernier écoutera ce qu'elle a à dire.

Samuel poussa un profond soupir.

Isabelle poursuivit.

— Mon fiancé travaille à Washington en tant que lobbyiste.

Samuel grogna si bruyamment qu'Isabelle arracha son mouchoir de sa poche et le pressa contre sa bouche. Elle le pressa comme si elle voulait couper son accès d'air.

— Après ce grognement, tu es moite et peu attrayant. Et ne va pas me dire qu'il n'y a pas quelqu'un que tu aimerais prévenir du fait que tu es en vie.

Le regard sombre d'Isabelle posé sur elle, il repoussa sa main et répondit :

— Ma secrétaire.

— Tu couches avec ta secrétaire ? lança Isabelle à voix haute. Encore ?

Jacqueline s'adossa au banc de la fenêtre en souhaitant pouvoir tourner le dos à cette scène. Cependant, ils étaient tous deux si passionnés, si en colère, que des étincelles volaient de part et d'autre, retenant l'attention de toutes les personnes présentes dans la pièce.

— Je ne couche avec personne. Et j'ai démissionné de mon cabinet d'avocats pour accepter cet emploi.

— Alors, tu n'as besoin de communiquer avec personne, non ? demanda Isabelle.

— Je dois prévenir mon agent de libération conditionnelle, dit Samuel en soupirant.

Isabelle sembla stupéfaite.

Elle le regarda fixement, le regard si horrifié, qu'il se moqua d'elle.

— Tu savais bien que j'en finirais là. Du moins, ta mère le savait.

Elle lui tourna le dos et frappa sa queue sur le tapis assez fort pour faire passer une vibration sur tout le plancher de bois franc.

— Qu'as-tu fait ?

— Un autre avocat a affirmé que j'avais fait usage de coercition pour obtenir une confession de son client. Le juge lui a donné raison.

— Parce qu'il avait raison.

— Personne ne peut le prouver, mais c'était suffisant… ça n'a aucune importance. J'ai été déclaré coupable.

Isabelle resta là, tête baissée, à respirer profondément.

— Ma belle[1], dit Samuel d'une voix profonde et chaleureuse, si rassurante que Jacqueline porta la main à son cœur.

Cependant, lorsqu'il tenta de prendre Isabelle dans ses bras, elle le frappa d'un geste qui signifiait sans l'ombre d'un doute « halte-là ».

— *Ne me touche pas.*

Son sourire méprisant habituel réapparut.

— Désolé, Mademoiselle Mason. Je ne voudrais surtout pas salir votre noble personne.

Fiou. Ils étaient à couteaux tirés, ces deux-là.

À la surprise de Jacqueline, Aleksandr intercéda avec l'assurance d'un homme deux fois plus âgé.

— Monsieur Shea, je dois également téléphoner à ma mère. Si je ne le fais pas, un véritable clan d'ancien métamorphes se présentera à votre porte.

— Si ma mère a entendu parler de l'explosion de l'Agence de voyages Gitane, elle pique actuellement une crise, dit Charisma.

Irving fit non de la tête.

---

1. En français dans l'original.

— Dans ce cas, vous avez raison, Mademoiselle Mason, Monsieur Wilder, Mademoiselle Fangorn. Ne pas téléphoner à vos personnes-ressources poserait un problème plus important que de leur téléphoner. Demain, nous nous organiserons pour que tout un chacun puisse communiquer avec sa famille ou... qui que ce soit d'autre.

— Merci, dit Isabelle, en se retournant vers la table juste à temps pour voir Samuel terminer la partie. C'est ton tour, dit-elle à Aaron en lui tendant la queue après s'est dirigée sans un mot vers lui.

Il n'était pas assez idiot pour dire qu'il préférait rester lové sur la causeuse. Il prit plutôt la queue, se dirigea vers la table de billard et prévint Aleksandr.

— Tu seras déçu, le billard n'est pas ma force.

Jacqueline remarqua Caleb avant même qu'il n'entre dans la pièce. Il se déplaçait sans bruit, mais à l'occasion, au cours des derniers jours, elle avait pressenti sa vibration, son odeur, sa présence.

Très agaçant.

Il arriva rapidement près d'elle. Il retira un coussin de sous son bras et s'assit tout près d'elle, les épaules collées aux siennes.

Elle s'éloigna.

Il se rapprocha.

Elle lui jeta un regard furieux.

Il lui sourit.

Elle songea à lui donner un coup de pied, mais elle avait déjà tenté cette tactique, sans succès, et elle n'avait pas l'intention d'être humiliée de la sorte ici et maintenant.

Irving les observa lutter pour s'installer, puis dit avec amusement :

— Savez-vous que la dernière fois qu'un désastre d'une telle magnitude s'est produit, c'était avant le haut Moyen Âge, cette période sombre de l'humanité ?

— Génial, dit Tyler en frottant l'embout de sa queue de craie, prouvant ainsi que les joueurs étaient à l'écoute. Je me réjouis à l'avance.

Irving poursuivit.

— Mais toi, ma chère Jacqueline, tu me donnes espoir.

— Espoir ? Moi ?

Elle n'avait pas de problème à l'idée de lui donner un peu d'espoir. Elle n'appréciait tout simplement pas l'attention qui s'y rattachait.

— Enfin… enfin, tu as accepté de devenir le médium des Élus.

Elle haussa les épaules négligemment, rejetant son geste comme étant sans importance.

— Pour ce groupe d'Élus.

— Ma chère, sourit si chaleureusement Irving que toute trace de tristesse avait quitté son visage. Ma chère, toute ta vie, tu as su qu'il n'y avait qu'un seul médium.

Jacqueline se sentit de plus en plus tendue.

— Chaque *cycle*. Il n'y a qu'un médium tous les sept ans.

La partie s'arrêta. On n'entendait plus aucun mouvement, ni aucun bruit dans la pièce.

Charisma se prit la tête à deux mains. De toute évidence, elle savait ce qui allait suivre.

— Non, dit doucement Irving. Notre médium est une ressource précieuse, et il n'y en a qu'un à la fois.

Cela ne voulait pas dire ce qu'elle croyait comprendre. Ce n'était pas *possible*.

— Mais ma mère est toujours voyante. Elle l'a prouvé sans l'ombre d'un doute.

— Lorsque tu es entrée dans le cercle, le transfert des pouvoirs a commencé. Lorsqu'elle en est sortie, elle n'était plus notre oracle. Elle n'était plus que Zusane Vargha, une adorable dame envers qui nous sommes extrêmement reconnaissants, dit Irving, dont l'adoration envers Zusane ne pouvait être plus évidente.

Jacqueline attrapa Caleb par les épaules et le tourna vers elle.

Il la regarda fixement, son regard bleu clair intéressé, comme si elle était un insecte observé au microscope.

— Il doit toujours y en avoir un. Son mandat se poursuit aussi longtemps qu'il le désire, ou aussi peu longtemps que désiré. Il choisit son successeur et, tous les sept ans, doit approuver les nouveaux Élus.

Le salaud. Il le savait depuis le début.

— Alors, le sort du monde dépend de moi et de mes visions ? dit Jacqueline à Irving, tout en gardant son regard rivé sur Caleb. Alors, les Élus ont de gros ennuis, parce que je n'ai *jamais* eu de vision.

Chapitre 12

— Pardon ? dit Aaron en arrêtant son coup net.

— Génial. Tout simplement génial. On dirait que c'est un bon moment pour faire — Samuel s'arrêta, regarda Isabelle, et termina sa phrase sur un ton sarcastique — une pause-pipi.

— Pourquoi n'en prends-tu pas justement une ? dit Isabelle.

Il sortit de la pièce à grands pas pendant qu'elle murmurait :

— Fuis. Tu n'es bon qu'à ça.

— Comment est-ce possible que tu n'aies jamais eu de vision ? demanda Aaron.

— Je n'en ai tout simplement jamais eu.

Jacqueline n'appréciait pas la façon dont l'Amérindien la regardait fixement en exigeant une explication, comme s'il y avait droit.

— Eh bien ! Je ne suis pas le seul sans don, dit Aleksandr Wilder, qui sembla moins morose, plus détendu.

— Jacqueline, tu as la marque, insista Irving.

— Je *sais* que j'ai la marque, dit Jacqueline en tentant d'être douce, mais en étant tout de même sur la défensive — ce qui se produisait souvent en présence des Élus —, puis elle haussa la voix. Je n'ai jamais pu *oublier* que j'avais la marque. Cela ne signifie pas que la marque m'ait déjà été d'une certaine utilité. Elle ne veut rien dire pour moi. Et si ce n'était qu'une marque de naissance ?

Naturellement, Irving n'y prêta pas attention.

— Es-tu descendue sous terre ? La terre a toujours protégé ta mère, lui a fourni le berceau nécessaire pour qu'elle accède à son don.

— Ça ne fonctionne pas.

Jacqueline se lova dans la pile de coussins, croisa les bras, et aurait aimé ne pas se sentir comme une enfant boudeuse. Elle aurait aimé ne pas se sentir comme si elle venait de décevoir les Élus. Elle aurait souhaité que Caleb cesse de l'observer d'un air entendu.

Elle aurait aimé… elle aurait aimé que l'univers sépia se retire de son esprit.

— Si tu n'es pas voyante, pourquoi es-tu entrée dans le cercle ? demanda Isabelle, d'une voix calme et aristocratique, mais tout de même réconfortante.

Peut-être n'était-elle pas non plus à l'aise avec son don.

— À ce moment-là, cela me semblait la chose à faire. J'ignorais que l'édifice allait exploser, dit-elle d'une voix tremblante en se remémorant le cratère noirci. Et je ne savais vraiment pas qu'il ne pouvait y en avoir qu'un. J'imaginais que ma mère serait là pour prendre le relais.

C'était la vérité, mais pas toute la vérité.

Caleb lui prit la main et joua avec la bande velcro qui tenait son gant en place.

— Parles-tu parfois de façon non intentionnelle ? Des choses auxquelles tu n'as pas vraiment réfléchies, mais qui sortent de ta bouche et s'avèrent vraies ?

Zut. Il connaissait les problèmes qu'elle avait connus étant enfant, annonçant inconsciemment les divorces, les naissances à venir et les cadeaux de Noël.

— Oui, mais ce ne sont pas là des visions. Ce sont des prémonitions. Si vous voulez que je vous annonce que votre ordinateur va flancher, je suis partante. Toutefois, si vous voulez savoir qui a fait exploser l'Agence de voyages Gitane ou pourquoi, je n'en ai aucune idée.

Jacqueline avait appris à fermer la porte à ses prémonitions. Autrement, Caleb ne l'aurait pas retrouvée en Californie. Elle aurait quitté le pays — pour ce que ça aurait donné. Les prémonitions étaient peut-être de son côté, mais il avait l'argent de sa mère du sien.

— Écoutez, ça ira. Vous oubliez que je suis voyant, dit Tyler, d'une voix qui semblait plus qu'irritée d'être ignoré.

Charisma parut soulagée.

— C'est vrai qu'il est voyant. Nous en avons un. Nous en avons plus d'un, dit-elle comme en s'excusant en regardant Jacqueline.

« Voilà », articula silencieusement Jacqueline à Caleb.

Irving tapota sa lèvre d'un long doigt en examinant Tyler.

— C'est rare que les hommes aient des dons d'intuition. Généralement, les dons d'intuition sont réservés aux femmes. C'est intéressant…, dit Irving, comme s'il tentait de se rappeler quelque chose d'important. Quelle sorte de visions as-tu ?

— Cela dépend de ce qui se produit et de ce que je cherche, dit Tyler.

C'était un bel homme bronzé, fin vingtaine, à la chevelure blonde qui lui tombait sur les épaules, et aux yeux les plus verts que Jacqueline avait jamais vus.

— Alors, tu maîtrises tes visions ? demanda Irving.

Tyler secoua la tête.

— Je n'ai pas vu l'explosion du tout, mais je crois qu'on peut aisément conclure que Zusane ne l'avait pas vu non plus, sinon elle l'aurait empêchée.

— Mais elle a bien *vu* l'explosion, dit Aaron.

— Elle avait un lien étroit avec les gens et l'endroit. Je n'avais été dans l'édifice que quelques heures avant qu'on nous conduise à la station de métro. Et, contrairement à Zusane, ma réception n'est pas très bonne sous terre.

Tyler haussa les épaules d'un air piteux.

— En vérité, je ne comprends ni mon don ni comment il m'est venu. Je sais simplement que je suis béni de l'avoir.

— Vous tous, messieurs, vous êtes fort bien débrouillés avec vos dons, dit Irving en se pencha vers Aleksandr pour dire gentiment : Je suis certain que ton don se présentera à toi sous peu.

— Je l'espère. Ce n'est pas facile d'être un Wilder sans don, commun.

Jacqueline aimait bien le jeune homme. Sa jeunesse cachait un humour grinçant et une acceptation sans réserve qu'elle aurait aimé avoir.

— Il y a quelques trucs que je ne comprends pas à propos de l'explosion, dit Charisma.

Samuel fit son entrée et prouva qu'il avait entendu lorsqu'il dit :

— Seulement quelques trucs?

— Plus que quelques-uns... dit Charisma en faisant glisser les bracelets le long de son bras et autour de son poignet. Les auteurs de ce crime savaient-ils que nous ne serions pas présents?

Personne ne répondit. Finalement, Isabelle dit :

— Nous ignorions quand nous devions partir pour notre confirmation. Nous avons été dirigés vers la station de métro après un appel téléphonique.

— De moi, dit Caleb.

— Comment l'ennemi aurait-il pu décider du moment idéal de nous éliminer? poursuivit Isabelle. Je crois simplement qu'ils ignorent que nous sommes toujours en vie.

— C'est une façon optimiste de voir les choses, dit Samuel en l'observant attentivement, comme s'il voulait s'excuser de ses commentaires acerbes, comme s'il tenait à elle plus qu'il n'en laissait paraître.

«Oui, imbécile, tu la blesses quand tu agis de la sorte.»

Le regard de Jacqueline se porta vers Caleb. Bon, elle connaissait bien les idiots. Et elle savait ce que c'était que d'être blessée. Heureusement, elle n'était pas aussi fragile qu'Isabelle. Avec une mère comme Zusane, elle avait appris à s'endurcir. C'était la seule façon de survivre.

— Crois-tu que les auteurs du crime sont morts dans l'explosion? Est-il question d'un attentat-suicide? demanda Tyler en regardant fixement Caleb, en espérant une réponse de l'homme qui avait, de par son expérience, assumé le rôle de chef d'enquête.

— C'est ce que je *crois*, répondit Caleb. Demande-moi plutôt ce que je *sais*.

Dans l'embrasure de la porte, quelqu'un s'éclaircit la voix, et toutes les personnes présentes se retournèrent.

— Si je pouvais dire quelque chose... demanda Martha, d'un ton sarcastiquement poli.

— Bien sûr, Martha, dit Irving.

— Quelqu'un devrait être délégué pour protéger Gary, dit Martha, dont les yeux lançaient des éclairs.

Le choc des événements de la journée s'était transformé en ressentiment ; elle cherchait à blâmer quelqu'un pour cette tragédie.

D'une certaine façon, cela l'éliminait de la liste des suspects.

— Qui ? demanda Irving. Il n'y a personne pour le faire.

— Qui est Gary ? demanda Charisma.

— Il y a quelque chose que tu ignores ! dit Samuel, feignant la surprise.

D'une voix calme et aristocratique, Isabelle dit :

— Samuel, tu as déjà gagné le prix du plus méchant des Élus. Nul besoin de te surpasser pour confirmer ta victoire.

Jacqueline commençait à apprécier Isabelle.

— Gary White. C'était un chef d'équipe, l'un des Élus les plus doués et les plus dignes de confiance. Il y a quatre ans, il a mené son équipe dans une situation dangereuse. Il a perdu presque tout le monde. Il est rentré... dans le coma. Depuis, il n'y a aucun signe de guérison. Il est dans une maison de repos... dit Irving en secouant la tête. Quarante-deux ans. Il pourrait vivre dans cet état encore cinquante ans.

— Hou la ! Quand ils nous ont recrutés, ils ne nous ont jamais parlé de *ce* genre de truc, dit Tyler, manifestement mécontent.

— Seul un idiot s'imaginerait les choses autrement.

Ces paroles échappèrent à Jacqueline avec imprudence. Puis, elle désira mettre la main devant sa bouche.

Mais il était trop tard.

Tyler lui jeta un regard furieux et dit :

— Si je suis si idiot, vous serez soulagé si je m'en vais.

— Tu ne peux pas partir. C'est plus qu'un emploi. C'est ton destin. C'est ton sort, et tu ne peux déjouer le sort. Demain, nous commencerons à planifier ce qui s'en vient, mais pour ce soir... dit Irving en faisant un geste en direction des domestiques dans l'embrasure de la porte. Martha, McKenna, si vous voulez bien resservir tout le monde ? Et remplissez également vos verres.

Lorsque tous les Élus et les domestiques eurent un verre à la main, Irving se mit debout.

Jacqueline se leva. De même que Caleb. Charisma et Isabelle se levèrent. Tout le monde s'avança, sentant la gravité de l'intention d'Irving.

Irving leva son verre et entreprit de porter le toast traditionnel, celui qui concluait chaque journée à l'Agence de voyages Gitane depuis aussi longtemps que Jacqueline pouvait se rappeler.

— À nos héros déchus, les Élus des jours anciens.

Jacqueline et Caleb, Martha et McKenna, levèrent leur verre, et les Élus les imitèrent.

— À nos héros déchus, répondirent-ils à l'unisson, avant de boire leur verre.

— Et aux sauveteurs de ce monde, nos nouveaux Élus. Que Dieu protège nos justes aventures et illumine le bon sentier ! dit Irving en jetant un coup d'œil à la ronde. Même si le sentier mène vers l'ombre. Même s'il mène vers la mort.

Les Élus s'immobilisèrent avec leur verre en main.

— Je ne me suis pas engagé à ça, dit Samuel qui les examina d'un œil critique, d'un air soupçonneux.

À la surprise de Jacqueline, Charisma fut d'accord.

— Je n'ai jamais voulu être une héroïne.

Chapitre 13

Tandis que les autres s'éloignaient, Caleb prit Jacqueline par la main pour la retenir.

Irving leva les yeux d'un air interrogateur.

— Que puis-je faire pour vous deux ?

— J'ai oublié de mentionner… que durant ma balade de ce soir, j'ai vu quelque chose d'intéressant, dit Caleb avec désinvolture.

Cependant, Jacqueline le connaissait trop bien. Elle pouvait déceler ses humeurs, décoder ses postures et reconnaître que cela avait son importance. Sa main serra la sienne nerveusement.

— Ce n'était probablement rien du tout, poursuivit-il. Cela ne m'a pas semblé suffisamment important pour en parler à tout le groupe.

— Oui ? dit Irving, dont le regard se fit de plus en plus perçant.

— J'ai vu une femme. Une femme d'âge mûr, jolie, dans la soixantaine. Elle prenait un verre dans l'un des bars que j'ai fréquentés, et je ne l'aurais pas remarqué si ce n'était de sa cicatrice tout le long de l'arête de son nez.

Jacqueline en fut bouche bée.

— Elle avait subi des chirurgies plastiques, dit Caleb en se penchant vers Irving. Toutefois, ma mère m'a dit qu'il y a des années, dans le bassin méditerranéen, c'est ainsi qu'ils punissaient les femmes adultères. Voir ce genre de mutilation ici m'a semblé si barbare que je me suis posé des questions…

Irving cligna des yeux, confus.

— Pauvre femme. Je ne vois pas qui cela peut être.

Jacqueline ne le crut pas.

Pas plus que Caleb, qui dit pourtant :

— Non, j'imagine que non, mais je préférais vérifier.

Il se retourna vers Jacqueline, lui embrassa les doigts, qui étaient toujours croisés dans les siens.

— On y va ?

— Non, absolument pas.

Cependant, cette dernière question un peu trop décontractée à Irving l'avait troublée, alors elle le suivit.

Avant de franchir l'embrasure de la porte, Caleb se retourna.

— Irving, j'oubliais. Lorsque j'ai quitté le bar. Une voix de femme m'a murmuré de saluer Irving.

Irving regarda fixement Caleb.

— Tu dois l'avoir imaginé.

Caleb hocha la tête en un acquiescement sardonique, puis entraîna Jacqueline hors de la pièce.

Elle le suivit parce que Caleb avait posé une question lourde de suppositions, et Irving avait menti.

— Qui est cette femme ?

— Je l'ignore.

— Mais elle t'a parlé ?

— Sans dire un mot ni s'approcher. Elle m'a souri, dit-il en s'arrêtant devant l'escalier pour se retourner face à Jacqueline.

Jacqueline dissimula son envie de rire.

— Caleb, bon nombre de femmes te sourient. Tu es un homme à qui les femmes sourient.

Il descendit pour que son visage soit à la hauteur de celui de Jacqueline, puis posa son front sur le sien.

— Merci, mais c'est ce sourire qui m'a fait fuir jusqu'au bar suivant.

— Elle t'a fait peur ? demanda Jacqueline, incrédule.

— Oui.

Jacqueline répéta les mots, mais sur un autre ton. *Elle* t'a fait peur, à toi ?

— Je l'ai entendu dans ma tête, dit-il, le regard bleu pâle troublé. Et ce sourire... comme si elle me connaissait. Tous mes secrets, tout ce que j'ai fait de mal, tout ce que j'ai fait de bien. Tous mes projets d'avenir.

— Bon, ça je peux le comprendre, dit Jacqueline en haussant les épaules. Ça me foutrait les jetons à moi aussi.

Il mit son bras autour de ses épaules, et ensemble ils gravirent les marches de l'escalier.

— Je suis entré au service de Zusane en sortant de l'université. C'était il y a neuf ans. J'ai rencontré les Élus, et j'ai rencontré leurs adversaires, et rien de tel ne s'est jamais produit auparavant.

Elle ne l'avait jamais vu ainsi. Elle ne croyait pas qu'il n'ait jamais été dans cet état. Troublée, elle tenta de donner voix à ses pensées à demi-ébauchées.

— Je crois qu'aujourd'hui marque la fin des Élus comme nous les connaissons. Tout est différent maintenant, et j'ignore le genre de changements qui nous attendent. Cependant, moi aussi, j'ai peur. Je crois que quiconque connaît l'existence des Élus, des Autres et du combat entre le bien et le mal serait idiot de ne pas avoir peur.

— Tu es habile avec les compliments gauches, se moqua-t-il. Mais tu as raison. Personne ne me considérerait comme un idiot.

— Exactement.

À l'étage, le couloir avait l'apparence d'une résidence du XIXe siècle : vaste, au plafond haut, orné de tableaux sombres aux cadres dorés. Les portes menaient à des chambres à coucher somptueuses et fraîches chauffées par des radiateurs qui soufflaient et qui grondaient. McKenna avait mis les femmes sur la droite de l'escalier, et les hommes sur la gauche, mais sans hésiter, Caleb se dirigea vers la droite.

Jacqueline s'arrêta.

— Où crois-tu aller ?

— Avec toi, répondit Caleb en s'arrêtant.

— Comment sais-tu où je dors ?

— J'ai monté mon sac après le repas, dit-il avec une confiance en lui qui fit grincer les dents de Jacqueline. Je t'ai acheté quelques trucs, dont des sous-vêtements et une brosse à dents.

— Quelle bassesse !

— Pardon ?

— Comme si tu ne le savais pas. M'attirer avec des sous-vêtements propres.

— Es-tu attirée ?

Bien sûr qu'elle l'était.

— Irving ne va pas autoriser cette situation. C'est sa maison, et il est trop vieux jeu pour qu'un homme et une femme partagent une chambre.

Le visage de Caleb prit un air calme et décidé.

— Irving n'a pas le choix. Je dois m'assurer que tu es en sécurité, c'est mon rôle, et j'ai bien l'intention de le respecter.

— Tu n'étais pas inquiet, cet après-midi. Tu es parti peu après être arrivé.

Merde ! Le ton était geignard et lui donnait trop d'importance.

— Tu as tort, j'étais inquiet. Cependant, tu étais éveillée, et je sais que tu es capable de te défendre.

Elle se souvint de toutes les façons de combattre qu'il lui avait apprises. Et elle se souvint de son combat — et sa reddition — dans la salle de bain de la vallée de Napa.

— Pas assez, apparemment, répondit-elle avec dépit.

Il sourit. Un long sourire gratuit rempli de souvenirs et de tension sexuelle.

— Si tu voulais vraiment gagner, je parierais sur toi à tout coup.

Il sous-entendait qu'elle l'avait laissé gagner parce qu'elle avait envie de lui.

Jacqueline serra les poings le long de son corps.

Elle le détestait. Elle le détestait et le désirait, et s'en voulait d'être si indécise.

— Je ne te laisserai pas seule ce soir, dit-il en prenant son gant dans sa main pour y poser un baiser. Fais-toi à l'idée.

Elle se retourna et se dirigea vers sa chambre.

— Tu peux dormir sur le sol.

— *Tu* peux dormir sur le sol, dit-il en la suivant.

La chambre était agréable, propre, bien tenue et meublée d'antiquités. Il y avait un dessus-de-lit fleuri de petite fille sur un grand lit. Le problème, c'est que la chambre était étroite, et lorsque Caleb entra, elle parut encore plus étroite. Il faisait aussi plus chaud… beaucoup plus chaud.

Il ferma la porte derrière lui.

— Tu devrais téléphoner à ta mère.

— Et moi qui m'inquiétais que tu veuilles faire l'amour! dit-elle en levant les bras au ciel.

Merde! Elle n'aurait pas dû dire ça.

— Je veux faire l'amour. Je veux toujours faire l'amour, dit-il en attendant un moment. Avec toi. Mais je ne vais pas me battre avec toi, cette fois. La balle est dans ton camp.

— Qu'est-ce que ça signifie?

— Exactement ce que j'ai dit, répondit-il en retirant sa cravate. Tu devrais téléphoner à ta mère.

C'était un homme extraordinaire. Il réussissait à changer le sujet de conversation, de celui qu'elle croyait le moins vouloir discuter avec lui à celui qu'elle désirait encore moins discuter. Les mains sur les hanches, elle demanda :

— Pourquoi? Elle s'est sauvée en me laissant dans ce foutoir.

Il fouilla dans le sac posé sur le lit et lui lança une imposante chemise de nuit.

— Parce qu'elle a fait les poubelles pour toi.

— Pardon?

— Lorsque tu étais petite. Lorsqu'elle t'a sauvée. Elle a grimpé dans un conteneur à déchets et t'a trouvée.

Jacqueline laissa tomber la chemise de nuit à ses pieds.

— Tu sais ça ? Tu en es certain ?

— Elle ne te l'a jamais dit ? dit-il en la confrontant.

— Non.

Personne ne lui avait jamais dit d'où elle venait ni comment elle était arrivée chez Zusane. Elle avait simplement toujours su qu'elle ne devait pas poser trop de questions au sujet de Zusane, de son passé ou de ce qu'elle avait fait et pourquoi. Surtout, elle savait qu'elle devrait être reconnaissante envers Zusane pour l'avoir sauvée d'un destin pire que la mort.

Pourtant, chaque fois que Jacqueline s'était demandée qui étaient ses véritables parents et pourquoi ils l'avaient abandonnée, l'univers perdait sa couleur, ne laissant qu'une teinte sépia, comme dans les vieilles photos. Toute sa vie, elle avait su instinctivement qu'il était dangereux de s'ouvrir à l'autre monde… et que si elle le faisait, elle n'en reviendrait jamais.

Alors, il était plus prudent de ne pas spéculer, et c'est ce qu'elle avait fait.

Maintenant, avec une précision acharnée, Caleb lui raconta tout.

— Je me souviens bien de cette journée. Ma mère et moi n'étions pas au pays depuis longtemps, et Zusane était à la maison, pour rendre visite à ma mère, la questionnant au sujet de sa santé. Tout à coup, elle s'est levée, droite et raide, et a dit : « Je peux la voir, briller comme une pépite d'or dans la saleté. »

L'estomac de Jacqueline se noua. Elle voulait se couvrir les oreilles. Mais subitement, la teinte sépia qui oscillait au bord de sa conscience l'enveloppa. Elle pouvait entendre Caleb, mais cette autre réalité l'interpellait...

— Elle est sortie, tout simplement, dit-il en fouillant dans le sac pour sortir une trousse de rasage et une pile de vêtements. Ma mère m'a demandé de la suivre. Zusane avait à l'époque des gardes du corps, mais elle avait refusé qu'ils viennent avec elle. Moi, elle m'a autorisé. J'avais neuf ans, à l'époque, et j'étais seul avec elle lorsqu'elle a fouillé les allées, ignorant les gens qui l'invectivaient de fouiller dans leurs ordures et les autres qui la regardaient fixement comme une folle vêtue comme une déesse. Elle n'avait de cesse de répéter que l'enfant chérie était là, quelque part.

— Il faisait chaud, et j'étais enfouie... dit doucement Jacqueline.

Il se retourna vers elle si abruptement qu'elle chancela vers le mur.

— Tu te *souviens*, dit-il.

— C'est impossible, répondit-elle.

Puisqu'elle aurait été une nouveau-née.

Il l'observa, attendant qu'elle prenne la parole. C'était une méthode qu'elle l'avait vu utiliser avec beaucoup de succès... Dieu sait que cela fonctionnait avec elle.

— Je me souviens de quelque chose, mais ça ne peut être vrai, dit-elle en haussant les épaules, incertaine, farfouillant dans une série d'impressions. La femme qui m'y avait mise... je la connaissais. Je connaissais son odeur, les battements de son cœur. Je savais qu'elle devait me garder près de son cœur, mais elle m'a plutôt tendue à bout de bras, comme… de la *merde*. Elle n'arrêtait pas de me traiter de *merde*.

— Tu l'as entendue ?

— Je ne comprenais pas les mots, mais je savais ce qu'elle voulait dire.

Toute sa vie, Jacqueline avait eu cette pensée dissimulée dans son esprit. Elle n'en avait jamais parlé à personne, car… bien, si les gens savaient qu'elle avait des prémonitions, ils l'auraient cru folle. Et elle craignait que si quelqu'un découvrait cela, ce drôle de souvenir, elle se ferait enfermer à tout jamais.

Pourtant, depuis qu'elle était enfant, elle pouvait tout dire à Caleb, et elle le lui disait maintenant.

— Ce ne peut être un vrai souvenir.

— C'*était* le jour le plus chaud de l'année.

Se serrant dans ses propres bras, elle dit :

— C'est drôle, parce qu'un frisson vient de me parcourir l'échine.

Il l'observait toujours.

S'abandonnant au souvenir triste, Jacqueline dit :

— J'avais mal. Je pleurais, je criais, j'avais faim… La femme m'a secouée. Puis, elle m'a jetée. Elle m'a lancée, mais je suis tombée sur quelque chose de mou, et elle a de nouveau juré. Elle voulait… je crois qu'elle voulait me faire éclater la tête. Je me souviens de lui avoir tendu les bras alors qu'elle mettait des ordures sur moi. Mais elle ne m'a pas vue. Je ne lui importais plus. Elle a refermé le couvercle et elle n'est pas revenue. Comment quelqu'un peut-il détester à ce point son bébé ? demanda-t-elle avec angoisse.

— Peut-être avait-elle été violée ? Ou souffrait-elle d'une maladie mentale ? Ou peut-être avait-elle vu ta marque ?

— Et elle m'a rejetée, dit Jacqueline en pliant ses doigts dans son gant.

Caleb se rendit dans la salle de bain et en ressortit avec un verre d'eau. Il enroula les doigts de Jacqueline autour du verre et l'aida à le porter à ses lèvres.

À sa grande surprise, sa main tremblait. Le verre tinta contre ses dents, mais l'eau lui humecta la bouche qui était sèche.

— Qu'est-il arrivé ensuite ? demanda-t-il.

À voix basse, elle poursuivit.

— La noirceur était morne. Puis, il y a eu une lumière blanche. Ça m'a fait mal aux yeux. Ça m'a brûlé la main et a remonté le long de mon bras, jusqu'au cerveau. Jusqu'à mon cœur. J'ai crié et crié, mais des objets me tombaient sans cesse dans la bouche. J'étouffais, et il faisait si chaud…

Elle transpirait, respirait difficilement, les souvenirs se superposant à la réalité de la chambre, de l'époque.

Le bébé pouvait à peine pleurnicher, maintenant. La noirceur… la chaleur…

— Te souviens-tu de Zusane ? demanda Caleb, dont la voix semblait venir de si loin… Elle a ouvert le conteneur.

Le bébé a vu la lumière, sentit l'air frais.

— Elle a grimpé dans le conteneur, dit-il.

— Oui.

Le bébé était couvert de saletés. Quelque chose déplaça les ordures à proximité, tout en marmonnant. Le bébé tenta d'appeler à l'aide, mais il pouvait à peine haleter. Le désespoir s'installa en elle… puis, quelque chose, une main toucha sa tête. Une voix chantonna. Les ordures furent déplacées, et le bébé cligna des yeux, à la vue de la silhouette illuminée d'une femme.

Pas la femme d'avant. Pas celle qui l'avait rejetée.

Cette femme lui caressa le visage, lui murmura des mots doux, la prit dans ses mains comme si elle était un objet précieux, et même si le bébé perdait connaissance, elle crut que la femme pleurait, elle aussi…

— Jacqueline ! murmura Caleb, l'urgence dans la voix.

Elle cligna des yeux.

— J'ai toujours su que Zusane m'avait sauvé la vie. Je ne pouvais tout simplement pas croire que je m'en souvenais… Elle était si lumineuse que ça me faisait mal aux yeux.

— Elle portait des paillettes, dit Caleb qui se tenait tout près d'elle, le bras contre le mur près de la tête de Jacqueline, le corps tout près du sien.

Il lui servait d'ancrage, l'empêchait de se perdre dans le lieu, les odeurs, l'horreur…

— Évidemment, rigola-t-elle. Ne va-t-elle jamais sans celles-ci ?

Toutefois, elle savait que Zusane ne laissait rien endommager ses précieuses tenues de soirée. Et le fait qu'elle avait pu grimper dans un conteneur pour la sauver…

— Téléphone à ta mère, dit Caleb.

Jacqueline revint à elle, et à Caleb, le reproche teintant sa voix.

— Il est toujours question de Zusane avec toi, n'est-ce pas ?

— Non, ma chérie, dit-il patiemment. Il est toujours question de Zusane avec *toi*.

Jacqueline ne comprenait pas ce qu'il voulait dire, et n'aimait pas du tout son ton.

— Bon, je vais lui téléphoner, mais je dois d'abord prendre une douche, dit-elle.

Parce qu'elle pouvait toujours sentir l'odeur des ordures sur sa peau.

Chapitre 14

Jacqueline sortit de la salle de bain et étendit les pans de
sa volumineuse chemise de nuit comme des ailes.

— Où as-tu trouvé ça ? Chez ta mère ?

— Oui, dit Caleb qui avait retiré sa veste et sa ceinture,
et rangé les vêtements qu'il avait apportés dans un tiroir de
la commode.

— Il y a suffisamment de tissu pour faire des rideaux
chez Tara, sans oublier le flafla de dentelle et de rubans.

— Elle espérait qu'elle te fasse, jetant un regard à ses
mollets qui sortaient de la chemise, mais évidemment, tu es
grande. Elle ne l'est pas.

Il ne semblait pas vouloir la regarder. Parce qu'elle portait la chemise de nuit de sa mère ? Parce que ses jambes
étaient trop longues ? Parce qu'il était fâché contre elle ou
fou d'elle. Elle espérait que ce soit cette dernière possibilité.
Elle voulait qu'il souffre.

— Je n'ai jamais rencontré ta mère.

Il eut un drôle de sourire sentimental que Jacqueline
n'associait pas à un dur comme Caleb.

— Elle est adorable.

— Pourquoi ne l'ai-je jamais rencontré ? demanda-t-elle
en s'avançant.

— Tu aimerais ? dit-il en levant rapidement les yeux.

— J'aimerais la remercier pour… la chemise de nuit.

En fait, elle aimerait rencontrer la femme qui a porté et élevé un homme de la trempe de Caleb.

— Lorsque tout sera plus sécuritaire, je t'amènerai la rencontrer, dit-il sans trace d'émotion.

Jacqueline sentit toutefois que ça le rendait heureux.

— Comment est-elle ?

— Elle est Sicilienne jusqu'à la moelle. Elle cuisine, nettoie et prend soin de ses chiens…

— Ses chiens ? dit Jacqueline en s'approchant. J'adore les chiens.

— Elle en a deux. L'un d'eux est un chien-guide à la retraite qui se prend pour un petit chien ; l'autre est un berger allemand croisé avec un chow-chow qui écoute maman. Seulement maman.

— Tu acceptes un chien qui ne répond pas à tes ordres ?

Jacqueline avait de la difficulté à se l'imaginer.

— Une chienne. Lizzie est la chienne de ma mère. Je n'ai pas de droit de vote sur ce qui vit sous le toit de ma mère.

Caleb attrapa le combiné d'un téléphone rose bonbon à l'ancienne sur la table de chevet.

— De toute façon, Lizzie est très protectrice de ma mère, et lorsque je ne suis pas là, j'aime bien la savoir en sécurité.

— Lizzie est son garde du corps.

— Autant que je suis le garde du corps de ta mère, et maintenant le tien, dit Caleb en composant un numéro, le numéro de Zusane, et en tendant le combiné à Jacqueline.

Évidemment. Il s'en souvenait. Il se souvenait toujours du devoir de Jacqueline envers Zusane… et du sien.

Avec ressentiment, Jacqueline prit le combiné et attendit, un pied nu par-dessus l'autre. Elle espérait presque que Zusane ne réponde pas, parce que de savoir ce qu'elle savait, elle devrait remercier sa mère de l'avoir sauvée d'une mort certaine, et Jacqueline était plutôt maladroite quand venait le temps d'avoir des conversations sérieusement émotion-nelles. En même temps, elle espérait aussi que Zusane réponde parce que si elle ne lui parlait pas maintenant, Caleb ne l'oublierait pas et la ferait téléphoner à sa mère plus tard. Elle devrait alors tenter de remercier Zusane, et n'aimait pas avoir une épée de Damoclès au-dessus de la tête.

Elle attendit six sonneries, et lorsque la messagerie de Zusane s'enclencha, elle fit un sourire triste à Caleb.

— Salut, maman, c'est Jacqueline. Je vous téléphone simplement pour savoir comment ça va et pour vous dire comment ça va pour moi. Si ça vous intéresse, évidemment.

— Bon, ce n'était pas nécessaire, dit Caleb.

— Aussi, Caleb m'a dit…

Le regard de Caleb l'arrêta net. Son regard, et le fait qu'elle ne pourrait pas vivre avec la lâcheté de ne pas avoir parlé à sa mère de vive voix.

— Bon, oubliez ça. Appelez-moi quand vous en aurez l'occasion. J'espère que vous vous amusez. Au revoir. Pas besoin de me regarder comme ça. Je n'allais pas le faire, dit-elle après avoir raccroché le combiné violemment.

— Je vais aller me doucher, dit-il en prenant des sous-vêtements dans le tiroir.

Comme d'habitude, lorsqu'ils parlaient de Zusane, Jacqueline se sentait mal à l'aise, pleine de ressentiment, maladroite, comme la seule idiote au monde à ne pas vénérer le culte de la grande Zusane. Elle aimait sa mère. C'est juste qu'elle ne l'appréciait pas beaucoup, et à ce sujet, la désapprobation de Caleb était évidente.

Ils n'avaient pas résolu le problème de qui dormirait où, et tandis qu'elle le regardait s'éloigner, elle envisagea l'idée de l'enfermer dans la salle de bain. Elle pourrait pousser la commode contre la porte... Évidemment, puisque la porte s'ouvrait vers l'intérieur, cela ne donnerait pas grand-chose... Cependant, ça serait amusant de voir sa tête lorsqu'il tenterait de sortir de la salle de bain.

Puis, le téléphone sonna. Elle s'empressa de répondre.

— Maman?

— Bonjour, chérie...

Il y avait de la musique en sourdine, et le bruit des conversations bruyantes d'une fête filtrait dans l'appareil.

— Je viens tout juste de manquer ton appel. T'habitues-tu à ton nouveau rôle de médium des Élus?

Rapidement, tout ce qu'elle reprochait à sa mère revint au galop.

— Maman, pourquoi ne m'avez-vous pas dit que j'étais le médium, que j'étais la seule?

— Je ne te l'ai pas dit, chérie? Je croyais l'avoir fait, dit Zusane d'une voix chaleureuse, riche, accentuée et... amusée.

— Vous savez très bien que vous ne me l'avez pas dit.

— Ma mémoire de ces choses est si piètre... As-tu eu une vision?

Jacqueline pouvait aisément se l'imaginer en train de recoiffer sa crinière blonde.

— Non, je n'en ai pas eu !

— Tu devrais essayer, répondit Zusane d'un ton tranchant.

— Je ne veux pas essayer, je ne veux pas de cette responsabilité !

— Je sais que tu n'en veux pas, Jacqueline Lee, mais si tu ne voulais pas devenir le médium, il fallait aller à Harvard, dit Zusane, du ton pincé, supérieur et impatient qu'elle utilisait toujours lorsqu'elles discutaient de l'avenir de Jacqueline.

— Ou Yale, dit Jacqueline d'un ton sarcastique.

— Ou Yale, acquiesça Zusane, ou toute autre grande université. J'aurais pu te faire accepter dans n'importe laquelle, mais tu as plutôt choisi l'université Vanderbilt.

— Ce n'est pas n'importe quelle université non plus, elle était classée parmi les vingt grandes universités des États-Unis !

— Mais tu n'es pas restée à l'école, tu as plutôt fui…

L'injustice de cette affirmation fit parler Jacqueline d'un ton calme et posé.

— J'avais mes raisons.

Cependant, Zusane était dans tous ses états.

— Si tu étais retournée à l'école, tu aurais eu une solution de rechange plutôt que d'être médium. Tu pourrais subvenir à tes besoins.

— C'est ce que je *faisais* en Californie.

— Tu perdais ton temps en Californie !

— Perdais mon temps ? *Je* perdais mon temps ? dit Jacqueline avec indignation. Et vous ? Vous êtes une femme intelligente, mais trop paresseuse pour faire autre chose que de vous marier, à maintes reprises. Et lorsque vous divorcez, vous faites toujours cette blague de mauvais goût, à savoir que vous êtes une bonne femme de maison, puisque vous gardez toujours la maison après le divorce.

— J'aime bien cette blague, dit Zusane, qui avait le culot d'utiliser un ton blessé.

Jacqueline sauta sur cette occasion.

— Et maintenant, vous faites la fête quelque part... où êtes-vous ?

— Nous faisons une petite fête dans Manhattan, juste quelques amis avant de prendre l'avion pour la fête en Turquie avec mon nouvel amoureux.

— Et qui est-il ? demanda Jacqueline en tapant du pied.

— Tu ne le connais pas.

— Je ne le connais pas ?

Jacqueline n'en croyait pas ses oreilles.

— Comment pourrais-je ne pas le connaître ? Tous vos amoureux sont célèbres !

— Osgood est différent. Il préfère se montrer discret.

Jacqueline n'appréciait pas le ton calme et prudent de la voix de Zusane, comme si elle avait quelque chose à cacher.

— Mère, que tramez-vous ?

Le ton de Zusane redevint normal.

— Je suis divorcée. Je peux faire ce que je veux, non ?

À quelqu'un à la fête, elle dit en aparté : « Merci, chéri. Du champagne, c'est exactement ce que je voulais. »

— Non, vous ne pouvez pas faire ce que vous voulez.

En la réprimandant, Jacqueline se demanda pourquoi elle finissait toujours par se sentir comme le parent dans leur relation.

Qui que ce fût, il avait dû s'éloigner, parce que Zusane reprit son ton calme et prudent.

— De toute façon, chérie, ne t'inquiète pas pour tes visions. Elles viendront, que tu le veuilles ou non.

Avec un frisson, Jacqueline se remémora son souvenir vif d'avoir été secourue du conteneur à déchets, et se rendit compte qu'elle n'était pas censée s'obstiner avec Zusane. Elle devait plutôt la remercier. Maladroitement, elle dit :

— Mère, j'ai parlé à Caleb, et il m'a raconté comment, hum, vous m'avez sauvée alors que j'étais tout bébé…

— Ce vilain garçon, je lui avais dit de ne pas en parler, dit Zusane d'un ton visiblement agacé.

— Je suis contente qu'il l'ait fait, parce que je veux vous remercier…

— Ne sois pas idiote, ma chérie. Je l'ai fait autant pour moi que pour toi. Je veux dire que je savais que je ne pourrais pas être le médium éternellement !

— On peut toujours compter sur vous pour mettre les choses en perspective !

Égoïste. Sa mère était égoïste jusqu'à la moelle, et Jacqueline ne devrait pas l'oublier.

Mais Zusane détestait que ses bonnes actions soient exposées à tous, et détestait encore plus être remerciée, alors Jacqueline devrait peut-être s'en souvenir…

La porte de la salle de bain s'ouvrit.

Jacqueline se retourna pour regarder fixement Caleb —
et en oublia sa colère. En fait, elle oublia complètement
Zusane.

Parce qu'il portait un t-shirt noir et un caleçon noir à la
mi-cuisse. Il était détrempé, bronzé et musclé, et était aussi
tentant que du bon chocolat.

Cette apparition coupa le souffle à Jacqueline et son
« hou la ! » muet était tout admiratif.

Entre-temps, Zusane babillait dans ses oreilles.

— Chérie, je dois y aller. Nous prenons l'avion
d'Osgood pour la Turquie. Il y possède une île, dit-elle, sous
le charme. Rien de vulgaire. Une toute petite île. Il a invité
une douzaine d'amis à aller se faire bronzer sur sa plage.
Nous y serons dès demain. Je suis si impatiente d'y être !

— Ouais, amusez-vous bien.

— Alors, tu ne m'en veux plus pour mon petit oubli ?

À contrecœur, Jacqueline ramena son attention à l'appel.

— Mère, je ne veux pas de ce poste.

— Tu aurais dû y penser avant d'entrer dans le cercle de
craie.

— Si j'avais su ce qu'il en retournait…

— Dans ce genre de situation, l'acheteur doit prendre
garde. Et ici, l'acheteur, c'est toi, dit Zusane, qui savait bien
faire la leçon. Maintenant, les Élus comptent sur toi et,
chérie, jamais auparavant l'avenir des Élus et de tout ce
qu'ils représentent n'a été si en danger.

Jacqueline serra le combiné si fort que ses jointures en
souffrirent.

— Merci, mère. Comme si la pression n'était pas encore
assez forte.

— Bon, chérie, demande-toi plutôt *pourquoi* tu es entrée dans le cercle.

— Je l'ignore !

— Bien sûr que tu le sais. Tu ne veux simplement pas l'admettre. Tu as toujours fui les sujets difficiles, Jacqueline. Il est temps d'y faire face, dit Zusane avec satisfaction. En fait, tu n'as pas le choix.

Jacqueline entendit une voix masculine poser une question à Zusane, sans toutefois la comprendre.

Elle entendit sa mère rire à gorge déployée et répondre :

— Ce n'est personne, chéri.

Au téléphone, elle dit :

— Je n'ai plus de temps pour ça, dit-elle, avant d'ajouter après une pause : Au revoir. Je t'aime !

Jacqueline ne pouvait croire qu'elle avait entendu sa mère la traiter de « personne », puis oser lui dire qu'elle l'aimait. La ligne téléphonique fut coupée tandis qu'elle avait toujours le combiné à la main.

— Ouais, je vous aime aussi, dit-elle avant de lancer le combiné sur le lit de toutes ses forces.

Chapitre 15

— On dirait que tu as réussi à joindre ta mère, dit Caleb en s'approchant du lit pour ramasser le combiné et le reposer sur la base du téléphone.

Il aurait aimé être dans la chambre durant la conversation, mais en fin de compte, il ne pouvait rien changer à la relation entre la mère et la fille. Elles s'opposaient depuis aussi longtemps qu'il pouvait se rappeler.

— Elle est impossible.

— Elle l'a toujours été.

— Pourquoi es-tu resté à son service si longtemps? demanda-t-elle abruptement. Il y a beaucoup de gens riches à protéger qui ne sont pas… aussi frustrants qu'elle.

— Tu n'es pas la seule à qui elle a sauvé la vie, dit-il en observant Jacqueline digérer ce commentaire. Quel côté préfères-tu?

— Pardon? dit-elle en clignant des yeux.

— Quel côté du lit préfères-tu?

Il pouvait voir qu'elle cherchait des arguments à propos du partage du lit. Cependant, elle était fatiguée. Elle ne pouvait aligner les mots un derrière l'autre. Et elle le regardait, le regardait vraiment, dans son caleçon et son t-shirt, et il vit une étincelle d'appréciation dans son regard. Puis, elle se détailla, enveloppée dans des mètres de coton blanc, se mit à rire et s'effondra sur le côté opposé du lit.

— Ce n'est pas comme si je pouvais t'intéresser vêtue de la sorte.

La seule chose sur laquelle Caleb pouvait toujours compter était l'absence totale de vanité de Jacqueline. En partie, elle avait été élevée par Zusane, la femme la plus élégante au monde. En partie, c'était sa faute... Il l'avait convaincue qu'elle était résistible, et un jour il devrait lui dire la vérité.

Pour l'instant, toutefois, il lui était commode de croire que le fait de la voir dans la chemise de nuit de sa mère ne l'excitait pas. Et si elle voulait préserver cette illusion, il devrait se glisser rapidement sous la couverture afin d'éviter qu'elle ne se rende compte de quoi que ce soit. Retirant la couverture de l'autre côté, il se glissa dessous, et attendit tandis qu'elle s'affairait autour, se glissait sous la couverture, arrangeait l'oreiller et soupirait profondément.

Lorsqu'elle eut terminé de s'installer, il demanda :

— As-tu remercié ta mère ?

— J'ai essayé, grogna-t-elle.

— Tant mieux. Tu en seras contente.

Froissée, elle se retourna sur le côté, en direction opposée.

Caleb resta allongé là, appuyé contre les oreillers, un bras derrière la tête, à écouter Jacqueline respirer. Elle voulait restée fâchée contre lui, mais elle s'endormit plutôt rapidement, fatiguée du voyage, du combat, de sa décision d'adhérer aux Élus et d'avoir été témoin de la vision cauchemardesque de Zusane. Elle avait vu les décombres de l'édifice qu'elle avait visité enfant, été confrontée au décès d'hommes et de femmes qu'elle avait connus toute sa vie, et confrontée à la réalité qu'elle tentait de fuir depuis tant d'années — elle devait d'une certaine manière laisser libre cours à son don de voyance, autrement les Autres marqueraient des points importants. Comme la peste, ils répandraient le mal, et rien ne pourrait les arrêter.

Elle avait dit qu'elle ne s'en préoccupait pas.

Il savait que ce n'était pas vrai.

La première fois qu'il avait rencontré Jacqueline, il était âgé de neuf ans. Il avait vu Zusane sortir du conteneur à déchets avec un bébé maigrichon, rougeaud, criard et sale dans les bras. Tout de suite, il avait su que lui et le bébé avaient quelque chose en commun. Zusane avait sauvé Jacqueline, un peu comme elle l'avait sauvé lui, mais il avait une mère pour veiller sur lui. Ce bébé n'avait que Zusane, et Zusane savait une chose... Elle savait aimer une enfant.

Elle avait étreint le bébé contre son cœur et s'était dirigée vers son appartement-terrasse près de Central Park. Il l'avait suivie au pas de course, écartant les passants et montrant les dents à ceux qui reconnaissaient la déjà célèbre Zusane.

Lorsqu'ils étaient arrivés chez elle, Zusane lui avait demandé de barrer et verrouiller la porte.

Elle s'était comportée comme si quelqu'un voulait intenter à sa vie, à la sienne ou celle de l'enfant.

Elle lui avait donné de l'argent, lui avait dit d'être prudent, et l'avait envoyé acheter des couches et du lait maternisé. À son retour, à son grand étonnement, l'élégante Zusane avait donné le bain au bébé, l'avait emmailloté dans une couverture chaude, et était là à bercer le petit corps inerte dans ses bras. Elle avait gentiment amené le bébé à manger, avait changé sa couche, l'avait nourri de nouveau et s'était assurée de le garder au chaud.

Où cette Zusane mondaine et frivole avait-elle appris à prendre soin d'un bébé ?

Elle lui avait dit qu'elle avait l'intention d'élever cette enfant abandonnée comme si elle était sienne, que son nom était Jacqueline Lee, et avait déroulé sa petite main pour lui montrer pour la première fois la marque distincte en forme d'œil.

Elle lui avait dit que le bébé devrait être protégé de gens qui lui voudraient du mal, et qu'en grandissant, il pourrait être le garde du corps de Jacqueline.

Zusane n'avait jamais tenu sa promesse. Jusqu'à aujourd'hui.

Hum, et une autre fois…

Chapitre 16

L'hiver, deux ans auparavant.

Caleb se réveilla en sursaut. Il était encore tôt, à peine plus de vingt-deux heures. La chaude nuit des Bermudes chantait au son des vagues qui déferlaient sur la plage et du vent qui sifflait dans les palmiers. La pleine lune brillait à travers la fenêtre de sa chambre, et l'île exhalait des parfums de fleurs et d'écume.

Pourtant, quelque chose clochait.

Il l'entendit de nouveau, le bruit qui l'avait tiré de sa première heure de sommeil profond — le craquement du plancher de la véranda.

Arme au poing, il bondit hors du lit. Il enfila son short et ouvrit la porte de son pavillon.

Zusane était là, tanguant sans grâce, tenant son peignoir contre sa poitrine.

Caleb avait déjà vu les signes — le regard vague, la tension dans sa voix rauque, le manque maladroit de coordination.

Elle avait eu une vision.

Lui tendant les bras, il l'attira dans sa chambre et referma la porte. Les mains sur ses épaules, il l'assit sur une chaise et lui versa un verre de cognac. Le forçant dans la main de Zusane, il s'agenouilla près d'elle.

— Qu'est-ce que c'est ? Qu'as-tu vu ? demanda-t-il, parce que si elle avait réussi à combattre la fatigue postvision pour venir jusqu'à lui, la situation était importante.

— Je ne sais ni comment ni pourquoi, mais Jacqueline est en danger.

Il se leva, ouvrit la lumière près de son lit, et composa le numéro du téléphone cellulaire de Jacqueline. La messagerie vocale s'enclencha tout de suite. Cependant, depuis que Jacqueline fréquentait l'université, elle répondait rarement aux appels de sa mère et jamais à ceux de Caleb. Pas qu'il ait tenté fréquemment de la rejoindre, mais Zusane montrait parfois ses sentiments maternels et désirait prendre des nouvelles de sa fille.

Il connaissait la vérité, quoiqu'il ne l'ait jamais avoué à Zusane. Jacqueline était gênée par Zusane. Jacqueline désirait désespérément être quelconque, et Zusane était trop flamboyante pour cela.

Réunissant son t-shirt noir, son jeans noir et sa veste pare-balles, il se dirigea vers la salle de bain. Il s'habilla, se rasa et en ressortit à peine cinq minutes plus tard.

Zusane se portait mieux. Elle n'était plus aussi pâle. Cependant, l'inquiétude était toujours évidente.

— Je me suis organisé pour que le jet de la compagnie de Peter te conduise à Nashville.

— D'accord.

Jacqueline venait d'entrer à l'université Vanderbilt.

— Je viendrais avec toi, mais Peter ne comprendrait pas.

Caleb enfila son étui autour de sa poitrine, s'assura que son arme soit propre et chargée et l'inséra dans l'étui.

— Si je n'étais pas en lune de miel, j'y serais pour mon enfant.

Caleb détestait les lunes de miel de Zusane. Elles étaient monotones à mourir et gênantes pour lui. De plus, sachant comment se terminerait le mariage, il avait toujours un peu pitié des types qu'elle épousait. Ils étaient invariablement riches et puissants, le genre d'hommes habitués à prendre les décisions et à quitter les relations amoureuses.

Pas avec Zusane.

Toutefois, les époux ne voulaient pas vraiment le savoir. Ils étaient toujours désespérément amoureux, captivés par les prouesses acrobatiques au lit de Zusane, et ne comprenaient pas qu'elle méprisait les hommes qu'elle capturait dans son filet avec passion. Pour Zusane, le mariage représentait le début de la fin.

— Est-elle en danger de mort ? demanda Caleb.

— Pas encore, mais possiblement, dit Zusane en serrant le verre de cognac dans ses mains tremblantes.

— Alors, tu devrais y aller pour reconnaître le corps, dit-il.

C'était cruel, mais il voulait la sortir de son égocentrisme. Pour une fois, elle pourrait mettre les intérêts de sa fille au premier plan.

— Ne sois pas idiot ! dit Zusane d'un ton criard et irascible. Je t'envoie, toi, mon meilleur garde du corps. Tu la trouveras. Tu la sauveras. Que peut-elle vouloir de plus ? Elle t'a toujours aimé plus que moi, de toute façon.

Sur ce, Caleb fit la sourde oreille. Il inséra un couteau dans sa manche et un dans sa botte. Il prit sa torche DEL et son mini GPS. Il se pencha et posa un baiser sur le front de Zusane et dit :

— Je ferai de mon mieux.

Il laissa Zusane à son radotage, à justifier sa négligence devant un public absent.

Avec les deux heures de décalage horaire, il était vingt-trois heures lorsqu'il atterrit à Nashville et qu'il trouva la voiture d'un ami de Peter mise à sa disposition.

Caleb arriva au campus en une quinzaine de minutes. L'université Vanderbilt était en plein sommeil… mais l'atmosphère était lourde. Quelque chose le traquait en bordure de sa conscience.

Il sentait la peur rôder.

Ainsi, il se déplaça comme il avait appris à le faire, silencieusement et en état d'alerte.

Il se dirigea d'abord vers le dortoir de Jacqueline, question de saluer sa coloc, et découvrit qu'elle fréquentait Wyatt King, l'un des premiers membres de la fraternité des étudiants, issu d'une famille aisée de Buffalo, dans l'État de New York. Sa coloc n'avait pas vu Jacqueline de l'après-midi, n'avait pas eu de ses nouvelles du tout —, et il était maintenant vingt-trois heures et quart. Elle dit qu'elle n'était pas inquiète, mais en lui parlant, elle se mordillait les ongles jusqu'au sang. Cette fille savait quelque chose, mais il ne pouvait lui faire dire la vérité. Pour elle, elle protégeait son amie.

Il partit donc en chasse.

Tout d'abord, il vérifia l'association étudiante de Wyatt. Les gars affirmèrent ne pas être inquiets, non plus, mais ils mentaient.

L'un d'eux, Richie Haynes, suivit Caleb dans le stationnement pour lui dire que, avec la récession, Wyatt avait eu des problèmes d'argent récemment, et il s'était comporté étrangement dernièrement. Un peu exubérant, un peu gêné, et considérant que Jacqueline Vargha était vraiment séduisante, il ne se vantait pas de la fréquenter. En fait, il faisait comme s'il ne la fréquentait pas.

Lorsque Caleb épingla Richie au mur et menaça de l'étrangler, le type avoua que Wyatt avait tenté de le convaincre de participer à l'enlèvement de cette fille qui avait un drôle de tatouage en forme d'œil dans la paume de la main, et de la vendre aux marchands d'esclaves blanches. Caleb l'étrangla un peu plus, et Richie se rappela qu'il ne s'agissait pas de marchands d'esclaves blanches, mais plutôt de types louches du genre satanistes. Après cela, il céda et babilla librement, racontant à Caleb que Wyatt avait conduit la fille à la campagne, dans un véritable gouffre, pour livrer la fille et réclamer son dû. Avant même de s'en rendre compte, Richie se retrouva dans la voiture de Caleb pour lui indiquer le chemin.

Caleb ne se préoccupa pas de discrétion ; il était trop tard pour cela. Il alluma ses phares et dévala le chemin graveleux à toute vitesse, ignorant les avertissements de Richie alors qu'il sautait des nids-de-poule et laissait derrière lui des nuages de poussière. Le gouffre s'ouvrit juste sous ses pneus, et il mit les freins, puis dérapa d'un côté. Avant même que Richie ait fini de crier, Caleb fut hors de la voiture, arme au poing. Un survol rapide des environs avec la torche lui permit de découvrir deux voitures en bordure de la route près des arbres, et un sentier menant au fond du gouffre. Appelant Jacqueline, Caleb dévala le sentier, glissant à côté de parechocs rouillés et de sofas abandonnés, à travers des montagnes de détritus laissés par des gens trop radins ou paresseux pour les amener au dépotoir.

Elle ne répondit pas à son appel. Peut-être était-elle inconsciente ou bâillonnée ou… ou peut-être l'avaient-ils déjà amenée ailleurs.

Il refusa de croire qu'il était arrivé trop tard.

Du coin de l'œil, il décela un mouvement. Il sauta sur une vieille sécheuse, attrapa l'extrémité d'une vigne kudzu, et sauta par-dessus le gouffre pour se retrouver derrière son attaquant. Le type avait un genre de pouvoir qui aurait pu étendre Caleb, mais pour cela, sa victime devait se trouver devant ses yeux. Caleb n'eut qu'à lui donner un coup de pied entre les omoplates, et le type fut précipité dans le gouffre.

Après, tout fut plus facile. Ceux que Richie appelait des satanistes n'étaient qu'une branche dépassée des Autres, et lorsque
leur force brute fut mise hors d'état de nuire, ils se sauvèrent tous
en bordure du gouffre. Il ne restait qu'un Wyatt pleurnichard sur
une saillie, le sol s'effritant sous ses pieds. Il tenait une Jacqueline
inconsciente en guise de bouclier, un couteau de cuisine pressé
contre sa gorge, et, d'une voix tremblante, il criait :

— Approche, et je la tue.

La pleine lune montait dans le ciel, se faufilant entre les bran-
ches, hésitante vers le fond du gouffre quelque six mètres plus bas.
La lune jetait sur la scène une lumière surnaturelle, et Caleb vit
Jacqueline droguée, bâillonnée et ligotée.

Il aurait aimé déchirer cet idiot de Wyatt en petits morceaux.

Il savait que le type l'avait vu glisser son arme dans son étui et
se détendre les mains.

— Donne-la-moi, et je ne te tuerai pas.

Wyatt était un jeune arriviste idiot qui n'avait jamais connu
l'adversité au cours de sa vie. Caleb observa toute une palette d'expressions défiler sur son visage. Il était effrayé, provocant, en
colère, effrayé de nouveau, puis finalement, comme un enfant gâté,
déterminé à obtenir ce qu'il désire.

— Écoute-moi bien, dit Caleb avec douceur, tout en pompant
les poings, si tu la tues, si tu la blesses d'une manière ou d'une
autre, si elle te glisse d'entre les mains et qu'elle a besoin d'un pan-
sement sur le genou, je passerai les trois prochaines heures à m'assurer que tu implores ma clémence tandis que ton sang s'écoulera
lentement sur le sol, et lorsque j'en aurai terminé, tu seras toujours en vie. Sauf que tu souhaiteras ne plus l'être… mais tu ne
pourras pas crier ta douleur. Tu ne pourras pas mettre fin à tes
jours. Tu ne pourras même pas t'essuyer les fesses.

Wyatt avait peut-être été accepté à l'université Vanderbilt parce que son père était un riche diplômé, mais il n'était pas complètement idiot. Le regard fixé sur Caleb, il laissa le corps de Jacqueline glisser doucement au sol.

Dès qu'elle fut libérée de son emprise, elle revint à elle et asséna à Wyatt un coup de pied qui le fit trébucher.

Il tituba et tomba dans le gouffre en criant jusqu'à ce qu'il atteigne le fond.

Chapitre 17

Une semaine plus tard...

Caleb jeta de nouveau Jacqueline au tapis.

Elle resta allongée là, haletante, épuisée, son survêtement blanc de karaté trempé de sueur.

— Lève-toi, dit Caleb. On n'a pas encore fini.

Il l'entraînait depuis sept jours, lui montrant à tomber, à donner des coups de pied, à casser le nez d'un homme, et à lui arracher les testicules. Elle en savait des milliers de fois plus qu'auparavant, mais elle n'en savait toujours pas assez.

— Je suis fatiguée, dit-elle en titubant pour se relever.

— Franchement, tu as dormi jusqu'à huit heures, ce matin, dit-il en jetant un coup d'œil aux rayons de soleil qui filtraient dans la salle d'entraînement de la maison de Zusane, au Connecticut. Et il est à peine quinze heures.

— J'ai faim. Je suis fatiguée. J'en ai assez, dit Jacqueline, les mains sur les hanches, les coudes bien rangés. Pour une fois, contente-toi de ce que j'ai accompli.

Il ne serait jamais satisfait. Pas tant qu'il aurait en mémoire le souvenir de Jacqueline bâillonnée et ligotée. Il l'avait détachée, lui avait retiré son bâillon, et l'avait portée jusqu'à la voiture tandis qu'elle était dans ses bras, à demi consciente. Au sommet, il avait appelé une ambulance et les policiers. Elle s'était retrouvée à l'hôpital pour un lavement d'estomac, afin de la débarrasser d'un cocktail presque mortel d'alcool et de valium. Wyatt s'était retrouvé derrière les barreaux aussi longtemps qu'il fallut à l'équipe d'avocats de son père pour le sortir de là.

Mais ça, Caleb ne l'avait pas dit à Jacqueline. Elle était si furieuse — envers elle-même pour avoir été dupe de la sorte, et envers Wyatt d'être un tel imbécile — qu'elle se concentrait sur le combat, sans penser à rien d'autre.

Seulement, maintenant, elle avait un drôle d'air. Il avait vu cet air auparavant, juste avant que sa mère se mette à pleurer à chaudes larmes de tristesse et de solitude ou en raison des souvenirs qui pesaient lourd sur ses frêles épaules.

Ouais. Caleb craignait que Jacqueline ait d'autres problèmes avec lesquels il ne saurait pas traiter. Pour l'instant, toutefois, il savait ce qu'il devait faire. La jeter au plancher, encore et encore. La briser, et lui redonner la confiance en elle qu'elle avait avant de partir pour l'université.

Ignorant la première règle qu'il lui avait apprise, elle se retourna, dos à lui, et se dirigea vers l'escalier.

Il la jeta au plancher d'un coup de pied rapide derrière les genoux.

Elle trébucha visage contre terre sur le tapis, et resta allongée là.

Les mains en position, il l'attendait, prêt au combat.

Elle ne bougea pas. Garda simplement la tête contre le plancher.

Il se rendit compte qu'elle pleurait.

— Non.

Ce n'était pas ce qu'il désirait.

— Non, répéta-t-il. Les combattants ne pleurent pas. Les ceintures noires ne pleurent pas. Tu ne pleures pas.

Elle ne répondit pas. Elle resta là, les épaules tremblotantes, sans un bruit. Cependant, elle était visiblement misérable, et d'une façon ou d'une autre, il devait s'en occuper.

Méfiant, à moitié convaincu qu'elle lui jouait la comédie, il s'agenouilla à côté d'elle.

Elle ne l'étendit pas au tapis, alors il présuma que ce n'était pas une feinte.

— Écoute, dit-il en posant une main sur sa tête, tu es une bonne élève. L'une des meilleures que j'aie eues.

Un seul et vibrant sanglot s'échappa d'elle ; de l'agonie à l'état pur. Puis, elle pressa le bras sur sa bouche.

Il laissa glisser sa main sur son dos, en une caresse.

— T'a-t-il violée ? Est-ce pour cette raison que tu pleures ?

Elle se retourna si brusquement qu'il fit un saut vers l'arrière.

— C'est ce que tu crois ? dit-elle, les yeux injectés de sang, les joues détrempées, alors qu'elle s'essuyait le nez avec sa manche. C'est tout ce qui pourrait aller de travers ? Que Wyatt m'ait violée ?

Elle n'allait pas lui faire perdre le fil.

— Alors, l'a-t-il fait ?

— Non, il avait peur de moi, dit-elle en sanglotant de nouveau. Il croyait, a-t-il dit, que j'étais étrange.

— Tu n'es pas étrange, dit Caleb en essuyant son front en sueur du revers de son revêtement.

— Vraiment ? dit-elle en lui mettant la paume de la main au visage. Et ça, comment l'expliques-tu ?

Caleb regarda fixement la tache de naissance au creux de sa main. On aurait dit un tatouage, un œil humain stylisé à l'encre noire. La marque était hypnotique, et dans l'univers de Zusane, cela signifiait quelque chose de bien précis — cela signifiait que Jacqueline était un médium d'un grand pouvoir.

Dans l'univers de Wyatt, cela signifiait qu'elle pouvait être vendue aux Autres pour un bon profit, pour être sacrifiée aux pouvoirs de l'ombre.

Elle n'était pas prête de l'oublier.

Prenant la main de Jacqueline dans la sienne, Caleb dit :

— Il y a de nombreux ignorants, dans ce bas monde...

— Comme Wyatt ? Ouais, j'ai compris. C'est un ignorant. Un idiot. Et il a dit que je lui plaisais. Il disait vouloir qu'on se fréquente. Il a dit que c'était amusant, bien, et intéressant d'être avec moi. Et je l'ai cru. Alors, si c'est un imbécile ignorant, qu'est-ce que cela fait de moi ?

Elle avait le visage enflammé et criait d'un ton agressif.

Caleb était un homme, mal équipé pour gérer ce genre de crise. Alors, il lui proposa ce qui le démangeait depuis un certain temps.

— Tu veux que je lui fasse la peau ? Je le peux, tu sais.

— Non, je ne veux pas que tu lui fasses la peau. Je veux vivre une vie normale, où je peux fréquenter des garçons qui n'ont pas envie de me tuer, où je peux étudier un truc emmerdant comme la comptabilité, et me marier, et avoir des enfants..., mais je n'aurai jamais rien de tout ça, parce que Zusane affirme que j'ai un destin.

— Je sais.

— Je pourrais vivre avec ça. Vraiment. Mais ce que je me demande, dit-elle en rapprochant son visage du sien, c'est comment tu as su que j'étais en danger ?

— C'est Zusane. C'est elle qui m'a envoyé.

— Elle t'a envoyé. C'est **toi** qu'elle a envoyé ? Elle savait que j'allais me faire tuer et c'est toi qu'elle envoie ? Wow, c'est si maternel de sa part !

Les yeux de Jacqueline se remplirent de nouveau de larmes, sa voix se fit chevrotante, ses sanglots interrompant régulièrement son discours.

— Est-ce que... ça aurait pu... lui passer par la tête... que j'aurais aimé... peut-être... voir... ma mère ?

— Elle voulait venir, mais...

— Mais elle était... en lune de miel ? Ne crois-tu pas que... je comprends ça ? Crois-tu que ça soit la... première fois... qu'elle est trop occupée pour... moi ? Mon Dieu. Mon Dieu. Il n'y a personne. Personne. Personne ne se préoccupe de moi, dit Jacqueline, dont la voix devint criarde.

Il n'en pouvait plus. Il était submergé de tendresse pour elle. Il mit un bras autour d'elle et murmura :

— Moi, je me préoccupe de toi. Un peu trop même.

— Ce n'est pas vrai, dit-elle en le repoussant, furieuse de ce qu'elle considérait être de la condescendance.

— Ce n'est pas le bon moment, et je n'en ai pas le droit, mais je ne mens pas, dit-il en l'attirant à lui.

— Ouais. Tu te préoccupes de moi. Comme un frère qui m'a vue grandir. J'imagine que je devrais t'en être reconnaissante !

Il eut un rire hésitant.

— Pas comme un frère. Mon Dieu. Je ne t'ai jamais considéré comme ma sœur. Crois-tu que j'en sois fier ? J'ai neuf ans de plus que toi, et tu n'es qu'une...

Elle glissa la main sous l'élastique de son survêtement.

— ...une enfant, dit-il, la voix cassée par la surprise.

Elle enroula ses doigts autour de son érection. Son regard étonné vint rencontrer celui de Caleb.

— Je t'ai dit que je ne mentais pas, dit-il, attendant qu'elle retire sa main, pour fuir la preuve qu'il la désirait.

Toutefois, une chose qu'il avait apprise durant les journées de leçon de combat, c'est que Jacqueline ne battait pas en retraite. Elle lui mit plutôt la main sur la poitrine et le rejeta au tapis… et de l'autre main, celle qui était dans son pantalon, elle le serra très fort.

Il se raidit, déchiré entre la gloire et l'angoisse.

— Si tu tentes de te venger des hommes en m'utilisant, tu t'y prends bien.

La prise de Jacqueline se relâcha. Son expression était décidée, captivée, tandis qu'elle l'explorait… dans toute sa longueur, sa raideur, ses testicules et son ventre. Puis, elle revint et le reprit de plus belle, se servant de son pouce pour caresser le gland de son membre viril dans un mouvement lent.

Déjà, il pouvait à peine parler, mais il réussit à lui demander :

— As-tu eu plusieurs expériences dans ce domaine ?

— Non.

— Parce que si tu n'arrêtes pas maintenant, je vais venir dans ta main.

— Déjà ? dit-elle en arquant les sourcils.

— Il n'y a pas de déjà qui tienne. Je te l'ai déjà dit… tu es la seule femme que j'ai vraiment désirée.

Jacqueline retira sa main.

Caleb aurait dû être soulagé qu'elle ait repris ses esprits.

Cependant, elle s'affairait à défaire sa ceinture noire.

— Je n'ai peut-être pas beaucoup d'expérience, mais ce n'est pas ma faute. Lorsque je suis sortie avec Wyatt, ce soir-là, j'ai pris la pilule, car je croyais que ce serait le bon moment. Il me plaisait parce qu'il te ressemblait, dit-elle en rapprochant son visage du sien.

Caleb plongea son regard dans les yeux extraordinaires de Jacqueline. Des yeux couleur ambre pur, et il se rendit compte qu'il n'était pas le seul à être excité.

— Ne me compare pas à ce petit idiot.

— Non, tu n'es pas un idiot. Tu es mature et responsable. Tu ne parles jamais de tes émotions. Je n'ai aucune idée de ce que tu penses de moi, si tu me méprises d'avoir été aussi stupide de m'être amourachée d'un gars qui voulait me vendre à cause de la marque sur ma main.

Comment pouvait-elle être incertaine des sentiments qu'il éprouvait pour elle ? Il avait l'impression de porter son cœur en bandoulière.

— Tu n'es pas stupide. Tu fais confiance aux gens, tu es rafraîchissante et optimiste, dit-il en lissant sa frange sur son front. J'ai vu tant d'aspects du monde. Je n'ai pas été optimiste depuis que j'ai quitté l'Italie, mais quand je suis avec toi, tu me rajeunis.

L'anxiété dans les yeux de Jacqueline s'atténua, et, pour la première fois depuis qu'il l'avait secourue, elle sembla optimiste. Elle était de nouveau Jacqueline.

S'assoyant, elle tirailla sur sa ceinture.

— Je prends toujours la pilule.

Caleb ouvrit le haut de son survêtement en un temps record.

— Alors, j'imagine que c'est notre jour de chance à tous les deux, dit-il en étendant les bras, l'invitant sans un mot à explorer sa poitrine.

Elle posa les deux paumes sur ses pectoraux et les caressa, puis descendit le long de ses côtes vers son ventre.

Il se retenait. Son sang bouillonnait dans ses veines. Il était trempé de sueur, toutefois quand elle s'approcha pour le humer comme un parfum, il l'attrapa par les bras.

Non. Tu vas lui faire peur.

Mais il était trop tard. Il la retourna sous lui.

Elle se retrouva contre le tapis.

Il roula par-dessus elle, coinçant son genou entre ses cuisses.

Ils se regardèrent fixement, et il vit la même flamme dans le regard de Jacqueline que celle qui brûlait en lui. Ils s'embrassèrent, à pleine bouche, se goûtant l'un l'autre pour la première fois. Il attendait ce moment depuis toute sa vie adulte. Il y avait eu d'autres femmes. Évidemment qu'il y en avait eu. Toutefois, il s'était toujours senti éloigné, les utilisant pour apprendre, pour découvrir ce qui leur plaisait. Dans son for intérieur, il s'imaginait apprendre ces mouvements à Jacqueline, l'épatant de ses prouesses, l'amenant à l'orgasme — tout en sachant pertinemment que la fille de sa patronne n'était pas faite pour un paysan sicilien comme lui.

Maintenant… maintenant qu'il avait Jacqueline dans ses bras, il était trop excité pour faire autre chose que de plonger et replonger sa langue dans la bouche de Jacqueline. Il ne lui apprit rien d'autre que son envie désespérée d'elle.

Cela semblait être exactement ce qu'elle avait envie de savoir. Elle se délecta de la leçon, sa langue répondant à chacun des mouvements de Caleb, son corps blotti contre le sien. Lorsqu'elle lui caressa l'entrecuisse de son pied nu, il lui attrapa le genou et l'enroula autour de lui, avant de s'immiscer dans le creux entre ses jambes. Il bougea contre son corps, réglant le rythme de sa langue sur celui de son corps.

Elle se hissa pour répondre à chaque poussée, se frottant contre lui, et ce faisant, produisant un bourdonnement dans sa bouche. Elle était comme une abeille, volant vers lui comme vers le miel, allant et venant tandis qu'il se retenait à peine. Les vêtements qui les séparaient ne faisaient aucune différence ; c'était comme s'ils étaient nus… ce qui porta sa frénésie de convoitise à un autre degré.

Elle le repoussa et tira sur la ceinture jaune qu'elle portait.

Il l'aida à défaire le nœud, ouvrit le tissu blanc et épais… et l'observa.

Sa peau était rouge et humide à cause de l'exercice. Son ventre était plat et ferme, ses épaules étaient musclées. Son soutien-gorge d'exercice l'irritait; il écrasait ses seins et cachait cette ligne érotique qu'il imaginait. Il désirait la voir, la connaître, explorer chaque centimètre d'elle. Glissant la main derrière son dos, il farfouilla pour attraper les attaches. Farfouilla, et farfouilla.

Le rire de Jacqueline fut abrupt et blessant.

— Il n'y a pas d'attache. On le retire par-dessus la tête.

— Merde, dit-il, d'un juron bien senti.

Elle rit de nouveau, cette fois avec un amusement réel.

La relevant face à lui, il commença par tirer ses manches.

D'un mouvement rapide et efficace, elle le repoussa et retira le haut de son survêtement et son soutien-gorge.

Elle avait les seins les plus jolis et les plus glorieux qu'il n'avait jamais vus… parce qu'ils étaient à elle. Il en prit un délicatement dans la paume de la main, le soupesant avec plaisir, appréciant le soyeux de sa peau et le rose de son mamelon. De son pouce, il caressa l'alvéole.

Elle reprit son souffle et posa la main sur celle de Caleb. Elle prit son autre main et la posa sur son autre sein.

Il pressa légèrement, observant son visage tandis qu'elle savourait la sensation. Elle réagissait si bien, rayonnante dans le plaisir de la découverte, et il la désirait. Maintenant.

Il la souleva du sol pour la poser sur le banc de musculation. À genou devant elle, il trouva son mamelon avec sa bouche. Il le suça, d'abord délicatement, soulignant le petit cercle délicat de sa langue, puis avec plus de force, lui laissant sentir la force brute de son désir.

Elle lui planta les doigts dans les épaules. Elle se tortilla entre ses bras tout en gémissant. Elle était toute flamme, brûlant et le consommant.

Il étendit les doigts largement dans son dos, appréciant la ligne de sa colonne vertébrale et embrassa son autre sein.

Puis, elle lui mordit l'oreille.

La douleur le fit basculer dans la folie. Il se retrouva debout, à observer son visage contorsionné.

— Tu ne sais pas ce que tu fais.

— Non, mais tu as dit que j'étais bonne élève, dit-elle, le regard ambre brillant sous ses cils.

Quand était-elle passée de jeune fille hésitante à tentatrice aguichante ?

— Si seulement tu savais combien je me suis retenu, combien j'ai souffert pour toi, tu n'oserais pas…

Posant la main sur la cuisse de Caleb, elle le caressa doucement.

Son toucher le métamorphosa. Il devint une machine, attrapant doucement son poignet, la retournant et l'étendant de tout son long, la colonne vertébrale sur le banc. Plantant ses doigts sous sa taille, il tira, retirant d'un coup et sans effort le bas de son survêtement et sa culotte.

Elle tenta de s'asseoir, de refermer les jambes, retrouver un semblant de modestie alors qu'il s'en départissait.

— Non, murmura-t-il, l'étendant de nouveau et suivant le mouvement.

Il pressa sa poitrine contre celle de Jacqueline, et la sensation de sa peau contre la sienne était à la fois torture et gloire. Elle était nue, et il désirait la prendre.

Toutefois, s'il la prenait, il serait pire qu'un goujat.

Pourtant, il la désirait.

Il n'aurait pas le dernier mot.

Alors, il l'embrassa. Il l'embrassa passionnément, se servant de sa langue comme il aimerait le faire de sa verge, avec force, rapidité, précision... dirigeant les pas sans intention de baisser les bras.

Et elle... l'embrassa en retour.

C'était comme de jeter de l'essence sur un feu de forêt. L'explosion qui suivit lui fit perdre toute volonté.

Rapidement et avec malice, il lui embrassa le cou, la poitrine, le ventre. Il la tira vers l'extrémité du banc, mit ses jambes sur ses épaules, et lui embrassa la chatte, la goûtant et, lorsqu'elle jouit, buvant à sa source. Puis, en se relevant au-dessus d'elle, il laissa choir son pantalon.

— Si tu veux que j'arrête, tu dois me le dire maintenant, dit-il d'une voix profonde plus démoniaque qu'humaine, tendue par l'effort.

La poitrine de Jacqueline se soulevait et s'abaissait avec la force d'un orgasme s'adoucissant.

— Après ça... tu crois que... tu peux te sauver ?

En tendant les bras, elle le prit par les hanches et l'attira vers elle.

— Termine ce que tu as commencé, dit-elle.

Dieu merci.

Il ajusta leurs corps afin qu'il puisse s'asseoir sur le banc avec les jambes de Jacqueline sur ses cuisses. Elle était ainsi allongée de tout son long devant lui comme un festin, et il tenait le rebond de ses fesses dans ses mains. Se penchant, il inclina ses hanches et se positionna à l'entrée de son corps.

Elle était chaude et humide ; glissante à cause de la bouche de Caleb et de son propre orgasme.

Elle geignit lorsqu'il pénétra les quelques premiers centimètres.

— Ça va ? demanda-t-il, étonné d'être en mesure de prononcer le moindre mot.

— Tu me rends folle. Allez ! dit-elle en se relevant sur les coudes et en tentant de l'insérer en elle.

Tandis que sa chatte l'enveloppait de centimètre en centimètre, le désir éclata comme des feux d'artifice dans chacun des nerfs et synapses de Caleb.

Fermant les yeux, il se concentra pour se retenir. Il était ceinture noire de quatre dan. Il était tireur d'élite. Il était fort en technique de survie. Il comprenait ce qu'était la discipline. Rien ni personne ne pouvait le briser.

Jusqu'à ce qu'elle s'assoit complètement droite, sa poitrine contre la sienne, encercle ses épaules entre ses bras et murmure :

— S'il te plaît, j'ai besoin de toi.

Il perdit la tête. Il perdit toute mesure. Il tenta de plonger vers l'avant.

Mais il ne le pouvait pas. Pas entrelacés comme ils l'étaient.

Leurs regards se croisèrent, se provoquant l'un l'autre.

Il roula des hanches.

Elle roula des hanches.

Il la pénétra centimètre par centimètre, évoluant si lentement que son érection le faisait souffrir, ses testicules se serraient, et il grinçait des dents d'agonie… et de plaisir.

Il n'avait jamais imaginé, jamais souffert un tel enfer de désir et de chaleur. Elle était un territoire vierge, et il ne pouvait supporter... tenir... un moment de plus.

Au ralenti, il retomba vers l'arrière, l'entraînant par-dessus lui, la pénétrant rapidement et complètement.

Elle rejeta la tête en arrière, haletante, sous le choc de l'avoir si profondément en lui. Ses ongles se plantèrent dans sa poitrine, et ses pieds retombèrent sur le sol de chaque côté du banc.

— Bouge, dit-il.

Parce que si elle ne le faisait pas, il le ferait.

Elle obtempéra.

Ses cuisses se tendirent. Précautionneusement, elle se retira centimètre par centimètre, puis redescendit sur lui.

Il arqua le dos, et tout son corps fut pris d'un spasme d'extase.

Comme si le mouvement était tout ce dont elle avait besoin, elle sourit d'une joie fière et brutale, et entreprit un rythme qui fouetta toute pensée de son cerveau. Comme si elle était née pour le rendre fou, elle se retira et redescendit sur lui, faisant de chaque moment un instant de gloire brillante.

Il désirait jouir.

Il bougea et gémit. Il vivait pour les mouvements d'aller-retour de son corps contre le sien.

Il avait besoin de jouir.

Toutefois, ses yeux étaient lumineux d'enthousiasme infatigable. Elle n'avait jamais fait l'expérience du pouvoir et de la splendeur du sexe, elle était toute puissante devant lui, et elle se servait de son corps sans vergogne. Elle faisait ses expériences, se penchant vers l'avant et vers l'arrière, resserrant ses muscles intérieurs, essayant tous les trucs possibles et imaginables que les femmes utilisent depuis la nuit des temps. Il se demanda, lorsqu'il fut capable de formuler une pensée, quels livres elle avait lus, à qui elle avait parlé, si elle avait vu un quelconque sexologue cinglé à une émission comme celle d'Oprah. Puis, elle leva les mains pour relever les cheveux de sa nuque, ses seins penchés vers l'avant, et il oublia tout, sauf l'instant présent, cette femme et cette aventure.

Finalement, il n'en put plus. La prenant par les hanches, il la força à adopter un rythme plus régulier, la relevant et la redescendant pour la pénétrer doucement, complètement, chaque fois. Il lui fit sentir chaque centimètre de son membre viril en se déplaçant en elle, et la passion la rattrapa au détour.

Elle eut le souffle coupé, encore et encore. Elle posa les mains sur sa poitrine, le regarda dans les yeux, et se déplaça avec une violence et une rapidité renouvelées.

Avec frénésie et désespoir, ils foncèrent vers la ligne d'arrivée. La satisfaction était insaisissable, hors de portée, mais ils se pressèrent, et elle les rattrapa, les surprit et les envahit.

Il jouit rapidement et avec force, retenant Jacqueline contre ses hanches, giclant son sperme en elle, la remplissant... la faisant sienne.

Elle se débattit, geignit de tourment jusqu'à ce qu'il ait terminé. Puis, il la souleva de nouveau, la laissant se glisser de haut en bas le long de sa verge, se frottant contre son pelvis jusqu'à ce qu'elle gémisse et se tortille, jouissant de nouveau par vagues d'extase.

Ils frissonnèrent tandis que, graduellement, la tempête se calma et jusqu'à ce que, finalement, tout soit terminé.

Sauf que ce ne l'était pas.

Parce qu'elle était toujours sienne.

Elle serait toujours sienne. Chaque jour de cette semaine, Caleb la marqua de son corps, de ses mots, de ses soins, lui montrant à rire avec lui, à aimer avec lui... à dépendre de lui.

Et puis, il s'enfuit.

Maintenant, il se pencha pour la regarder dormir. Il repoussa les cheveux de son visage, et sourit en observant cette détente d'enfant qui la submergeait.

Il la désirerait toujours.

Il croyait que personne n'était au courant de son obsession, mais lorsqu'il rentra au bercail pour chercher ses vêtements et quelque chose que Jacqueline pourrait porter, sa mère l'avait écouté, et quelque chose dans son ton de voix lui fit dire :

— Caleb, j'entends ce que tu ne veux pas me dire. Tu aimes cette fille. Tu l'as toujours aimée. Et maintenant, tu crains pour elle. Crois-moi, mon garçon, je te connais. Tu es à mon image. Tu n'aimeras qu'une seule fois dans ta vie, et si tu la perds, ta vie ne sera que désolation.

Caleb ajusta la dentelle blanche autour du cou de Jacqueline.

Pour célébrer son accord envers le choix de son fils, Niccola D'Angelo avait envoyé à Jacqueline sa chemise de nuit de noces.

Chapitre 18

— Nous sommes venus rencontrer Gary White.

L'infirmière de nuit regarda fixement Irving et Martha, la bouche légèrement entrouverte pendant qu'elle tentait de décider ce qu'elle devait faire alors que deux personnes âgées venaient rendre visite à un homme dans le coma.

— Les heures de visite sont terminées, dit-elle.

Irving et Martha échangèrent un regard soulagé.

Les paroles de l'infirmière furent pour eux un signe de normalité dont ils étaient grandement reconnaissants. Des intrus n'avaient pas forcé la porte de l'hôpital, comme le craignait Martha, et Gary était toujours en vie.

— Je sais, dit Irving, les bras croisés sur la poitrine et la tête baissée, tentant d'avoir l'air le plus âgé et le plus frêle possible. Cependant, le vol de Martha est arrivé tard à l'aéroport LaGuardia, et elle rentre à Omaha tôt demain matin. Si elle ne peut pas voir Gary maintenant, elle ne pourra pas le voir du tout, et qui sait s'il sera encore vivant, lorsqu'elle reviendra.

Martha joua le jeu, couvrant ses yeux de ses mains et reniflant bruyamment.

— Alors, vous êtes de la famille ? demanda l'infirmière.

Martha murmura un accord de manière inaudible.

L'infirmière de nuit les considéra de nouveau, puis bégaya :

— Hum… j'imagine… que ça irait. Ce n'est pas comme si vous alliez le déranger. Vous comprenez toutefois qu'il ne se rendra pas compte de votre présence.

Martha releva la tête, les yeux étonnamment secs.

— Alors, il n'y a eu aucun changement dans son état ?

— Non, il est inconscient, comme depuis son arrivée il y a quatre ans. Laissez-moi vous conduire à sa chambre, dit-elle en se levant pour emprunter le couloir, Irving et Martha sur ses talons. C'est bien dommage. Lorsqu'il est arrivé, il était de toute évidence dans la force de l'âge. Je n'oublierai jamais combien il était bel homme, et costaud, comme s'il s'entraînait quotidiennement. Aujourd'hui, ses muscles ont fondu ; il est émacié et… excusez-moi, mais si cela fait un certain temps que vous ne l'avez pas vu, je crois qu'il est bon de vous préparer.

Elle ouvrit la porte de la chambre 106 et entra.

— Merci, dit Martha.

Elle aperçut le corps émacié et tordu sous les couvertures du lit d'hôpital, et les larmes lui montèrent aux yeux et coulèrent sur ses joues.

Le visage de Gary était immobile. Sa chevelure noire était maintenant très mince. Une perfusion l'alimentait en liquide et en éléments nutritifs, et sa poitrine se soulevait légèrement et retombait sous la maigre force de son souffle.

— Quelle tragédie ! murmura-t-elle.

Contrairement à Irving, Martha le croyait vraiment.

Irving avait toujours gardé pour lui-même son opinion de Gary White. Gary s'était joint aux Élus alors qu'il était un jeune homme charismatique. Il avait été élu chef de son groupe immédiatement, et ils le suivaient volontairement chaque jour dans tous les dangers. Même en vieillissant, toutes les missions les plus difficiles lui étaient confiées, à lui et à son équipe. Jusqu'au jour où ils étaient tous morts...

Sauf Gary. Gary n'était pas mort. Il avait été réduit à cette pièce de viande humaine inutile.

Irving ignorait ce qui s'était passé ce jour-là. Il savait simplement qu'il avait toujours considéré Gary avec cynisme. Gary était le genre de type qui embêtait Irving. Il était trop brillant, trop attirant, trop coordonné, trop puissant. Les hommes des Élus s'étaient ralliés derrière lui. Les jeunes femmes des Élus le rejoignaient dans son lit avec un enthousiasme constant. De surcroît, il avait séduit toutes les femmes d'influence de plus de quarante ans.

Voilà pourquoi Martha était à la tête du lit à s'éponger les yeux avec un mouchoir.

Irving était bien conscient qu'il était peut-être jaloux. Cependant, il considérait que ses années à la barre de l'Agence de voyages Gitane l'avaient rendu cynique.

Pourtant, alors qu'il s'installa avec lassitude sur une chaise, il savait qu'il devait protéger Gary. De mauvaises opinions ne pouvaient changer le fait que Gary était un héros des Élus.

Aujourd'hui, beaucoup trop de ces héros étaient morts.

Leur souvenir et l'évocation de leurs visages dans son esprit et de leurs noms disparus firent naître dans son ventre et dans son cœur une douleur lancinante. Les mains tremblantes, il desserra sa cravate et ouvrit le col empesé de sa chemise.

Il avait donné sa vie à l'Agence de voyages Gitane, ainsi qu'aux Élus qu'elle soutenait, et aujourd'hui, tout avait disparu.

Il avait vu les actualités, mais il ne pouvait toujours pas saisir la perte de tant de talent, de tant de dons.

D'un air morne, il observa l'infirmière changer la poche de perfusion.

— A-t-il reçu des visiteurs récemment ? demanda-t-il.

— Non, vous êtes les premiers depuis des mois, dit-elle d'un ton de reproche.

Déchiré entre le soulagement de savoir que les Autres n'avaient pas trouvé et tué Gary et la culpabilité du fait qu'il avait été si négligé, Irving dit :

— Si cela ne vous dérange pas, Martha et moi resterons ici quelques minutes pour lui parler. J'imagine que cela lui manque d'entendre une voix humaine amicale.

— Nous lui parlons chaque fois que nous venons le voir, dit l'infirmière dont le ton moralisateur culpabilisa davantage Irving. Nous allumons également le téléviseur, dans l'espoir que cela stimule l'activité de son cerveau. Nous n'abandonnons pas nos patients, monsieur, jusqu'au jour de leur décès.

— Combien de temps croyez-vous qu'il vivra encore ? demanda Irving.

L'infirmière regarda Gary et lissa ses cheveux vers l'arrière.

— Plus très longtemps. Je m'y connais. Son esprit s'estompe. À moins que quelque chose ne le ramène à la conscience, il en mourra. Peut-être que... ce serait pour le mieux.

Les Élus n'avaient pas les moyens de prendre soin de Gary White, et bien qu'Irving ne comprenne pas du tout Gary, il savait une chose... Gary détesterait cet état d'impuissance.

La culpabilité envahit Irving, mais... il ne pouvait qu'être d'accord. Gary serait mieux mort.

Chapitre 19

Jacqueline se réveilla, s'étira et sourit. Elle avait mer-
veilleusement bien dormi. Caleb ne s'était pas présenté
une seule fois dans ses rêves pour la tenter avec des plaisirs
inachevés et des promesses non tenues, et c'était très bien
ainsi.

Elle ouvrit les yeux.

Elle n'avait pas rêvé à lui, parce qu'elle était au lit avec
lui.

Et il était assis sur un fauteuil, douché et vêtu d'un polo
bleu et d'un jeans, les coudes sur les genoux, les mains
jointes, à la regarder dormir.

Elle se redressa abruptement. Les couvertures étaient
rejetées, cette satanée chemise de nuit était relevée autour
de ses cuisses, et elle avait sûrement ronflé, ou bavé, ou, que
Dieu la garde, gémi son nom.

— Que fais-tu ?

— Je pense que tu es la plus belle femme que j'ai jamais
vue, dit-il, le plus sérieusement du monde.

Bon, elle avait dû baver.

— Heureusement pour toi, ta résistance est à toute
épreuve.

— Qu'est-ce qui te fait croire ça ?

— Il y a deux ans, tu m'as enseigné à me battre, et tu m'as quittée sans regarder en arrière, dit-elle.

Elle se passa la main dans les cheveux et découvrit que le côté gauche était décoiffé. Elle avait dû dormir de ce côté pendant des heures.

— Il y a deux jours, tu m'as retrouvée en Californie, tu m'as sautée, et pourtant tu as réussi à ignorer mes prières, et tu m'as entraînée dans la pire des pagailles de l'histoire des Élus, poursuivit-elle.

— Pour être honnête…

— Mais certainement, dit-elle, fière de son ton juste assez sarcastique, soyons honnêtes…

— Je ne suis pas médium, par conséquent, je n'ai eu aucune prémonition de l'explosion d'hier. Tu ne me priais pas du tout ; tu piquais une crise, et je ne t'ai pas sautée, nous avons fait l'amour, dit-il, stoïque, calme et logique.

Elle détestait cela.

— Et mes prières auraient changé quelque chose ?

— Non.

— Exactement, alors une crise était beaucoup plus satisfaisante.

Elle détestait qu'il semble toujours si posé. Même lorsqu'il lui faisait l'amour, il maîtrisait la situation. Sauf pour cette fois. Cette première fois. Si seulement ils pouvaient retourner à ce moment…

— Tu n'as rien de sarcastique à ajouter au sujet de cette distinction entre « sauter » et « faire l'amour » ? demanda-t-il.

— Non, répondit-elle, parce qu'elle était toujours au lit, froissée. Et facile.

— Alors, j'aimerais que l'on discute de ce qu'il y a eu entre nous il y a deux ans.

« Pas question, mon pote. »

Elle roula de l'autre côté du matelas et balança ses pieds hors du lit.

— Vas-y. Je vais simplement aller à la salle de bain et fermer la porte, répondit-elle.

— Sais-tu que, après que nous ayons été ensemble cette semaine-là, ta mère a eu une vision à propos de nous deux ?

Jacqueline ramena ses pieds et se tourna vers lui.

— Quand ? À l'époque ? demanda-t-elle.

— Elle m'a téléphoné, dit-il.

Jacqueline réfléchit à ses journées parfaites passées à apprendre le karaté, à faire l'amour, à manger, à dormir, et à savoir, pour la première fois de sa vie, qu'elle apparte-nait à quelqu'un.

— Elle a eu une vision à propos de nous… ensemble ? dit-elle, gênée simplement d'y penser.

— Peut-être devrais-je plutôt dire une intuition causée par mon absence prolongée. De toute façon, elle m'a téléphoné.

— Elle a fait ça ?

— Elle m'a demandé ce que je pouvais bien faire avec sa petite fille.

— Et qu'as-tu répondu ?

— Presque rien. J'ai écouté, et j'ai… acquiescé.

Elle n'appréciait pas la conversation. Elle n'aimait pas où cela menait. Et elle n'aimait pas du tout le fait qu'elle désirait vraiment connaître le fond de l'histoire.

— Acquiescé ?

— J'ai reconnu que tu avais vingt ans, que tu étais une étudiante.

Elle savait que cela était amusant, d'une horrible façon, mais elle ne pouvait pas sourire.

— Je savais comment fonctionnent les choses.

— Je t'ai séduite.

Elle rit, mais d'un rire bref et amer.

— Cela n'a rien à voir avec la séduction, mon cher. C'était plutôt un soulagement mutuel et grandement satisfaisant d'un désir contenu. De plus, je ne crois pas que ton repentir vaille grand-chose. J'étais plus jeune que toi. Je suis toujours plus jeune que toi. À un certain moment, entre il y a deux ans et il y a deux jours, tu as décidé que j'étais assez vieille pour me sauter.

— Tu es plus âgée qu'il y a deux ans. Je t'ai fait l'amour, et... en deux ans de nombreuses possibilités, tu n'as trouvé personne à aimer. Alors, tu peux m'aimer moi à la place.

Elle mourrait d'envie de le gifler. Elle forma un poing avec sa main pour contenir son désir.

— Tu crois que c'est si simple ? Je n'ai trouvé personne, donc je dois me contenter de toi ? Et pourquoi le ferais-je, alors que tu m'as quittée sur ordre de ma mère ?

— Je t'ai laissée pour que tu retournes à l'université.

— Mais je ne l'ai pas fait, dit-elle avec une envie cruelle de se moquer de lui. Tu veux savoir pourquoi ?

— Parce que je... dit-il, sans finir sa phrase.

— Ne te fais pas d'illusion, ça n'avait rien à voir avec toi. Lorsque tu es parti pour retourner à ton poste de garde du corps principal de Zusane, je n'avais nulle part d'autre où aller que de retourner à l'université, et c'est là où je me dirigeais. C'est Wyatt King qui m'a convaincue que la fuite était la meilleure chose à faire pour moi.

Caleb se redressa lentement sur son fauteuil.

Elle s'amusait, à présent.

— Ouais. J'imagine que ça fait mal à ton pauvre petit ego. Ce n'est pas toi qui m'as fait fuir à l'autre bout du pays. C'était un appel de Wyatt King.

La couleur s'estompa du regard bleu de Caleb, jusqu'à ce que ses yeux s'apparentent plutôt à des diamants.

— Que t'a-t-il dit? demanda-t-il.

— Il m'a dit que l'avocat de son père l'avait tiré d'affaire. Il m'a dit qu'il valait mieux que je ne remette plus jamais les pieds à l'université parce qu'il avait pris soin de convaincre tout le monde que j'étais des plus étranges, dit-elle alors que chaque parole prononcée la blessait comme un poignard en plein cœur.

— Je vais le tuer, dit Caleb, presque sans remuer les lèvres.

— Pourquoi? Pour m'avoir dit la vérité? répondit-elle en tendant les bras vers elle-même. Regarde-moi. Me voici, dans une chemise de nuit trop grande et démodée depuis quarante ans, dans une maison avec d'autres phénomènes, craintive de sortir au cas où quelqu'un tenterait de me tuer.

Il ne tint aucunement compte de ses paroles, décidé à ne poursuivre qu'un sujet à la fois.

— Tu as traversé le pays. Tu as subvenu à tes besoins grâce à toutes sortes d'emplois. Tu as pris soin de toi-même. Tu devrais avoir confiance en toi.

— Oh, mais j'ai confiance en moi.

— Je suis fier de toi.

— Tant mieux.

— Alors, pourquoi croirais-tu ce qu'un innocent de la trempe de Wyatt King t'a dit il y a deux ans ?

— Parce que savoir ce que je suis capable de faire ne signifie pas savoir que je vaux la peine qu'on s'occupe de moi. Wyatt me considérait comme quelqu'un d'étrange. Ma mère m'a adoptée parce qu'elle désirait un clone d'elle-même. Tu crois que je devrais me rabattre sur toi parce que je n'ai trouvé personne d'autre.

Cela enrageait Jacqueline bien plus que toute autre chose, aussi horrible soit-elle.

— J'ignore ce qui fait que je suis si peu aimable, mais je m'en sors plutôt bien, poursuivit-elle.

Il aurait dit quelque chose.

Mais elle ne lui en donna pas l'occasion. Elle n'avait pas envie de l'entendre raconter des platitudes au sujet de sa désirabilité. Elle balança de nouveau ses pieds hors du lit, se leva et se dirigea vers la salle de bain.

— Je n'ai pas besoin que tu me déclares une passion sans borne. Le sexe ensemble est génial. Tant mieux ! Mais ne nous emballons pas.

Le regard de Caleb retrouva sa couleur, et ils étince-lèrent presque lorsqu'il se leva.

Elle parla plus rapidement.

— Après tout, tu as un travail à accomplir. Ma mère t'a demandé de me garder en sécurité, dit-elle en tapant des mains pour le chasser. Alors, va et découvre ce que tu peux à propos de l'explosion d'hier.

Elle entra dans la salle de bain, referma la porte. Et tira le verrou.

Il y avait plus d'une façon d'avoir le dernier mot.

Chapitre 20

Plateau en main, Jacqueline était debout devant la porte de chambre d'Irving, se demandant comment frapper. Finalement, elle se servit de ses orteils pour frapper contre la large porte de bois.

Tout de suite, McKenna ouvrit la porte et la détailla de la tête aux pieds, son regard se prolongeant avec dédain sur ses pieds nus.

Elle eut un sourire éclatant.

— J'ai le déjeuner d'Irving.

— Oui, dit McKenna sans bouger, immobile comme un rocher celte.

— Laisse entrer cette enfant! cria Irving.

Saluant de façon infinitésimale, McKenna lui libéra le passage.

Elle entra dans la chambre d'Irving — et s'arrêta brusquement. Cette pièce caverneuse était bien plus qu'une simple chambre à coucher. C'était un bureau, une bibliothèque, un dépôt de reliques. Jacqueline resta bouche bée en regardant les rayons, chargés de textes reliés de cuir et de parchemins, jonchés de crânes au regard vide, et de jolis objets en verre et de bijoux. Des masques de guerre africains étaient suspendus aux murs entre des œuvres d'art exquises de la Renaissance italienne. Un globe terrestre illuminé était posé sur un grand présentoir en érable.

Lorsqu'elle reprit son souffle, elle dit :

— C'est spectaculaire. Où avez-vous trouvé toutes ces choses ?

— Ici et là, répondit Irving, assis sur un grand fauteuil installé sous les rayons du soleil qui filtraient par la fenêtre, les jambes posées sur un repose-pied et couvertes d'un jeté.

— McKenna a amené mes plus précieuses possessions de la bibliothèque. Malheureusement, je passe plus de temps ici qu'auparavant, et j'aime bien être entouré de mes choses. C'est gentil à toi de m'apporter mon plateau, dit-il en repoussant des livres et des objets pour faire de la place sur une longue table à ses côtés.

Gentil ? Il avait spécifiquement demandé qu'elle le lui porte. Peut-être le vieillard avait-il des troubles de mémoire. Il semblait assez alerte, mais il avait tout de même quatre-vingt-treize ans.

Ou peut-être savait-il qu'elle avait déjà fait le service de chambre à l'hôtel Marriot, à Phoenix.

Elle posa le plateau et découvrit les plats, pointant chacun d'eux en nommant le mets.

— Une assiette d'antipasti, une salade du jardin avec vinaigrette italienne à côté, des pâtes primavera, du pain à l'ail et, pour dessert, un tiramisu. Martha a tout préparé.

Irving retira le jeté et se tourna vers son déjeuner.

— Hum, Martha est très bonne cuisinière.

McKenna s'offusqua de mécontentement.

— McKenna, tu fais des miracles, tu as réussi à concocter un dîner pour tous avec rien, dit Jacqueline.

— Merci, mademoiselle Jacqueline.

Il était étonnant de constater comment McKenna avait réussi à infuser tant de rejet dans ces trois petits mots.

— Ce sera tout, McKenna, dit Irving en faisant un geste du doigt à McKenna. Et referme la porte derrière toi.

Jacqueline observa McKenna saluer de nouveau et sortir, le dos aussi droit qu'un point d'exclamation.

— Il n'a pas apprécié que je vous apporte votre déjeuner.

— Il a des habitudes de vieille fille et croit qu'il est le seul à être apte à prendre soin de moi, dit Irving avec une pointe d'humour, avant de prendre sa cuillère et sa fourchette pour attaquer l'assiette de pâtes avec l'appétit d'un jeune homme.

— C'est facile à dire pour vous. Il ne vous punira pas d'un poulet mal cuit.

Il y avait déjà suffisamment de personnes en colère contre elle. Caleb. Sa mère. Les autres six Élus sans médium. McKenna, c'était la cerise sur le gâteau.

— Caleb est-il sorti avec nos nouveaux Élus? demanda Irving.

— Il est en ville avec les hommes pour chercher des brosses à dents, des vêtements et autres objets de première nécessité. Il s'est dit que quatre hommes, s'ils sont attaqués, pourraient se défendre.

— *Seront-ils* attaqués?

— Comment le saurais-je? demanda-t-elle avec colère.

Il y avait une pile de livres ouverts sur la table, et elle la tira vers elle. C'était de vieux livres, médiévaux, peut-être, écrits dans une langue qu'elle ne reconnaissait pas, qu'elle ne parlait donc pas. L'un d'eux avait une tache d'encre sur une page, comme si le moine était mort en pleine écriture. Elle regarda les objets, au-delà des livres. Il y avait une étrange collection d'histoire ; un pot en verre rempli de dents jaunies, une déesse mésopotamienne de la fertilité, une lampe magma.

Le pire, c'est qu'Irving avait une boule de cristal, une superbe boule de verre posée sur une base de bois gravée de façon primitive.

Était-elle sortie de façon accidentelle ?

Elle en doutait.

— Assieds-toi, dit-il en désignant l'autre chaise de son ustensile.

Elle s'installa soigneusement, en espérant qu'il n'exige pas d'elle qu'elle ait une vision à l'instar d'un prestidigitateur qui fait apparaître une pièce de monnaie de nulle part.

Il dit plutôt :

— Avant que tout cela ne commence, j'étais dans mon cellier et j'ai trouvé quelques bouteilles à étudier. Je sais que tu t'y connais... alors, je me suis dit que tu pourrais m'aider.

Flattée, parce qu'elle était tirée d'affaire, et parce qu'Irving était connu pour ses bonnes bouteilles, Jacqueline dit :

— Je ne suis pas œnophile, mais j'en ai goûté quelques-uns à mes heures.

— J'ai gardé le cabernet sauvignon Sunset Vineyards que tu m'as fait parvenir, dit-il en se penchant. C'était très gentil de te souvenir de moi durant cette période difficile de ta vie.

— Je crois que je peux affirmer que les temps durs ne font que commencer, dit-elle d'un ton lugubre.

— Nous nous en préoccuperons plus tard, dit-il en faisant fi de ses préoccupations.

En se penchant à côté de son fauteuil, il prit une bouteille et la posa sur la table.

— J'ai ici un zinfandel Seghesio San Lorenzo 2006.

— Je connais Seghesio! C'est un excellent vignoble. Ils sont reconnus pour leurs grands zinfandels, dit-elle en inspectant l'étiquette crème au caractère si distinctif.

— Voici mon pinot noir Sanford 1997, dit-il en posant une autre bouteille sur la table.

— C'est avant mon époque, mais j'en ai entendu parler.

— Et un Hommage à Jacques Perrin 1989 du Château de Beaucastel, dit-il en sortant une bouteille poussiéreuse de façon théâtrale.

Elle fronça les sourcils en réfléchissant.

— Est-ce le célèbre mélange Châteauneuf-du-Pape? Celui qui a une cote de quatre-vingt-dix-huit pour cent?

— Excellent, approuva-t-il.

— Mais c'est très rare, dit-elle en prenant la bouteille, l'essuyant et l'examinant. Et très dispendieux. Il se vend plus de deux mille dollars la bouteille.

— J'en ai acheté une caisse bien avant qu'il n'atteigne ce prix exorbitant.

— Tant mieux, répondit-elle.

Toutefois, elle croyait que sa conception d'exorbitant et celle d'Irving n'était pas la même.

Il posa un tire-bouchon sur la table près de la ligne de bouteilles.

— Le thermostat de mon cellier fonctionne mal. Je dois vérifier si mes vins sont toujours buvables, ou bien si je dois donner une petite fête et inviter beaucoup de néophytes. Personne n'est mieux placé que toi pour m'aider.

Soulagée d'apprendre que c'était tout ce qu'il désirait, elle rit, se leva et commença à ouvrir les bouteilles.

— Je vous en prie, laissez-moi vous donner un coup de main avec ce projet.

— Les coupes sont là-bas, dit-il en indiquant le vaisselier de sa fourchette.

Elle prit une série de verres en cristal et versa dans chacun une gorgée de dégustation.

— Commençons par le pinot, puis le Châteauneuf-du-Pape, pour terminer avec le zinfandel.

Irving prit la première coupe qu'elle lui tendit et la tint dans la lumière. Il fit tourbillonner le vin pour l'aérer avant d'approcher le verre de son nez.

Jacqueline l'observa affectueusement.

— Je me souviens que vous m'avez enseigné à déguster le vin.

— Tu venais de terminer l'école secondaire, et ta mère m'a grondé pour avoir corrompu une enfant mineure.

— Goûter à ce Chardonnay est ce que j'ai fait de plus fou pour ma remise de diplôme.

Elle avait toujours été le mouton noir.

— Toutes les autres personnes de ma classe faisaient des folies, passaient la nuit sur la plage, et maman, elle, s'assurait que je demeure sobre et vierge.

— Tu ne peux lui en vouloir pour ça.

— Bien sûr que si, dit Jacqueline, en prenant un verre, et faisant tourbillonner le vin avant de le sentir. Celui-ci a une jolie couleur de fraise. Le nez est cerise, mais plus floral que fruité.

Ils se sourirent, cognèrent leur verre et savourèrent à l'unisson.

— Humm, dit Irving, les yeux mi-clos d'appréciation. Un petit côté de bourgogne avec des notes de cerise.

— Et quelle finale ! Si c'est représentatif de vos vins, je peux vous assurer qu'il n'y a rien qui cloche avec votre entreposage.

— Plus tout à fait au sommet de sa gloire, toutefois, dit Irving en remplissant son verre et en tendant la bouteille vers elle.

Elle le laissa remplir sa coupe.

— C'est un pinot 1997. Il aurait été à son meilleur il y a deux ou trois ans.

Il piqua sa salade.

— Sers-toi une assiette d'antipasti.

Tandis qu'elle se servait du prosciutto, du cantaloup, du fromage aux grains de poivre et des légumes grillés, il termina les pâtes, la salade et la moitié du pain. Ils furent tous deux d'accord sur le fait que le pinot se buvait aisément. Le Châteauneuf-du-Pape était extraordinaire, mais Jacqueline dit qu'il était trop cher, et ils eurent une discussion animée sur les notions de valeur et de prix. Le zinfandel...

Elle fronça les sourcils.

— Le zinfandel sent un peu la fumée, et pas dans le bon sens.

— Je ne trouve pas du tout, dit-il en sentant le vin.

— Elle leva le nez de son verre et respira l'air ambiant.

— C'est ici. Ça sent le court-circuit. J'espère que vous n'avez pas de problème électrique.

Un feu est la dernière chose dont ils avaient besoin.

— Je ne sens pas la fumée. Et ce n'est assurément pas le vin, dit-il en le goûtant. Il est excellent, et mérite tous les honneurs.

Jacqueline le respira de nouveau. Irving avait raison. L'odeur de fumée avait disparu.

Jacqueline prit un craquelin pour nettoyer son palais, essaya le zinfandel, et fut d'accord avec l'évaluation d'Irving. À son avis, c'était le meilleur des trois. Lorsqu'elle eut vidé trois verres de vin, englouti la moitié du tiramisu d'Irving, puis le porto qu'il avait insisté qu'elle goûte, elle était suffisamment détendue pour dire :

— Irving, il n'y a aucun problème avec vos vins et votre entreposage. Alors, pourquoi m'avez-vous convoquée ?

— Je n'ai jamais pu te berner, n'est-ce pas ? dit-il en s'adossant, le regard soudainement aiguisé.

Sous le choc, elle se rendit compte que le vin qui l'avait détendue n'avait pas du tout affecté Irving.

Il alla droit au but.

— Il est temps de faire fi de tes peurs et de devenir le médium que tu es censée être.

Elle tapa la table de la paume de la main.

— Je le savais ! Je savais que cette petite balade dans nos souvenirs avait une raison d'être.

— Ne reçois-tu pas une décharge électrique lorsque tu frappes ainsi la table ? Le tatouage ne te parle-t-il pas ? demanda-t-il en l'observant, le regard sombre alerté par la curiosité.

— Non, il ne me parle pas.

Elle était debout devant la vitrine et fixait le contenu d'un regard vide. C'est alors qu'elle se rendit compte de ce qu'elle regardait et demanda :

— Que faites-vous avec une collection de crânes rétrécis ?

— On me les a offerts lors d'un voyage en Nouvelle-Guinée.

Elle regarda de nouveau autour d'elle dans la chambre. Il possédait des textes et des trésors qui auraient dû se retrouver dans des musées — pourquoi?

— Quand je suis entrée, je t'ai demandé où vous aviez trouvé tous ces objets. Vous ne m'avez jamais répondu.

— Certains sont à moi. Je les ai collectionnés tout au long de mes voyages. Certains m'ont été rapportés en souvenir par les Élus. J'ai eu la chance d'en avoir emprunté d'autres à l'Agence de voyages Gitane, donc sauvé de l'explosion.

— Parce que…? demanda-t-elle en se promenant de tablette en tablette à la découverte de manuscrits, de reliques et de curiosités tout aussi précieuses les unes que les autres.

— Je fais une recherche sur la communication non verbale. C'est un fait étonnant qui se produit si rarement parmi ceux qui ont des dons que certains affirment que cela n'existe pas.

Elle s'arrêta devant un présentoir de cristaux bruts. Des pierres précieuses?

— Est-ce que ça a à voir avec la dame au nez fendu?

— Je ne sais pas. Qu'en penses-tu?

Elle se retourna, furieuse.

— Voilà qui est franchement agaçant. Si je connaissais la réponse, je n'aurais pas posé la question.

— Je n'ai pas plus de réponses, et j'en ai besoin, répondit-il.

Tout à coup, Irving redevint le formidable chef qui avait mené l'Agence de voyages Gitane du désastre à la stabilité.

— Je dois savoir ce qui s'est passé hier, et comment. En attendant que cette équipe se choisisse un chef, je peux te guider, mais tu dois faire le point, et toi seule sais sur quoi te concentrer. Trouve l'endroit où tu devrais être, et *vois*.

— Facile à dire. *Va dans le grenier, Jacqueline et ne te préoccupes pas de ce qui s'y trouve.*

— Le grenier ? questionna-t-il.

C'était presque amusant de voir Irving sur un pied d'alerte, comme un chien de chasse devant un oiseau.

— Lorsque j'étais petite, j'avais peur de votre grenier. Je croyais qu'il y avait quelque chose là-haut qui me voulait du mal. Mais bon, Irving, j'étais une enfant, dit-elle en soupirant, voyant qu'il avait toujours les yeux écarquillés, qu'il était prêt à bondir.

— Tous les médiums ont un endroit où ils peuvent stimuler plus facilement leurs visions. Où ils peuvent les diriger. Où tout est plus clair. Zusane avait besoin d'être près de la terre. Elle m'a dit qu'elle avait eu sa première vision enfermée dans le cellier.

— Enfermée dans le cellier ? Qui l'aurait enfermée dans le cellier ? demanda Jacqueline, qui, sentant de nouveau la fumée, regarda autour d'elle pour trouver, sans succès, l'origine de l'odeur. Vos détecteurs de fumée fonctionnent-ils ?

— McKenna a changé les piles le mois dernier. Cesse de tenter de changer de sujet, dit Irving en pointant le plafond. Peut-être as-tu besoin d'être près du ciel. De *monter*. De *monter* dans mon grenier, dit-il, avant d'ajouter sur un ton prosaïque : Si ça ne fonctionne pas, qu'auras-tu perdu ?

— Rien, j'imagine. Mais pourquoi n'embêtez-vous pas Tyler, c'est aussi un médium, dit-elle, puisque le grenier lui faisait toujours peur et que l'odeur de fumée était de plus en plus présente.

— J'ai bien l'intention de le faire… mais toi, tu es destinée à devenir le plus grand médium que nous ayons connu.

— Et si j'ai simplement envie d'être œnologue?

— Tu peux aussi être œnologue. Tu peux être ce que tu veux. Ces rôles sont comme des vêtements que tu enfiles et que tu enlèves. Cependant, médium est qui tu es dans l'âme.

Prenant la boule de cristal à deux mains, il la tint pour l'observer. Le globe brillait dans les rayons du soleil, les couleurs dansant sur sa surface lisse et disparaissant tout à coup.

Jacqueline ne pouvait en détacher son regard.

— Je ne suis pas un des Élus. Toutefois, l'arrière-arrière-grand-mère de ma mère était une esclave africaine importée aux Bahamas pour travailler dans les champs de cannes à sucre et s'y connaissait en vaudou. La grand-mère de mon père était une romanichelle. Elle gagnait sa vie avec ceci — Irving leva la boule de cristal —, allant de ville en ville, attirant les femmes sous sa tente pour leur dire la bonne aventure. La boule n'a rien de particulier. Elle la rangeait simplement dans son coffre lorsqu'elle se déplaçait. Et tout ce qu'elle racontait était de la foutaise, évidemment. Mais parfois, je ne sais pas comment, elle prédisait vraiment l'avenir. Peut-être le voyait-elle dans sa boule. Peut-être avait-elle simplement un don. Prends-la. Vois ce que tu peux en tirer. Je te l'offre.

— C'est un cadeau empoisonné. Pourquoi devrais-je me plier à votre demande? dit-elle en s'avançant pour s'agenouiller devant lui et le regarder dans les yeux.

La prenant par les poignets, il lui retira ses gants. Il mit la boule entre ses mains et posa ses mains sur les siennes.

— Jacqueline, si tu ne nous aides pas, nous courons à notre perte, et tous les enfants comme toi, abandonnés et sans espoir, iront droit au diable. Nous avons besoin de toi. S'il te plaît, veux-tu nous aider ? lui demanda-t-il.

Il avait l'air si fragile, si ancien, si séduisant...

Le vieux charlatan.

Puis, du fond de son âme, l'angoisse se fit douloureuse.

— La plupart des gens qui sont morts hier auraient pu être mes petits-enfants ou mes arrière-petits-enfants, bafouilla-t-il, les larmes aux yeux, cherchant son mouchoir. J'aurais dû mourir en premier. *J'aurais dû mourir en premier.*

Se cachant le visage dans les mains, il sanglota bruyamment.

Elle eut le cœur brisé par cet horrible son issu d'un homme faussement inébranlable, un homme qui ne fondait jamais en larmes, un homme maintenant dévoré par la douleur.

Se relevant rapidement, Jacqueline posa la boule sur son présentoir. S'assoyant sur le bras de son fauteuil, elle mit son bras autour de ses épaules, tentant de réconforter l'inconsolable.

— Je ne m'étais jamais rendu compte que c'est ce que vous pensiez, murmura-t-elle.

Il se moucha et releva la tête. Ses yeux étaient injectés de sang, les larmes lui coulaient jusque dans le cou, et il eut soudainement l'air d'avoir son âge véritable.

— Tu es jeune, mais... peux-tu comprendre ? Je me prépare depuis longtemps au passage dans l'autre monde, espérant avoir vécu une longue vie productive, avoir fait de mon mieux, avoir laissé ma trace. J'ai plutôt tout perdu ce que j'ai construit depuis les soixante dernières années.

— L'Agence de voyages Gitane.

— Non, pas l'institution. Cela n'a jamais eu une grande importance. Je l'ai bâtie pour que les gens, les Élus, ceux qui ont des dons, puissent réaliser leur destin et faire le bien. Je me suis personnellement intéressé à chacun d'eux. J'étais si fier d'eux, dit-il en se frappant la poitrine.

D'une voix plus rauque, tentant de garder son calme, il poursuivit :

— Maintenant, ils ont disparu. Jesse, Monica, et Olivia. Jack, Kevin, et Natalie. Fred, Mildred, Erin, Carol, Owen. Tant de disparus ; leurs noms sont gravés dans mon cœur. Ils étaient mes enfants. Aucun parent ne devrait jamais voir ses enfants mourir avant lui.

Merde. Il était sincère. Elle le savait. Il avait toujours vécu pour l'Agence de voyages Gitane et sa mission secrète. Il connaissait tous les employés, tous les guides, chacun des Élus. Il envoyait un courriel pour chaque anniversaire, il saluait toute réussite, il félicitait tout un chacun lors des mariages et des naissances. Et maintenant, avec leur disparition, les rêves et les espoirs du vieillard étaient en miettes.

— D'accord, dit Jacqueline, héritière du don et de la marque du tout premier médium, en prenant la boule de cristal. Je le ferai.

Elle se dirigea vers la porte, l'ouvrit, hésita et se retourna.

Irving l'observait, le regard rempli d'espoir et les joues mouillées de larmes.

— Mais ne m'invitez plus jamais à boire du vin avec vous, Irving Shea, lui dit-elle.

Chapitre 21

La boule de cristal dans les mains, Jacqueline monta au grenier. Elle y avait joué enfant, et rien n'avait changé.

L'espace était vaste, clair et vide. Les murs et les planchers étaient peints en blanc. Des moutons de poussière volaient dans les rayons du soleil qui filtraient de grandes fenêtres du côté ouest et couvraient tout d'une fine pellicule. Une porte sur le mur opposé menait à une autre pièce semblable à celle-ci, et une armoire occupait le coin de la pièce.

Elle s'était amusée à courir dans cette pièce avec un chien jouet en laisse. Elle avait joué avec ses poupées, lu des livres.

Puis, un jour, alors qu'elle avait huit ans, elle avait cessé d'y venir. Elle ne se souvenait plus pourquoi. Elle se souvenait seulement d'avoir eu peur.

Aujourd'hui, elle n'était pas craintive, juste un peu ivre… et fort mécontente. L'odeur de fumée emplissait l'air, et cette stupide boule de cristal était non seulement lourde, elle était si lisse qu'elle la coinça sous son bras pour ne pas l'échapper.

Elle déambula dans la grande pièce vers l'armoire et l'ouvrit. De vieux manteaux y étaient pendus, et de vieux rideaux étaient pliés sur les tablettes. Elle se dirigea vers la porte et tourna la poignée, avant de jeter un coup d'œil derrière. La pièce était semblable à la première — les mêmes fenêtres, le même soleil, la même armoire —, mais les ombres semblaient plus impressionnantes. Elle ne pouvait trouver l'origine de la fumée, toutefois, alors elle referma la porte et se dirigea vers le carré de soleil sur le sol.

Elle tint la boule de cristal dans la lumière et observa les couleurs, le bleu, l'or, le vert, glisser sur la surface lisse.

Zusane appelait sans peine ses visions, mais Jacqueline se sentait principalement idiote. Comment une personne pouvait-elle faire venir à elle une vision? En psalmodiant? En faisant du yoga? Peut-être une danse de la pluie?

Le vin l'avait détendue. Cela aiderait probablement…

Cela n'allait pas fonctionner, pire, l'odeur de fumée était de plus en plus présente. Elle devrait redescendre et avertir McKenna et Harrison qu'il devait y avoir un problème électrique. Cela pourrait s'avérer fort problématique si un incendie se déclarait, et ils n'avaient pas besoin d'autres problèmes. L'explosion était plus que suffisante…

Que c'était emmerdant!

À cause de la fumée, Jacqueline sentit que ses yeux étaient un peu bizarres et en fut brièvement alarmée.

Alors, les couleurs disparurent de la surface de la boule de cristal. Au creux de la boule, une flamme rouge brillait, suivie par un éclair jaune. La boule lui glissa des mains. Au ralenti, elle tourbillonna dans les airs et tomba au sol avec un bruit si sourd que des éclats de bois volèrent — puis, elle s'immobilisa.

L'univers devint couleur sépia, et elle se rendit compte…

...que ça y était. Une vision. Irving avait raison. Elle ne le voulait peut-être pas, mais elle avait le don. *Il s'agissait bien d'une vision.*

Tout à coup, elle entendit un cri aigu de panique et de terreur. Le cri ramena Jacqueline à la réalité, mais lorsqu'elle revint à elle... elle n'était pas dans le grenier.

Elle était debout dans l'allée d'un avion, un jet privé avec une douzaine de sièges de luxe installés autour des tables. Un écran de télévision de près de cent trente centimètres dominait l'un des murs, clignotant. Une jeune femme était debout devant l'écran, vêtue d'une robe de soie griffée Yves Saint-Laurent, les bras de chaque côté, poings fermés. C'est elle qui criait. Et criait. Et criait.

Jacqueline reconnut l'avion. Elle y était déjà embarquée avec Caleb, en route de la Californie vers New York.

Tout était différent, maintenant. Une fumée noire et épaisse remplissait l'espace de la cabine. Les masques à oxygène pendaient du plafond. Une alarme sonnait dans la cabine de pilotage. Une douzaine de personnes criaient et trébuchaient d'un mur à l'autre tandis que l'avion ruait comme un cheval de rodéo dans un *saloon*.

L'avion tangua, déséquilibrant Jacqueline. Elle percuta contre une table, éparpillant des cartes à jouer et fracassant une bouteille. Pendant une seconde, l'odeur puissante de réglisse de l'ouzo se répandit dans la pièce.

Sa main lui faisait mal. Elle regarda. Un morceau de vitre était planté dans la paume de sa main nue, coupant le tatouage en deux. Elle retira le morceau. Il était gros et acéré ; le sang gicla en un jet cramoisi clair.

Elle avait été propulsée tête première dans un désastre.

Cependant, ce n'était qu'une vision. Ce n'était qu'une vision.

La lumière clignota, puis s'éteignit. Il faisait noir à l'extérieur. Jacqueline vit des étincelles jaillir de l'aile gauche.

De faibles éclairages de secours clignotèrent dans la cabine.

Comme si la fumée l'avait de nouveau trouvée, elle s'éleva du sol comme un boa constricteur enroulé autour d'elle, l'aveuglant et lui remplissant les poumons. Elle toussa, tenta de respirer, puis toussa de nouveau.

Une vision. Ce n'était qu'une vision.

Le jet tangua. Elle percuta le mur opposé, se frappant la hanche contre un siège.

Toutefois, cela n'avait pas *l'air* d'une vision. Elle s'étouffait *vraiment* à cause de la fumée. Le sang lui *collait* les cheveux. Sa hanche était meurtrie et lui faisait mal. Elle voulait fermer les yeux, se boucher les oreilles, échapper à la vision, mais elle n'osait pas. Elle était là. Dans l'avion. Et il y avait un problème.

Une autre alarme retentit. Un type en uniforme cria, dirigeant les passagers, distribuant des gilets de sauvetage.

Non, pas des gilets de sauvetage, des parachutes.

Mon Dieu ! L'agent de bord — ou était-ce le pilote ? — allait ouvrir la porte. Elle voulait regarder par le hublot, voir s'il y avait des lumières, s'ils volaient au-dessus de la terre ou de la mer.

Puis, de l'autre côté de la cabine, quelque chose bougea et attira son attention — une femme, qui parlait calmement à l'homme en uniforme. Mais… cette robe, étincelante de paillettes dorées. Cette forme, si opulente et toute en courbes. Cette élégante coiffure blonde et glorieuse, tenue par une barrette à diamant…

— Mère ! cria Jacqueline.

Zusane leva les yeux.

Leurs regards se croisèrent.

Et Zusane la *vit*.

Jacqueline était vraiment présente.

Le balancement de l'avion s'intensifia.

Zusane se fraya un chemin jusqu'à Jacqueline.

Jacqueline se fraya un chemin jusqu'à Zusane.

— Je n'ai pas vu ça ! cria Zusane. Tu ne devrais pas être ici !

— Mère, vous devez prendre un parachute. Vous devez vous sauver !

— Il est trop tard pour ça.

Jacqueline tenta de l'attraper.

Zusane se défila.

— Ne me touche pas !

Blessée, Jacqueline baissa les bras, puis baissa les yeux.

L'un d'eux saignait toujours abondamment, brouillant son tatouage.

Zusane craignait-elle de tacher sa jolie robe ?

Ou était-elle inquiète que Jacqueline ait gâché son don en raison de sa blessure à la main ?

— Chérie, ne sois pas ainsi, dit Zusane. Je ne sais comment ni pourquoi, mais tu ne *devrais pas* être ici. Ne rends pas la vision plus réelle qu'elle ne doit l'être.

Jacqueline ne comprit pas ce qu'elle voulait dire. Elle ne comprenait absolument pas tout ce que cela signifiait.

L'homme en uniforme ouvrit la porte. L'air froid s'immisça dans l'avion, nettoyant la fumée, sauf l'endroit où

Zusane se tenait. La fumée resta là, dense, noire et huileuse. Zusane fit un geste de la main. Son geste semblait appeler la fumée. Elle l'enveloppa, enveloppa Jacqueline dans des anneaux serrés.

Effrayée, Jacqueline cria :

— Qu'est-ce que c'est ?

Zusane regarda par-dessus l'épaule de Jacqueline, à travers la fumée épaisse. Elle vit quelque chose, quelque chose qui la fit écarquiller les yeux et rejeter la tête en arrière comme si elle avait été giflée. Levant les bras comme pour se protéger d'un coup, elle dit clairement :

— Oh, Zusane, quelle idiote !

Ahurie, Jacqueline se retourna pour suivre le regard de sa mère.

Un homme était debout, chauve, d'âge moyen, frêle, vêtu d'un habit noir sur mesure. Il avait le même air que tous les riches amants de sa mère... jusqu'à ce qu'il pose les yeux sur elle.

Une flamme bleue brûlait dans ses yeux... de l'intérieur.

Paniquée, Jacqueline eut le souffle coupé, étouffé par la fumée, elle toussa et toussa.

Elle savait qui il était. Elle avait entendu des récits à son sujet, avait été mise en garde contre lui... mais personne ne l'avait jamais vraiment vu. Elle avait cru, espérée, qu'il ne soit qu'un mythe.

À présent, elle savait que ce n'était pas le cas.

Un à un, les passagers enfilèrent leur parachute, se précipitèrent vers la porte et sautèrent. La jeune femme avec la robe Yves Saint-Laurent sauta sans attacher son parachute.

Il vola dans la cabine, et ils l'entendirent crier tandis qu'elle chutait vers le sol.

Mon Dieu, c'est l'enfer !

— Pas encore, lui répondit l'homme, bien qu'elle n'ait pas parlé à voix haute.

— Mère, allez ! dit Jacqueline en se tenant la poitrine et en se dirigeant vers l'agent de bord en uniforme.

Zusane lui emboîta le pas.

Un vent glacial entra par l'ouverture.

La fumée les enroulait de près.

Attrapant un parachute, Jacqueline le donna à sa mère.

— Prenez-le, cria-t-elle. Prenez-le !

— Il est inutile de sauter.

Malgré les alarmes, les cris et le vent qui soufflait, Jacqueline entendit clairement l'homme aux yeux bleus enflammés. Sa voix était basse, calme et informationnelle… elle envahissait chaque molécule, envahissait ses oreilles, ses pensées.

— Le sol est trop près. Les parachutes n'auront pas le temps de s'ouvrir. Vous allez toutes deux mourir.

La peur s'empara de Jacqueline.

Il avait raison. Évidemment qu'il avait raison. Il avait conçu ce scénario pour les détruire toutes les deux.

Sa mère le savait également. Le savait, et s'en voulait. Pourtant, elle souriait. Elle était calme.

— Chère Jacqueline, dit-elle, il n'y a qu'une chose à faire. Viens. Approchons-nous de la porte.

Alors qu'elles le faisaient, l'homme en uniforme enfila un parachute et sauta. Et hurla.

Il ne restait que trois personnes à bord de l'avion.

Zusane. Jacqueline. Et l'homme aux yeux bleus enflammés.

En regardant, paniquée, par-dessus son épaule, Jacqueline le vit se diriger vers elles. Il marchait avec une aisance qui défiait le tangage de l'avion — parce qu'il était responsable du tangage.

— N'oublie jamais que je t'aime, dit Zusane, en touchant presque Jacqueline. Lui touchant presque la joue.

Jacqueline voulait crier de terreur, mais la fumée l'entourait toujours, remplissant ses poumons, rendant sa voix à peine plus audible qu'un murmure.

— Mère! Vite!

— Oui, dit Zusane en arrachant le parachute des mains de Jacqueline, la déséquilibrant. Posant les mains contre la poitrine de Jacqueline, elle la poussa à reculons hors de l'avion, dans le vide.

Chapitre 22

— Jacqueline. Jacqueline, cesse de hurler, dit sévèrement Caleb en la tenant dans ses bras.

Au son de sa voix, Jacqueline se figea. Ses yeux étaient toujours bien fermés. Ses poings, toujours serrés, ses genoux, relevés.

Toutefois, le vent ne lui soufflait plus en plein visage. Un avion abîmé ne tombait plus du ciel à ses côtés. Les cris de passagers tombant du ciel ne lui agressaient plus les oreilles. Les lumières au sol n'approchaient plus à toute vitesse.

Les lumières — près. Trop près. Ils allaient tous mourir.

Le souvenir était si clair, elle sursauta, puis, avec une peur incommensurable, elle ouvrit grand les yeux.

Le visage de Caleb fut la première chose qu'elle aperçut, si près qu'elle put sentir son haleine, son inquiétude.

Au-delà de cela, elle se trouvait dans le grenier. *Dans le grenier.* Plus tôt cet après-midi, elle s'était tenue debout au même endroit. Maintenant, le carré de soleil n'était plus au même endroit, et elle frissonnait de froid sous le choc.

Donc l'avion, l'écrasement, sa mère, rien de tout cela n'était réel.

Pourtant, ce l'était.

— Jacqueline, dit Caleb, parle-moi.

Levant la main, Jacqueline observa la blessure au creux de sa main. Le sang avait effacé la marque de son don.

Si l'œil était maintenant aveugle, peut-être n'était-elle plus médium ?

— La boule de cristal s'est brisée sur le plancher, lui dit-il. Tu t'es coupée sur le bois.

Elle regarda dans la direction indiquée. La boule avait creusé le sol, et des éclats de bois étaient éparpillés… comme une bouteille fracassée…

Dans son esprit, elle avait entendu psalmodier ces mots encore et encore : « S'il s'en occupe, il va mourir. S'il s'en occupe, il va mourir. »

Elle tenta de parler.

Elle ne pouvait pas.

La fumée.

Elle porta la main à sa gorge.

— Tu criais, tu criais tellement, dit Caleb, pâle, épuisé et en colère.

— Ma tête, dit Jacqueline dont la voix n'était plus qu'un murmure rauque.

— Tu t'es heurtée en tombant.

— Je ne suis pas tombée. Mère m'a poussée.

Le silence dans le grenier était lourd, sombre et préoccupé.

— Que veux-tu dire, elle t'a poussée ? demanda Caleb, d'une voix précautionneusement neutre.

— Elle m'a poussée hors de l'avion. Elle m'a poussée hors de l'avion. *Elle m'a poussée hors de l'avion !* Comment être plus clair ?

Jacqueline était assise, les poumons déchirés par l'effort tandis qu'elle criait après Caleb — et qu'elle fut confrontée à neuf autres paires d'yeux horrifiées.

Irving. Et Martha, McKenna, Isabelle, Charisma, Tyler, Aaron, Samuel et Aleksandr. Ils semblaient à la fois traumatisés, gênés, curieux et effrayés...

D'une voix claire et calme, Isabelle demanda :

— Quel avion ?

— Elle était à bord de son avion. Nous étions à bord. Le jet. Caleb, tu t'en souviens, celui que nous avons pris de la Californie, à New York. Le sien... c'était lui... il est responsable... commença Jacqueline à voix haute, avec insistance, cherchant à leur faire comprendre, à leur faire croire.

Mais sa tête lui faisait trop mal. Dans son esprit, des voix se superposaient et criaient, des souvenirs clignotaient et s'enflammaient, et encore et encore la phrase étrange était psalmodiée.

« S'il s'en occupe, il va mourir. S'il s'en occupe, il va mourir. »

Agitée, elle tourna la tête dans tous les sens, cherchant la boule de cristal pour la couvrir, que personne ne puisse regarder à l'intérieur et mourir. Cependant, elle n'avait plus la force de se tenir et s'écroula.

Caleb la rattrapa.

Sa tête la faisait souffrir. Levant la main, elle toucha son front blessé, et elle entendit de nouveau les mots.

« S'il s'en occupe, il va mourir. S'il s'en occupe, il va mourir. S'il s'en occupe, il va mourir. S'il s'en occupe, il va mourir. »

Sa main lui semblait bizarre, à la fois engourdie et brûlante. Elle la regarda et tenta de bouger les doigts. Rien ne fonctionnait normalement — les nerfs avaient-ils été touchés ? Du sang giclait encore de la large blessure.

Elle tenta de nouveau une explication.

— L'amant de mère... son avion était en flammes. Mère l'a vu. Je l'ai vu.

Le resserrement dans sa poitrine allait de mal en pis. Elle pouvait à peine respirer. Elle toussa. Elle tenta de tirer le col de son t-shirt. Ses poumons semblaient usés et à vif.

— Bon, dit Caleb en l'entourant de ses bras. Nous devons te conduire à l'hôpital.

— Non ! dit Irving en écartant les bras et repoussant les hommes. Laissez Isabelle lui venir en aide.

Jacqueline le regarda fixement, tentant de comprendre ce que pouvait bien vouloir dire Irving.

— Comment peut-elle l'aider ? demanda Caleb. Est-elle médecin ?

Isabelle se leva tranquillement. Elle portait un jeans, dégoté dans une friperie, un grand t-shirt bleu qui tombait sur ses frêles épaules, et une paire de tongs bon marché. Toutefois, elle paraissait tout de même élégante et ne semblait pas être heureuse de se trouver sur la sellette.

— Elle a des pouvoirs d'empathie physique, dit Irving. Tel est son don.

— Qu'est-ce que ça signifie ? demanda Tyler.

— Elle peut absorber la douleur et les blessures de Jacqueline. Elle peut les partager et les guérir, dit Irving en se tournant vers Isabelle. Si elle le veut.

Samuel croisa les bras, incarnation du savoir et du scepticisme.

Levant le menton, Isabelle s'agenouilla à côté de Jacqueline. Avec son accent bostonien, elle dit :

— Si tu me laisses faire, je peux te venir en aide.

Caleb tint Jacqueline contre sa poitrine, le visage impassible et froid.

— Je veux la conduire à l'hôpital.

— Nous ne le pouvons *pas*, dit Irving d'un ton impatient et autoritaire. Elle vient d'avoir sa première vision, et elle a été assez puissante pour la mettre dans cet état. Nous ne pouvons pas la conduire à l'hôpital et tenter de leur expliquer ce qui s'est produit, et courir le risque qu'elle leur dise que sa mère l'a poussée hors d'un avion. Tout au moins, ils lui feraient passer un examen psychiatrique. Ils décideront probablement que tu profites d'elle et exigeront qu'elle dépose une plainte. Elle est un nouveau médium. Elle n'a pas le contrôle sur ce qui lui arrive. Le temps qu'elle passera là-bas, elle pourrait avoir une nouvelle vision. Et impossible de l'amener à l'hôpital sans attirer l'attention des Autres. Je te le garantis, Caleb, il n'y a personne qu'ils aimeraient éliminer davantage que notre médium.

Isabelle ne porta pas attention à la diatribe d'Irving ni à la résistance de Caleb. Son attention était centrée sur Jacqueline. D'une voix douce, elle dit :

— Je dois te toucher. Je ne te ferai pas mal. Peux-tu me faire confiance ?

Jacqueline la regarda fixement dans les yeux.

Isabelle était tout à fait calme, et confiante de son don.

Jacqueline avait besoin d'aide ; le sang giclait de la blessure dans sa main, sa tête lui faisait mal et le resserrement dans sa poitrine s'intensifiait, bloquant l'accès à l'oxygène. Elle n'était pas morte de sa chute libre de l'avion, mais elle craignait maintenant de mourir. Elle hocha la tête et murmura :

— S'il te plaît.

Caleb se tendit.

Isabelle posa les doigts sur le front de Jacqueline au-dessus des yeux, puis sur la poitrine, au-dessus du cœur.

La douleur ne diminua pas d'intensité, mais l'esprit de Jacqueline commença à reprendre conscience de la réalité du lieu et du temps. Les battements de son cœur ralentirent tandis que son instinct de fuite s'estompait. Elle était en sécurité, ici. Elle était en sécurité dans les bras de Caleb. Et ce qui s'était produit à bord de l'avion devait être traité, mais pas maintenant. Pas tant qu'elle ne se sentirait pas mieux — ou du moins comme si elle allait survivre.

Isabelle s'éloigna et glissa les paumes de ses mains au-dessus de Jacqueline, de la tête aux pieds... sans jamais la toucher. Ses mains oscillaient à quelques centimètres de la peau de Jacqueline, s'arrêtant çà et là, évaluant et décidant. Lorsqu'elle eut terminé, elle remonta vers le visage de Jacqueline et dit :

— Commençons maintenant.

Glissant les mains derrière la tête de Jacqueline, elle la prit dans le creux de ses mains et soupira et oscilla tandis que ses doigts tâtaient l'ecchymose sur la tête de Jacqueline... et tandis que le mal de tête de Jacqueline disparaissait, les yeux d'Isabelle s'emplirent de larmes.

Elle retira ses mains et s'assit en silence, le visage crispé tandis qu'elle combattait la douleur.

Jacqueline se rendit compte que d'une certaine façon, Isabelle partageait sa blessure pour la guérir.

— Ça va mieux, dit Jacqueline, en toussant.

Toussant.

Rapidement, Isabelle passa la main au-dessus de la poitrine de Jacqueline. Pendant un long moment, la douleur resserra son emprise, et Jacqueline ne put respirer.

Puis, à l'unisson, elles toussèrent, prirent une inspiration désespérée, et se mirent à tousser à perdre haleine.

Jacqueline roula en une boule de douleur. Cette fumée avait abîmé les parois de ses poumons. Elle s'agrippait à ses voies respiratoires comme avec des crochets. Isabelle ne pouvait pas l'aider pour cela. La fumée, même à deux, elles ne pouvaient la combattre.

Caleb la prit par les épaules.

Faiblement, elle l'entendit crier à Irving.

— Pourquoi as-tu envoyé Jacqueline là-haut ?

— Parce que nous avons besoin de direction ou d'une prophétie ou de *quelque chose d'autre*, répondit Irving sur le même ton.

À quelques mètres de là, Jacqueline vit Samuel accroupi près d'Isabelle qui se tortillait et toussait.

Elles allaient mourir. Elles allaient mourir.

Et juste comme c'était sur le point de se produire… les toussotements cessèrent.

La douleur s'estompa.

Elles purent *respirer*.

Jacqueline s'effondra de soulagement.

Isabelle se reposa sur le sol à côté d'elle, se tenant la gorge et respirant péniblement.

Elles étaient couchées là, épuisées, trempées par l'effort.

Jacqueline tendit la main pour toucher celle d'Isabelle.

Isabelle tourna la tête pour lui faire face.

— Merci, murmura Jacqueline.

— Cette fumée… commença Isabelle.

Puis, jetant un regard autour d'elles et voyant les regards posés sur elles, elle changea d'idée et répondit :

— Il n'y a pas de quoi.

Caleb toucha la joue de Jacqueline et la regarda dans les yeux.

— Tu vas vraiment mieux ?

Jacqueline acquiesça.

Il leva les yeux vers Isabelle.

— Et sa main ?

Samuel, qui était toujours agenouillé auprès d'isabelle lui jeta un regard sévère.

— Laisse-la, imbécile ! Elle est presque morte à vouloir aider ta petite amie.

Isabelle ne remua pas, ne jeta pas un regard et ne releva pas la défense de Samuel en aucune façon.

Renfrogné, il se leva et s'éloigna, laissant derrière lui un silence tendu.

Assise, Isabelle dégagea les cheveux de son visage. Sa voix était rauque, mais tout de même composée et calme.

— Crois-le ou non, mais la main de Jacqueline était le dernier de ses soucis.

Jacqueline jeta un coup d'œil à sa main, brunie de sang séché, trempée de nouveau sang. Ce n'était *pas* le dernier de ses soucis, mais comment expliquer ce que l'homme aux yeux bleus enflammés avait tenté de lui faire ?

Doucement, elle prit sa main blessée dans son autre main.

Sortant son mouchoir de sa poche, Caleb l'enroula autour de la main de Jacqueline, masquant la blessure.

Martha s'avança.

— À l'époque, j'étais bonne pour faire des points de suture sur les blessures. Je n'ai jamais perdu de patient, jamais eu de plaie qui n'ait pas bien guéri.

— Portons-la à notre chambre, et tu pourras t'en occuper, dit Caleb en aidant Jacqueline à se relever.

Aleksandr aida Isabelle.

— Attendez, les arrêta Irving d'une main tremblante. Je dois d'abord savoir — Jacqueline, qu'elle était ta vision ?

Jacqueline fut secouée tandis qu'elle comprenait… qu'elle *l'avait* vu, qu'elle *avait* été là… D'une voix lente et hésitante, elle raconta à Irving, elle leur raconta à tous, Zusane à bord de l'avion en chute libre, comment Zusane l'avait vue et en avait été horrifiée, comment Jacqueline avait tenté de la sauver avant d'être plutôt poussée hors de l'avion par sa propre mère. Elle leur raconta tout, sauf d'avoir vu l'homme aux yeux bleus enflammés.

Une certaine prudence, un manque de confiance en ces personnes qu'elle connaissait à peine l'empêcha de tout révéler.

— Alors, ta mère t'a sauvé la vie, dit Tyler.

Jacqueline se retourna pour regarder le bel homme discret.

— *Exactement*, dit Tyler, sûr de ce qu'il avançait. Si tu étais tombée avec l'avion, ou avec un parachute au dos, tu aurais été liée à ce lieu et à ce moment, et tu n'aurais pas pu t'en échapper. Quand elle t'a poussée, elle t'a ramenée au grenier, à l'endroit où tu avais ta vision.

— Comment sais-tu ça ? demanda Charisma.

Il haussa les épaules.

— J'ignore *comment*, mais je le sais. Je suis aussi médium, tu sais.

— Bien sûr. Ma mère est géniale… héroïne jusque dans la mort, dit Jacqueline, sans se préoccuper du ton sarcastique de sa voix.

Il y eut de nouveau ce silence inconfortable, une présence presque familière dans le grenier.

— Assez de discussion. Jacqueline a besoin de se reposer, annonça fermement Caleb en la guidant vers la porte.

Tout le monde leur emboîta le pas en une procession solennelle dans l'escalier et jusqu'à la chambre.

Irving indiqua qu'Isabelle devrait s'installer dans le fauteuil.

Caleb aida Jacqueline à s'installer dans le lit.

— Ça va ? demanda-t-il à voix basse.

— Ça va. Vois ce que tu peux dénicher à propos de mère.

Non pas parce qu'elle avait le moindre doute, mais parce qu'il avait été le garde du corps de Zusane pendant si longtemps. Une fois, il l'avait quittée sur ordre de Zusane. D'abord et avant tout, il était loyal à Zusane, et elle pouvait sentir un malaise derrière sa calme façade.

D'un hochement de tête, il disparut.

Martha disparut et revint avec une trousse médicale. Retirant délicatement le tissu autour de la main de Jacqueline, elle l'examina, et même sa voix sonna étranglée et réprobatrice lorsqu'elle dit :

— Si je peux me permettre une suggestion, monsieur Shea ? À l'avenir, si vous envoyez mademoiselle Vargha en mission pour avoir une vision, il serait bon qu'elle trace un cercle sur le sol autour d'elle. Un cercle dessiné par un des Élus offre au moins un peu de protection, je crois.

Prenant la télécommande du téléviseur, Irving l'alluma et fit le tour des canaux de nouvelles. Il n'était absolument pas attentif lorsqu'il répondit :

— Oui, bonne idée. Jacqueline, n'oublie pas de faire ça.

Martha soupira ostensiblement.

McKenna disparut et revint avec de l'eau embouteillée et un plateau de noix et de fromages. Ouvrant une bouteille, il la tendit à Jacqueline.

— Mademoiselle, vous en aurez grandement besoin après votre mésaventure.

Son ton et son apparence n'étaient pas différents d'auparavant, mais Jacqueline fut touchée. Elle avait aidé Irving, et du coup, elle se retrouvait dans les bonnes grâces de McKenna. Dieu merci, elle n'aurait pas à craindre de se faire servir du poulet pas assez cuit.

Aleksandr tomba dans la nourriture comme s'il n'avait pas mangé depuis des mois. Les autres acceptèrent l'eau de bon gré.

La trousse de Martha s'avéra étonnamment bien garnie. Tandis qu'elle travaillait sur la main de Jacqueline, elle vit Jacqueline regarder son travail avec anxiété et dit :

— Je ne peux pas faire la même chose qu'Isabelle, mais lorsque l'Agence de voyages Gitane m'a recrutée, j'étais infirmière.

— Je croyais que tu étais une… commença Jacqueline, avant de s'arrêter lorsque Martha lui décocha un regard malveillant.

— Une bonne ? Une cuisinière ? Une femme de chambre ? J'ai été tout ça aussi.

Ses points de suture étaient petits et bien faits.

— J'ai fait tout ce qu'on a exigé de moi, dit-elle.

— Et nous t'en sommes reconnaissants, dit Irving sans quitter l'écran du regard.

Aleksandr et Aaron non plus. La petite pièce était bondée de tous les gens de la maison —, sauf Caleb et Samuel. Ils regardèrent la télévision et grignotèrent les amuse-gueule. Personne ne semblait vouloir partir. Ils attendaient tous la confirmation de la vision de Jacqueline.

Et le cas échéant — qu'allait-il se passer? Seraient-ils bouche bée? Reconnaissants?

La traiteraient-ils comme quelqu'un d'étrange?

Surprise, elle comprit que non, ils ne la traiteraient pas ainsi parce qu'au sein des Élus, elle n'était pas étrange. Elle avait un don.

S'approchant de Martha, elle murmura :

— Peux-tu recoudre mon tatouage comme avant?

Martha regarda Jacqueline dans les yeux, et ce qu'elle y vit dut la satisfaire parce que pour la première fois de mémoire de Jacqueline, elle souriait. Et elle lui dit :

— Je ferai de mon mieux.

— C'est tout ce que je te demande.

S'adossant de nouveau, détendue, Jacqueline se sentit chez elle pour la première fois de sa vie.

Chapitre 23

Martha était à ranger sa trousse lorsque Caleb rentra. Il avait l'air vieilli, sévère, et dit :

— Je ne peux joindre Zusane sur son téléphone cellulaire, ce qui ne me surprend pas, mais je ne peux joindre mes hommes non plus, ce qui est étrange.

— Merde, dit Irving, dégoûté en éteignant le téléviseur. Il n'y a rien, ici. Aleksandr !

Aleksandr sursauta et laissa échapper une tranche de fromage sur le tapis.

— Pardon, monsieur ?

— Tu es habile sur Internet, non ?

— Je le suis ? dit-il en ramassant le fromage pour le manger.

— Tu es étudiant, alors ça va de soi.

— Si vous êtes à la recherche de sites pornographiques, ajouta Aaron du coin de la bouche.

Le poing d'Aleksandr s'écrasa raide sur le bras d'Aaron.

Tyler éclata de rire, mais l'étouffa précipitamment pour dire :

— Je suis aussi plutôt habile pour naviguer sur Internet.

— Tant mieux. Allons, installons-nous à l'ordinateur pour chercher des nouvelles concernant...

Irving fit une pause, puis jeta à Jacqueline un regard inquiet.

Jacqueline soutint son regard. Elle n'allait pas perdre la tête, si c'est ce qui le préoccupait. Toutefois, la confirmation qu'il recherchait était une certitude dans son esprit.

Sa mère était morte, une nouvelle victime de la guerre entre le bien et le mal.

Jacqueline voulait savoir qui gagnait.

Il dut lire la vérité sur son visage, car il eut tout à coup l'air vieilli et las.

— Allez, les gars. Allons-y et laissons ces dames tranquilles.

Irving prit le bras de McKenna qui lui servit de soutien tandis qu'ils sortaient de la pièce.

Aaron attrapa Aleksandr par le col et le poussa hors de la chambre.

— Allez, le jeune, montre-nous ce que tu sais faire avec Google.

Tyler suivit, un peu en retrait, tel un elfe grand et gracieux de Tolkien parmi un groupe d'humains effrontés et bagarreurs.

Avec les cinq hommes partis, la chambre parue plus vaste, mais aussi plus froide.

— Cette main sera source d'inconfort, dit Martha à Jacqueline, en lui tendant une petite bouteille de pilules. Prends-en deux toutes les quatre heures. Je reviens avec quelque chose à manger.

Elle salua et sortit sans tarder.

Son départ laissa Isabelle et Charisma, Jacqueline et Caleb, et un silence surnaturel dans la pièce.

Caleb s'assit sur le lit à côté de Jacqueline. Il prit sa main bandée pour l'observer.

— L'a-t-elle soignée ?

— Elle a fait de son mieux, dit Jacqueline, répétant les mots rassurants de Martha, trouvant réconfort dans la promesse suggérée.

— Tant mieux, répondit Caleb, puis il leva rapidement les yeux pour capter son regard avant de poursuivre :

— Pourquoi es-tu finalement montée au grenier ?

— Irving a cru qu'il m'y serait possible d'avoir une vision.

Caleb se leva à moitié, comme s'il voulait tuer quelqu'un. Précipitamment, elle ajouta :

— Et il était si triste !

— Il t'a joué du violon, hein ? dit Caleb d'un air on ne peut plus cynique.

— Ne sois pas ainsi, Caleb. Je croyais aussi qu'il faisait semblant, mais il a réellement le cœur brisé. Il a perdu ses amis et ses camarades. Penses-y, dit-elle en tirant sur sa manche. Ce désastre l'a tellement blessé…

— D'accord, dit Caleb en posant une main sur la tête de Jacqueline.

S'adressant à Charisma et Isabelle, il dit :

— Vous resterez avec elle pour lui tenir compagnie jusqu'à ce que nous découvrions ce qui s'est produit ?

— Évidemment, Monsieur D'Angelo. Ce sera un plaisir pour nous, dit calmement Isabelle en se levant.

Il remarqua toutefois qu'elle avait les traits tirés et semblait fatiguée. De plus, à l'instar de Jacqueline, elle tenait une main dans l'autre.

Avait-elle maintenant une blessure à la main également ?

Charisma tenait moins de la femme que de la brute.

— Va voir où en sont les choses, Caleb. Je garderai un œil sur elles.

À l'étage, Aaron observait Irving aller et venir entre le téléviseur branché sur les actualités et le bureau où Aleksandr et Tyler s'obstinaient sur les mots-clés à utiliser pour la recherche.

Alors qu'il faisait l'aller-retour une deuxième fois et que son impatience grandissait, Aaron lui offrit :

— Laissez-moi vous aider, monsieur.

Irving le regarda durement, jeta un regard aux deux autres, puis accepta le bras tendu d'Aaron.

— Merci, mon garçon. La journée a été longue pour ce vieillard.

Il déambula dans le corridor vers le séjour avec une faiblesse bien simulée. Une fois rendu, il se redressa, s'assit à son bureau et éteignit le son du téléviseur.

— Ferme la porte derrière toi.

Aaron obtempéra.

— Qu'est-ce qui te préoccupe ? demanda Irving.

— Dépendre d'un prophète, ou de deux médiums en fait, pour décider de la marche à suivre me semble une proposition plutôt précaire. Il y a d'autres façons, probablement plus justes, de prévoir ce qui s'en vient.

— Des prophéties, dit Irving avec mépris.

Le vieil homme était obstiné et agaçant.

— Dans ma profession, j'en ai vu plusieurs bien préservées et conservées sur des manuscrits et des parchemins.

— Que tu as volé...

— Et je les ai volés, acquiesça Aaron.

Il était, après tout, le plus important récupérateur d'objets d'art volés — ce qui l'avait mis dans de sales draps.

— À l'époque, j'en ai également vu beaucoup. Des centaines, peut-être des milliers, dans la bibliothèque de l'Agence de voyages Gitane, et ici même, dit Irving en désignant d'un geste ses tablettes bien garnies. J'ai rencontré des prophètes autoproclamés, et même lu ce charlatan de Nostradamus dans son intégralité. Vrai ou faux, bien entretenu ou non, cela n'a pas d'importance. Tenter de savoir quelle prophétie s'applique à tel jour, c'est comme chercher une aiguille dans une botte de foin.

— Vous avez besoin d'un bibliothécaire.

— Notre bibliothécaire est parti en fumée avec l'édifice.

— J'en suis désolé, mais ce n'est pas si difficile à trouver, sourit Aaron. Il y a un bibliothécaire, monsieur Hall, un spécialiste des langues anciennes et des prophéties, qui travaille à la bibliothèque publique des arts Arthur W. Nelson de New York.

Chapitre 24

— Jacqueline, il faudrait te laver le visage, dit Charisma d'un ton prosaïque en se dirigeant vers la salle de bain.

— Oui, dit Isabelle en s'affaissant dans un fauteuil. Tu es maculée de sang.

Instinctivement, Jacqueline porta la main à la protubérance encore sensible derrière sa tête.

— Tu t'es frotté le visage avec la main, dit Isabelle en secouant la tête. Tu as l'air d'un soldat blessé.

Charisma apparut dans l'embrasure de la porte avec un linge humide.

— D'une certaine façon, c'est bien ce qu'elle est.

Jacqueline sortit du lit, se pencha par-dessus la commode pour se regarder dans le miroir. Elle avait le teint pâle, avec des taches brunes sur une joue et sur le front. Son regard était effarouché, comme celui d'un chevreuil qui s'enfuit devant un incendie de forêt.

— J'ai l'air d'être camouflée pour la guerre. Pourquoi personne ne m'a rien dit ?

— Nous avions autre chose en tête, dit Charisma en lui tendant le linge.

Jacqueline frotta les taches brunes, puis s'arrêta et inclina la tête. Elle pouvait entendre l'eau qui gouttait. Lentement. Régulièrement. Sans arrêt.

— Charisma, as-tu laissé le robinet ouvert dans la salle de bain ?

— Je ne crois pas, dit Charisma en allant vérifier. Non, il est fermé.

— Bon, dit Jacqueline en revenant à sa toilette, en souhaitant que cesse dans sa tête le bruit de l'eau qui gouttait.

Que cesse le bruit…

— C'est seulement moi, j'imagine, dit-elle. Ça doit venir du coup reçu à la tête.

— Tu t'es *frappé* la *tête*. En tombant. Tu t'en souviens ? lui dit Charisma, l'observant avec inquiétude.

— Tu as raison, j'imagine.

Par le miroir, Jacqueline put voir les deux femmes échanger un regard.

Les gars avaient ramené pour les dames le même costume, un jeans et un t-shirt. Elles étaient donc toutes à peu près vêtues de la même manière. On aurait dit des triplettes, mais elles étaient toutes si différentes.

— Comment te sens-tu, par ailleurs ? demanda Isabelle avec délicatesse.

— Mon esprit est un peu embrouillé, comme si je me remettais d'une commotion, et mes poumons sont… étranges… comme si je les avais partagés avec quelqu'un d'autre, dit Jacqueline, croisant le regard d'Isabelle dans le miroir. Ce qui est probablement le cas, et je l'en remercie du fond du cœur. Toutefois, considérant tout ce qui s'est passé, je me sens plutôt bien.

— Je crois qu'elle voulait dire… comment te sens-tu par rapport à ta mère ? dit Charisma, en haussant les sourcils en direction d'Isabelle.

Isabelle hocha la tête.

— Tu veux dire… comment je me sens à propos du fait que ma mère m'a poussée hors de l'avion sans parachute alors que je tentais de la sauver ? répondit Jacqueline, en serrant le linge de toutes ses forces.

Charisma lui retira le linge.

— Si on en croit Tyler, elle t'a sauvé la vie.

— Et qu'est-ce qu'il en sait ? dit Jacqueline avec hargne.

Charisma et Isabelle eurent toutes deux l'air surprises, puis éclatèrent de rire.

— C'est vrai, qu'est-ce qu'il en sait ? demanda Isabelle.

Charisma remplit le lavabo de la salle de bain et mit le linge à tremper.

— D'ailleurs, que savons-nous ? Nous traînons à ne rien faire, alors que nous devrions…

Jacqueline et Isabelle lui jetèrent un regard interrogatif.

— …faire quelque chose qui… pourrait aider l'univers, termina Charisma lugubrement.

— Je me sens si impuissante, mais je ne sais pas quoi faire. Ce matin, lorsque je lui ai téléphoné, ma mère me demandait pourquoi je ne rentrais pas à la maison, dit Isabelle.

— Que lui as-tu répondu ? demanda Jacqueline, assise en tailleur sur le lit en tapant sur le matelas. Viens t'asseoir.

— Ouais, tu as piètre allure, dit Charisma, qui semblait avoir adopté le rôle de celle qui manquait de délicatesse dans leur petit groupe. Elle y excellait.

— Je lui ai répondu que j'avais accepté de faire partie de l'organisation et que je ne pouvais pas vous abandonner parce que les temps sont durs.

Isabelle se leva et s'installa à la tête du lit, réarrangea les cousins derrière elle, puis s'adossa, les pieds hors du lit et les chevilles croisées.

— C'est la seule façon de parler à ma mère. Si je lui avais dit que je ne pouvais pas partir parce que je serais pourchassée par les Autres, elle aurait eu peur. Lui dire que j'étais obligée est plus compréhensible pour elle. Noblesse oblige[2], et tout et tout.

— Elle pense réellement comme ça? demanda Charisma, qui se laissa choir au pied du lit sur le côté en appuyant sa tête dans sa main.

— Eh oui, dit Isabelle, dont la voix se fit soupirante. La famille de ma mère a débarqué à Plymouth Rock, et depuis, les hommes sont des meneurs, et les femmes demeurent invisibles et invincibles.

— Tu me fais marcher, dit Charisma, les yeux écarquillés. C'est tellement archaïque!

— Je sais, mais elle a bon cœur, elle accomplit tant de choses de cette façon. Elle tire les ficelles et siège à de nombreux comités. Tout le monde à Boston fait ce qu'elle demande, sinon...

— Tu fais aussi ce qu'elle demande? questionna Jacqueline.

— Plus que quiconque. Jamais en pensée, en mot ou en action n'a-t-elle suggéré que je lui devais quoi que ce soit pour m'avoir adoptée, ce qui lui garantit mon entière dévotion. Et je sais qu'elle déteste mon don, ça la gêne parce que

---

2. En français dans l'original.

ce n'est pas… normal. Alors, je ne les utilise pas beaucoup, sourit Isabelle d'un petit sourire.

Charisma s'assit.

— Mais tu devrais tout de même pouvoir faire ce que tu veux ! De ta vie, je veux dire.

— Je suis passée de présidente de mon association d'étudiantes à présidente de son organisation caritative pré-férée. Je suis fiancée à un homme qu'elle a suggéré. Je deviendrai l'une des plus grandes hôtesses de Washington. J'ai fait tout ça pour que le jour où j'aurai vraiment envie de faire quelque chose, je puisse le faire sans me sentir cou-pable. Voilà pourquoi je suis ici.

— Bravo, ma chère, dit Charisma en levant le pouce.

— Nous verrons bien. L'autre fois où je me suis rebellée, ça a mal tourné. Et ce n'était pas la faute de ma mère, c'était…

Le sang-froid d'Isabelle s'estompa, et elle ricana :

— Hé, hé.

Charisma écarquilla les yeux.

— Hou là ! Je n'ai jamais entendu personne rire comme ça.

Les pommettes pâles d'Isabelle prirent une surprenante couleur.

— Désolée. Je suis là à parler de moi tandis que Jacqueline est sous le choc. Elle est blessée et a probable-ment subi une perte douloureuse.

Jacqueline en déduisit qu'Isabelle n'avait plus envie de parler de sa mère. Et Jacqueline n'avait même pas envie de penser à sa mère, mais cela semblait inévitable. Chaque fois qu'un silence s'imposait, l'indignation lui montait à la gorge.

— Zusane partait toujours avec ses amants et ses maris. J'aurais dû comprendre plus rapidement que l'un d'eux finirait par la tuer.

— Ce n'était pas vraiment de sa faute, souligna Charisma.

Bien sûr que ce l'était. Toutefois, Jacqueline n'était toujours pas prête à parler de l'homme aux yeux bleus enflammés.

— De toute façon, j'imagine qu'il est aussi mort qu'elle, dit Charisma en se mordant les lèvres de sa trop grande franchise.

Isabelle émit un bruit d'avertissement.

Jacqueline se souciait peu de sa franchise. Elle était toujours en colère.

— Elle n'avait pas à le suivre, à nous abandonner ainsi dans la station de métro juste après avoir *vu* que l'Agence de voyages Gitane était partie en fumée et qu'il y avait de fortes chances que nous soyons les prochains. Je veux dire, quelle négligence et quel manque de considération de sa part! On aurait dit qu'elle l'avait fait exprès…

Jacqueline s'interrompit, comme si cette pensée avait fait son chemin jusqu'à son cerveau.

— Bon, si ça peut te faire du bien, dit Charisma, en se réinstallant dans le lit, sur le dos, les yeux rivés au plafond, ma mère est aussi négligente que n'importe qui. Elle a épousé son mari sans réfléchir, puis a décidé de m'adopter sans réfléchir. Elle a vendu la maison sans réfléchir alors qu'il était au boulot, et lorsqu'il a fait objection, elle a demandé le divorce, puis nous avons pris la route toutes les deux. J'ai vécu sur la côte ouest, dans les îles du Pacifique comme Hawaii, Tahiti, Yap…

— Yap ? demanda Isabelle.

— Fais-moi confiance, ça existe. Une année, elle a décidé que nous allions vivre à la dure, en Alaska, en hiver. Nous étions presque mortes avant qu'on nous transporte par avion.

— Bon, tu remportes le concours de la mère la plus cinglée, lui dit Jacqueline, repoussant l'idée que Zusane ait décidé de rejoindre délibérément son amant pour une quelconque raison…

— Je gagne toujours, répondit Charisma, qui semblait accablée pour la première fois depuis que Jacqueline avait fait sa connaissance. Le problème est venu lorsque j'ai atteint la puberté et qu'elle s'est rendu compte que j'avais un don. Avez-vous déjà vu la comédie musicale *Gypsy* ?

— Oh, non, dit Jacqueline, qui, ayant vu le film, comprit tout de suite et sympathisa avec Charisma.

— Je ne l'ai pas vu, dit Isabelle dont le regard se portait de l'une à l'autre.

Charisma fit un geste magistral en direction de Jacqueline.

Jacqueline lui expliqua.

— Dans la pièce, la mère a deux filles. Lorsqu'elle se rend compte que l'une d'elles a un don, pas notre genre de don, plutôt comme chanter ou danser, la mère décide qu'elles allaient se lancer dans le spectacle, et elle insiste, pousse, force et manipule tout au long du film.

— La mère qui en fait trop, quoi, dit Isabelle.

— C'est tout à fait ma mère, acquiesça Charisma. L'été, nous faisions toutes les foires du Nord-Ouest Pacifique et de la Californie. Nous installions un kiosque et vendions des cristaux que j'avais bénis. Elle disait *bénis*. Je considérais qu'il était plutôt question d'alignement des molécules. Lorsque les clients se rendaient compte que ça fonctionnait…

— Comment cela fonctionnait-il ? demanda Isabelle.

— Je peux aligner un cristal pour protéger du mal ou de la maladie, ou améliorer la santé ou l'esprit.

— Wow, s'exclama Jacqueline qui n'avait jamais entendu parler d'un tel don.

En dépit de l'absence de maquillage, le crayon noir de Charisma était toujours intact, alors Jacqueline présuma qu'il s'agissait d'un tatouage. Ses lèvres étaient rouges, elles avaient donc été tatouées également. Les mèches mauves dans ses cheveux étaient plus étincelantes que jamais, et une petite rose grimpante tatouée sortait de son t-shirt pour éclore derrière l'oreille gauche.

Charisma était différente de Jacqueline et d'Isabelle, et en même temps, lorsqu'elle parlait de sa mère, elle était on ne peut plus normale.

— En fait, dit Charisma en retirant ses bracelets, je veux que vous portiez chacune l'un d'eux jusqu'à ce que nous ayons une idée des problèmes auxquels nous sommes confrontés. Ils sont à moi, alors ils ne sont pas alignés sur mesure pour vous, mais ils sont plutôt bien équilibrés.

— Et toi ? questionna Isabelle en laissant Charisma en mettre un autour de son bras.

Charisma secoua les deux poignets, leur montrant un autre jeu de bracelets et des marques en dessous.

— Puisque j'ignorais dans quoi je m'embarquais, j'en ai apporté plus que nécessaire.

— Tu es une bonne amie, dit Jacqueline en examinant le bijou tandis que Charisma l'enroulait autour de son bras.

La chaîne était en argent, les breloques des pierres de différentes couleurs encerclées de cages argentées. Cela n'avait rien d'un bracelet puissant, mais Jacqueline n'allait pas être méprisante. Pas ici. Pas maintenant. Pas après tout ce qu'elle avait vécu aujourd'hui.

— Alors, ta mère te considérait comme une bête de foire?

— Plus encore. Elle désirait tenir boutique et que j'en sois l'attrait principal. Elle voulait que je me déguise en gitane, ce que je ne suis pas, et faire croire que j'avais des dons de voyance, ce qui n'est pas le cas, et faire fortune en trompant les personnes désespérées en leur donnant de faux espoirs.

Pour la première fois, Jacqueline entendit Charisma moins comme une jeune fille enthousiaste que comme une femme dont la maturité difficilement gagnée lui avait coûté cher.

— Donc, j'ai quitté la maison pour aller à l'université. Je n'ai pas dit à ma mère où j'étais pendant deux ans, poursuivit-elle.

— T'a-t-elle laissé tranquille? demanda Isabelle.

— Ouais. En fin de compte. Lorsque je suis allée travailler dans un laboratoire qui faisait des tests sur les sols. Elle considérait ça… comme terre à terre.

— Ça semble concret, dit Jacqueline.

Le visage de Charisma s'éclaira.

— C'est fascinant. J'adore les sciences de la Terre.

— Je n'y connais rien en science, dit Isabelle en se frottant la gorge, mais dis-moi si j'ai tort, Jacqueline, mais cette fumée était vraiment bizarre.

Jacqueline figea sur place.

Lentement, Charisma se redressa.

— Je ne suis pas folle. Je sais que tu ne pouvais pas me prévenir, mais… était-elle enchantée ? demanda Isabelle. Parce que j'ai cru que j'allais mourir de l'avoir inhalée.

Jacqueline acquiesça avec raideur, craignant d'en dire trop.

— Ce n'est pas par accident que l'avion de ma mère s'est écrasé, et je crois que tout a été orchestré pour s'assurer que l'écrasement lui soit fatal… à elle.

— Il s'agit donc d'un meurtre, dans le cadre du complot des Autres pour nous anéantir, dit Charisma, dont le visage parut étrangement grave.

— Plus particulièrement pour détruire Jacqueline, selon Irving. Tuer notre médium serait un préjudice irréparable. Ce doit être leur objectif principal, à l'heure actuelle, dit Isabelle en se touchant la gorge et la poitrine. Aujourd'hui, ils ont failli réussir.

» C'est étrange. Toute ma vie, j'ai affirmé ne pas vouloir être médium, babilla Jacqueline, qui semblait être sous l'effet de l'analgésique.

— Je ne te le reproche pas. C'était une vision plutôt horrible que tu as eue, dit Charisma.

— Maintenant, cependant, j'ai peur que la marque de l'œil ait été touchée, dit Jacqueline en regardant fixement le bandage de gaze blanc autour de sa main, et que cela ait aussi affecté mon don, m'empêchant ainsi d'être médium. Je me sens… simplement… perdue. Est-ce idiot ?

— Peut-être est-il question de choix, suggéra Isabelle.

Jacqueline se retourna face aux deux autres.

— Ou peut-être Irving a-t-il raison, je peux occuper différents emplois, mais médium est qui je *suis*. Je crains que ce ne soit la vérité, alors si mes dons de voyance ont disparu, qui suis-je ?

— Quelle pensée profonde ! dit Charisma, ébahie. Je ne peux pas t'aider pour trouver une réponse, mais cette expérience de mort imminente met les choses en perspective, n'est-ce pas ?

— J'imagine que oui. Je suis désolée de vous confier tout ça, mais qui d'autre pourrait me comprendre ?

— Tu veux dire qui d'autres que des phénomènes comme nous pourrait te comprendre ? ajouta Charisma, en se glissant au milieu du lit et en ouvrant les bras.

Jacqueline et Isabelle se blottirent contre elle, et les trois restèrent dans cette étreinte pendant un certain temps des plus réconfortants.

On frappa à la porte.

Les trois femmes sursautèrent, préoccupées. Puis, elles se moquèrent d'elles-mêmes.

— Entrez, dit Jacqueline.

Martha ouvrit la porte et entra avec un plateau de canapés, sans croûte, avec des olives et des cornichons. Elle regarda les trois femmes assises ensemble, et Jacqueline n'en était pas certaine, mais elle sembla déceler un regard approbateur derrière son air revêche.

— De la nourriture pour filles, applaudit Isabelle.

— Oui ! approuva Charisma, les poings serrés.

— Merci, Martha, dirent-elles à l'unisson.

Martha posa le plateau sur la commode. Se tortillant les mains dans son tablier, elle regarda Jacqueline, de son regard noir posé et calme.

Jacqueline attendait ce moment depuis le début de la soirée. Cependant, bien que sa vision lui ait montré la vérité, bien qu'elle sache, elle n'était toujours pas prête. Se levant, elle se concentra sur sa respiration, tentant de saisir la finalité de la situation.

— Y a-t-il des nouvelles ?

Isabelle posa une main solidaire sur le bras de Jacqueline. Charisma s'approcha de manière protectrice

— Oui, mademoiselle. Il y a des nouvelles d'un écrasement d'avion sur la côte turque.

Chaque mot sortant de la bouche de Martha sonnait l'alarme.

— Alors, je dois téléphoner aux autorités, dit Jacqueline d'une voix calme qui ne semblait pas être la sienne.

— Désirez-vous téléphoner d'ici ? Ou bien préfériez-vous l'intimité de la bibliothèque ?

Chapitre 25

Pour la deuxième fois, ce jour-là, Caleb se rendit au grenier, mais cette fois en montant lentement les marches.

La première fois, il était monté au pas de course, guidé par les cris inhumains de Jacqueline. Il l'avait trouvée se tordant sur le sol, combattant quelque chose de terrible, quelque chose qui la grugeait littéralement. Elle tombait en chute libre d'un avion, si on en croyait ses dires.

S'arrêtant, il tenta de nouveau de joindre Zusane sur son téléphone cellulaire. Et de nouveau, il tomba sur sa messagerie vocale.

Il porta la main à son front. Évidemment. Il l'avait laissée seule vingt-quatre heures, et elle avait disparu.

À jamais ?

Si on en croyait Jacqueline, c'était bien le cas.

Les désastres se suivaient. Les Élus étaient inexpérimentés et ahuris. Caleb n'était pas certain en qui il pouvait avoir confiance ou non — pour l'instant, il se demandait si Irving avait envoyé Jacqueline au grenier pour avoir une vision dans le but de la tuer et de se débarrasser de Zusane du même coup. De plus, la scène du crime avait été contaminée par tout un chacun. Parce que même s'il travaillait pour un médium, il n'était pas convaincu que les blessures de Jacqueline étaient le résultat d'une expérience psychique quelconque.

Ouais, il était du type méfiant.

Debout au centre de la pièce, il enfila ses gants de latex et regarda attentivement autour de lui. La pièce était vaste, vide, et le soleil d'après-midi filtrait par les fenêtres. La poussière sur le plancher n'avait pas été dérangée depuis des mois — jusqu'à aujourd'hui. Maintenant, il y avait des dizaines de traces de pas dans la poussière qui couvrait le plancher, principalement menant à l'endroit au centre de la pièce où la boule de cristal était tombée et avait fracassé l'une des planches de bois du plancher, ce qui était plutôt étrange. Un jeu de traces menait à la porte à l'autre extrémité de la pièce. Des traces de pas de femme, menant à la porte et en revenant. Donc, les empreintes de Jacqueline.

Il les suivit jusqu'à la porte et l'ouvrit. La pièce était identique à la première, sauf qu'un seul jeu d'empreintes avait traversé la poussière — pour aller jusqu'à l'autre porte. De grandes traces de pas. Celles d'un homme. Caleb s'agenouilla à côté d'une empreinte pour l'examiner, se penchant vers l'arrière, puis vers l'avant, se servant de l'ombre et de la lumière pour se faire une idée du type de semelle qui avait laissé une telle empreinte.

Pas de trace particulière. Donc, un mocassin ou un soulier chic.

Il s'assit. Hum, intéressant. Avec un avocat, un guérisseur, un voleur de haut niveau, un domestique gentilhomme, et Irving dans la maison, il n'avait éliminé qu'un seul homme — l'étudiant en chaussures de sport.

Il suivit les traces jusqu'au mur opposé et ouvrit la porte. Les traces menaient à un escalier. Hum, peut-être quelqu'un était-il monté en courant de la cuisine après avoir entendu les cris de Jacqueline. Ou peut-être que quelqu'un était monté en douce alors qu'elle avait sa vision et l'avait battue de la sorte.

Il regarda dans les placards de chaque pièce. Rien. Il retourna alors à la boule de cristal et au plancher brisé. Il ramassa les morceaux de bois brisés et découvrit, à son grand étonnement, qu'aucun n'était taché de sang.

Donc, Jacqueline avait-elle *réellement* blessé sa main sur une bouteille de verre brisée dans un jet quelque part au-dessus de l'Europe ?

Brièvement, il ferma les yeux et se concentra sur l'idée de Jacqueline entrant dans une vision et emportée dans un avion en flammes… Il ouvrit les yeux et scruta froidement la pièce vide.

De toutes ses années auprès de Zusane, il ne l'avait jamais vue être emportée par une vision. Selon ce qu'il en savait, les visions ressemblaient à des films qui jouaient dans l'esprit de Zusane, chargés émotivement en fonction des événements, mais ne la touchant jamais physiquement. Toutefois, elle avait bien dit que Jacqueline avait le potentiel d'être le plus grand médium de tous les temps. Savait-elle que Jacqueline pouvait être blessée par ce qu'elle verrait ?

Il connaissait Jacqueline mieux que quiconque. Il l'avait vu combattre pour éviter de devenir ce qu'était sa mère, ce que désirait sa mère. Il avait vu son âme être torturée entre ce qu'elle voulait être et ce qu'elle était. Et il voulait pour elle qu'elle réconcilie finalement ses différentes parts d'elle-même, qu'elle suive son destin — qu'elle grandisse — parce qu'autrement, elle ne serait jamais heureuse.

Sa résistance était-elle plus que ce qu'il en savait ? Savait-elle qu'elle pouvait être blessée ? L'avait-il poussé vers quelque chose qui pourrait lui coûter la vie ?

Était-il vraiment le sombre imbécile qu'elle l'accusait d'être ?

Comment pouvait-il être suffisant, alors qu'il ne pouvait accomplir son travail assez bien pour comprendre que quelqu'un était allé vers Jacqueline alors qu'elle était en transe pour la blesser ?

Du bout des doigts, il ramassa la boule de cristal. Elle était lourde pour sa taille —, mais pas assez pour fracasser le plancher. Elle était lisse, chaude et superbe, avec des couleurs qui dansaient à sa surface en attirant son regard en son cœur. Comme si elle attendait son toucher, une image se dessina à sa surface — une empreinte se forma, d'une blancheur opaque, avec de longs doigts et une vaste paume. Une main d'homme.

Dans un gant de latex ?

Peut-être.

Et de l'autre côté, une petite tache rouge — du sang ? — se matérialisa et explosa brutalement, comme si la boule avait été utilisée en tant qu'arme pour extraire Jacqueline de sa vision. Et la tuer ?

Tandis qu'il regardait fixement, l'empreinte et la trace de sang disparurent.

Ce fut tout. La fin du spectacle. L'image rétrécit au cœur de la boule et disparut. Les couleurs revinrent valser à la surface du globe.

Il avait la conviction qu'il tenait l'objet avec lequel on avait frappé Jacqueline à la tête, et que l'auteur du crime était un homme.

Pas McKenna ; les mains du Celte étaient larges, mais trapues. Pas Aleksandr, si on se fiait aux traces de pas. Oh, et la main brûlée et ruinée d'Aleksandr rendait le crime impossible.

Toutefois, tous les autres hommes de la maison étaient des suspects.

Assis dans le grenier, Caleb était confronté à de dures réalités. Il avait passé sa vie au service de Zusane, et ainsi de l'Agence de voyages Gitane. Il avait foi en eux, en leur mission, et lui, qui avait été témoin du côté obscur de la vie, savait très bien ce qui pouvait se passer maintenant que l'avenir de tant de travail acharné dépendait de sept Élus doués inexpérimentés et divisés. Ils avaient désespérément besoin d'un médium.

Toutefois, pour l'instant, il était convaincu qu'Irving et les Élus, et le reste du monde tant qu'à y être, pouvaient se fier à Tyler Settles. Parce que Caleb n'était pas sur le point de laisser Jacqueline risquer sa vie dans le but de devenir la meilleure.

Caleb redescendit dans la chambre qu'il partageait avec Jacqueline, et s'arrêta net.

Isabelle et Charisma étaient debout, immobiles, dans la chambre à attendre quelque chose.

En le voyant, Isabelle dit :

— Elle est à la bibliothèque, au téléphone avec les autorités turques.

Il se retourna et descendit l'escalier. La porte de la bibliothèque était fermée. Il écouta à la porte, sans rien entendre. Il tourna la poignée de la porte et la poussa pour entrer dans la pièce.

Jacqueline était assise au bureau près du téléphone, les mains sur les cuisses, à regarder fixement par la fenêtre dans le jardin entouré d'un mur de pierres. Son expression était songeuse, absente.

Il sut sans l'ombre d'un doute qu'elle avait appris officiellement la nouvelle.

— Jacqueline?

Elle tourna la tête, gracieusement, et d'un ton surnaturellement calme, elle dit :

— J'ai téléphoné. L'avion s'est écrasé… j'ai de la difficulté avec le décalage horaire, mais je crois que c'est ce soir, là-bas, à l'heure actuelle… et les débris sont répandus le long de la côte et dans l'eau. Ils ont trouvé le corps de Zusane sur la plage.

Caleb se dirigea vers Jacqueline et s'agenouilla devant elle, lui prit les mains et les frictionna.

— Je suis désolée, dit-elle, en passant la main dans les cheveux courts de Caleb, ses beaux yeux écarquillés, secs et terribles. Je sais que vous étiez très près l'un de l'autre.

Se relevant, il la prit dans ses bras, puis s'assit sur la chaise et l'étreignit étroitement.

Elle se mit à trembler, mais parla tout de même d'une voix abstraite.

— Il y avait un survivant.

— Tu blagues, dit-il, étonné.

Mais ce n'était pas le cas.

— Qui?

— Le propriétaire de l'avion. Son nouvel amant. Il s'en est sorti vivant. Sais-tu qui il est? L'as-tu déjà rencontré? demanda-t-elle en mettant son bras autour des épaules de Caleb.

— Non, à tes deux questions. Cette histoire est arrivée trop vite, et elle était plutôt secrète… Pourquoi? dit-il, sachant déjà qu'il n'allait pas aimer la réponse.

— Son nom est Osgood.

— Merde, dit-il.

Il n'aimait pas ça.

— Alors, tu sais qui il est.

— Il est célèbre dans l'univers malfamé, ou plutôt tristement célèbre. Personne ne sait de quoi il a l'air, mais il possède la moitié de la ville de New York, et les rumeurs à son sujet sont épouvantables. On dit qu'il torture et tue les gens qui lui doivent de l'argent — ou qui il veut — qu'il a la mainmise sur le milieu politique sur la côte est, qu'il trempe dans le trafic de cigares, d'alcool, de drogue, de produits électroniques, que tout le monde, même les gens du crime organisé lui versent de l'argent contre protection.

Caleb étreignit Jacqueline plus étroitement et lui demanda :

— L'as-tu vu dans l'avion?

— Oui.

— T'a-t-il vue?

— Oui, dit-elle en se recroquevillant tout contre Caleb. Je l'ai vu, et il m'a vue. Il m'a parlé… avec cette voix. Et j'ai vu ses yeux.

Caleb sut qu'il ne voulait pas entendre la suite.

— Qu'ont-ils, ses yeux ?

— Dans son regard, il y a une flamme bleue. Caleb, Osgood est exactement tout ce que tu dis, et pire encore. Il a laissé entrer le diable dans son âme. À cause d'Osgood, le diable était à bord de l'avion, et le diable a échappé à l'écrasement.

Chapitre 26

Jacqueline se réveilla au son des coups frappés à la porte de la chambre. Les souvenirs de la veille se bousculèrent. Pendant un instant, elle s'agrippa à Caleb, et il lui caressa la tête.

— Ça va ? murmura-t-il.

— Oui, répondit-elle.

Sauf que sa mère était morte, et que Jacqueline ne ressentait que de la colère. Et qu'elle entendait quelque chose goutter, doucement, constamment, comme le supplice chinois de la goutte d'eau. Et elle avait peur. Peur comme jamais auparavant.

Mais elle savait que Caleb avait également peur. Hier soir, lorsqu'elle lui avait parlé du diable, elle l'avait vu dans son regard. D'une certaine façon, savoir qu'il la croyait, et qu'il comprenait l'implication du diable dans leurs affaires, elle se sentait plus… brave. Plus apte.

Parce que peu importe ce qu'il ressentait, Caleb faisait ce qui devait être fait, et elle devrait faire de même.

Elle l'observa sortir du lit, se diriger vers la porte et demander :

— Qui est-ce ?

— C'est Tyler Settles.

Le son de la voix réconfortante de Tyler rassura Jacqueline, et Caleb devait avoir ressenti la même chose, puisqu'il entrouvrit la porte.

— Oui ?

— C'est simplement pour vous avertir que nous avons décidé de tenir notre première rencontre officielle des Élus ce matin, à neuf heures, à la bibliothèque.

— Parfait. Nous y serons, dit Caleb en refermant la porte et en se retournant vers Jacqueline. Tu es assez en forme pour ça ?

— Bien sûr, dit-elle en rejetant les couvertures. Devrions-nous prévenir Irving ?

— À propos d'Osgood ?

Caleb l'observa avec une chaleureuse appréciation, comme s'il la trouvait jolie dans cette chemise de nuit blanche trop courte et trop grande et le bracelet à breloques que lui avait offert Charisma.

— Pourquoi ne lui en as-tu pas déjà parlé ?

Elle haussa les épaules, mal à l'aise.

— Parce que… parce que… ce n'est pas gentil à dire, mais je ne fais pas entièrement confiance à Irving.

— Je ne sais pas si je lui fais entièrement confiance non plus.

Les sentiments de Caleb la surprirent, et la réconfortèrent.

— Je déteste ce sentiment, explosa-t-elle. Mais j'ignore en qui je peux avoir confiance.

— Sauf moi.

Étonnée, elle le regarda.

— J'ai toujours eu confiance en toi, dit-elle en refermant la porte de la salle de bain sur son demi-sourire.

Grâce à Caleb, elle avait des vêtements propres à porter, ce qui était plus que ce que pouvaient affirmer les autres femmes. Elle prit une douche, s'habilla et fut prête en une quinzaine de minutes. Il en fallut cinq à Caleb. Ses gants avaient retrouvé leur propriétaire grâce à la gestion maladive de McKenna. Tandis que Caleb était dans la salle de bain, elle enfila délicatement le droit sur son bandage, puis enfila aisément l'autre. Les gants lui donnaient un sentiment de sécurité, le fait de savoir que ses mains, le tatouage et sa blessure étaient protégés. Aujourd'hui, plus que jamais, c'était un sentiment qu'elle appréciait.

Elle avait le même sentiment à l'endroit du bracelet que lui avait offert Charisma. Elle l'avait enfilé non pas parce qu'elle sentait que les pierres la protégeraient, mais parce que son amie le lui avait offert. L'amitié offrait protection en elle-même.

Ensemble, Caleb et Jacqueline descendirent à la salle à manger. Ils se prirent à manger au buffet et se dirigèrent vers la bibliothèque.

— Ah, les amoureux, dit Irving, sur un ton désapprobateur.

Jacqueline ne se préoccupait pas du fait que tous croyaient qu'ils formaient un couple. Elle ne se préoccupait pas du tout de ce que pensait Irving. Ses soupçons à propos d'Irving jetaient une ombre sur tout ce qu'elle voyait, touchait ou entendait. C'était une piètre façon de vivre, mais pour l'instant, elle était coincée.

Peut-être la réunion s'avérerait-elle utile ?

Les Élus arrangeaient des chaises en cercle devant la fenêtre, en discutant à bâtons rompus de la météo, du confort de leurs lits, du poids qu'ils avaient pris en raison de la bonne chère. Irving était déjà assis. Martha et McKenna s'affairaient, remplissant les tasses de café ou offrant du thé et du jus.

Caleb se tenait seul au milieu de la pièce, à tout observer.

Jacqueline accepta une tasse de café, gentiment, et laissa Tyler installer une chaise pour elle.

Il lui toucha l'épaule.

— Comment va ta main?

Elle jeta un regard à son gant de cuir.

— Bien, mais un peu sensible.

Très sensible, en fait, mais elle refusait de prendre d'autres analgésiques. Elle croyait qu'aujourd'hui elle aurait vraiment besoin de toute sa tête.

Une petite table ronde antique en acajou ornée de gravures chinoises sur le dessus et sur les pieds était placée à côté d'Irving. Cette satanée boule de cristal était posée sur sa base en bois sculpté. En s'assoyant, le globe attira inévitablement son regard, l'attirant par sa dense couleur à sa surface et la complexité des visions qui s'y cachaient. Le bruit de gouttes d'eau se fit de plus en plus présent dans sa tête.

Quelqu'un lui parla à l'oreille, la prenant par surprise.

«S'il s'en occupe, il va mourir. S'il s'en occupe, il va mourir.»

Elle sursauta, puis regarda autour d'elle.

Près d'elle, McKenna remplissait la tasse de café de Charisma.

— Qu'as-tu dit? lui demanda Jacqueline.

McKenna jeta un coup d'œil derrière lui, puis reposa son regard sur elle.

— Je n'ai rien dit, mademoiselle.

— Alors, qu'as-tu entendu ?

McKenna et Charisma jetèrent un regard étrange à Jacqueline, et McKenna dit :

— Entendu quoi, mademoiselle ?

— Rien.

Simplement des gouttes d'eau et une voix désincarnée.

— J'ai cru entendre… J'imagine que mes oreilles me jouent des tours à la suite de la commotion.

Fouillant la pièce, elle vit un châle en soie posé sur le dossier d'un fauteuil. Avec une désinvolture composée, elle se leva, se dirigea vers le fauteuil, prit le châle et le secoua, avant de le placer sur la boule de cristal pour la mettre hors de vue.

Retournant vers sa place, elle découvrit que tous les regards étaient posés sur elle.

Elle sourit avec une insouciance désinvolte, et s'assit.

Si elle faisait preuve de plus de circonspection, les hommes en blouse blanche viendraient sûrement la cueillir.

— Est-ce que tout le monde peut s'installer, s'il vous plaît, que nous puissions commencer ? dit Tyler en désignant le cercle.

Ce fut l'habituel branle-bas accompagné de toux, puis tout le monde le regarda avec expectative.

— J'ai convoqué cette réunion parce que je ne crois pas que nous obtiendrons quoi que ce soit en restant là à attendre que le destin nous tombe dessus, dit-il.

Jacqueline n'eut pas besoin de don pour comprendre que Tyler avait pris la tête du groupe.

Caleb l'interrompit.

— Où est Samuel ?

Elle n'eut pas non plus besoin d'une boule de cristal pour comprendre que Caleb contestait le leadership de Tyler.

— Hier, après la vision de Jacqueline, il a quitté la maison, soupira bruyamment Irving.

— Il n'est pas rentré ? demanda Caleb.

— Il n'est pas rentré, confirma Irving.

Pendant un instant, l'angoisse marqua le visage d'Isabelle. Puis, son expression se radoucit, et elle fut de nouveau sereine.

— Zut, je vais aller fouiller sa chambre, dit Caleb, fronçant les sourcils en direction de Jacqueline.

Elle acquiesça. Tout irait bien, ici, avec les autres.

Caleb sortit.

Tyler attendit que Caleb soit parti, puis frappa la table de ses jointures pour rappeler les autres à l'ordre.

Pour sa part, Jacqueline ne croyait pas qu'il tiendrait longtemps.

Tyler dit :

— Sauf le respect que je dois à Caleb, qui fait de son mieux, et à Irving, qui est retraité, il me semble que de rester tapis dans cette maison est contre-productif. Si les Autres ignorent que nous sommes en vie, il serait préférable de sortir et de passer à l'action afin de contrer leur plan diabolique avant qu'ils n'aient l'occasion de le mener à bien.

— Leur plan diabolique ? dit Aaron en fronçant les sourcils. Voilà comment on le nomme ?

— Sauf votre respect, Monsieur Settles, vous êtes un guérisseur. Qu'est-ce qui fait de vous un spécialiste de la situation? demanda Irving, qui n'avait de toute évidence pas apprécié l'étiquette de retraité.

— J'ai dirigé une vaste société grâce à mon talent, Monsieur Shea, et personne n'a mis mon autorité en doute, répliqua Tyler, de toute évidence blessé par la question.

— Ma famille m'a conseillé de suivre les directives d'Irving, et en matière d'Élus, c'est lui l'expert, dit Aleksandr, qui malgré sa jeunesse parlait comme un homme sûr de lui.

— Mais tu es un étudiant, dit Tyler.

— *Exactement.* Voilà pourquoi j'écoute ce que dit ma *famille*, répondit Aleksandr, qui n'allait pas se laisser embêter par qui que ce soit.

— Et qu'en pense Jacqueline? demanda Charisma. Elle est notre médium. Elle a démontré ses compétences.

Sur ce, tout le monde se mit à parler en même temps. À débattre. À tenter de faire valoir son opinion.

Le regard de Jacqueline alla frénétiquement de l'un à l'autre.

— Gardons notre calme. Voilà exactement le genre de chaos souhaité par les Autres.

Personne n'écoutait.

Puis, elle remarqua Tyler. Comme si quelque chose l'attirait vers la boule de cristal, il se pencha vers elle, puis d'un geste théâtral retira le châle de soie.

Le globe brillait de couleurs qui valsaient à sa surface, et il regarda fixement en son cœur. Il tendit les mains pour prendre la boule, puis s'immobilisa.

Un à un, les Élus s'en rendirent compte et se turent.

— Une vision? murmura Charisma à Jacqueline.

— Je l'ignore, répondit Jacqueline à voix basse, ça ne ressemble pas à celles de ma mère, mais...

Avec un cri surnaturel, Tyler arracha la boule de cristal de sa base et la tint devant lui. Ses bras tremblaient comme si la boule lui pesait. D'un coup, il fut sur pied et dit :

— Il est ici.

Il avait murmuré ces mots, mais ils se répercutèrent dans la pièce comme le tonnerre.

— Il est ici. Il est à New York. Il dirige lui-même les opérations. Il connaît chacune de nos actions avant même qu'elle ne soit posée.

Jacqueline déglutit, la bouche soudainement sèche.

— Qui est ici? demanda calmement Irving, comme s'il avait dirigé de nombreuses visions.

— C'est un homme d'âge mûr, mince et de petite taille. Sans prétention. Mais son âme est purement diabolique, et lorsqu'il vous regarde…

Tyler tourna soudainement la tête pour regarder fixement Jacqueline, puis ajouta :

— Tu l'as vu. Tu l'as vu à bord de l'avion. Il t'a vue, lui aussi. Comment as-tu pu nous cacher l'homme aux yeux bleus enflammés?

Irving sut tout de suite de qui il parlait.

De même que Charisma et Isabelle.

Aleksandr tira sur le col de son t-shirt. Évidemment, considérant ses origines, il savait également de qui il s'agissait.

— Merde, marmonna Aaron, qui de toute évidence avait lu l'histoire des Élus.

Tout le monde se tourna vers Jacqueline, lui jetant des regards accusateurs.

Cependant, elle ne devait d'explication à personne. Certainement pas à un homme en transe.

— Vas-y, Tyler, lui dit-elle sans s'énerver, dis-nous ce que tu vois d'autre.

— Je vois une explosion, dit-il, tenant toujours la boule à bout de bras, lui faisant décrire un cercle. Une explosion plus importante que la précédente ! Une explosion qui éliminera le reste des Élus, ne laissant derrière qu'une légende qui s'estompera rapidement des esprits...

Dans un coin oublié de la pièce, Martha était adossée à un mur. Elle laissa alors échapper un sanglot, puis pressa un poing contre sa bouche.

Fascinée par le drame, Jacqueline se pencha vers l'avant dans son fauteuil.

— Où est cette explosion ?

Tyler s'arrêta et se balança sur ses pieds, le regard perdu. Sa jolie voix devint éraillée et rauque. L'explosion est ici. Avant qu'il ne soit trop tard, nous devons quitter la maison d'Irving Shea.

Il s'effondra sur le vieux tapis fleuri.

La boule de cristal glissa de ses mains, et tout le monde la regarda avec fascination rouler vers Jacqueline et s'arrêter à ses pieds.

Alors, la pièce se remplit de voix cacophoniques.

Une voix se fit plus forte que les autres.

— Taisez-vous !

Chapitre 27

Tout à coup, la bibliothèque fut de nouveau silencieuse, et tout le monde se retourna vers Caleb dans l'embrasure de la porte.

— Que se passe-t-il, ici? demanda-t-il en observant Tyler qui s'efforçait de s'asseoir, Jacqueline qui était blanche de frayeur, Aaron qui semblait furieux, Charisma qui tenait ses bracelets, et Isabelle qui considérait ses collègues d'un air pensif.

Tyler tituba pour se relever et porter la main à sa tête.

— Que s'est-il passé? Qu'ai-je dit?

— Il a eu une vision, dit Isabelle à Caleb. Il affirme que le diable est à New York.

— Je ne crois pas qu'il y avait des doutes à cet effet, répondit Caleb.

Comme s'il l'avait prise par surprise avec une touche d'humour, Isabelle sourit brièvement.

— En effet, mais il parle du véritable diable, celui qui corrompt l'âme des hommes.

Hum, Caleb était bien au courant, de même que Jacqueline.

Mais comment Tyler avait-il découvert ça? Avait-il surpris la conversation de Jacqueline et Caleb?

Non. À moins qu'il ait caché des micros dans chaque pièce de la maison, ce qui est impossible. Caleb considéra Tyler d'un nouveau regard. Peut-être que le type avait vraiment eu une vision.

Isabelle poursuivit.

— Il a également dit que le diable était à bord de l'avion et que Jacqueline l'a vu.

Jacqueline hocha discrètement la tête à l'intention de Caleb.

— Je vois, dit Caleb.

— Alors, c'est vrai? demanda Tyler. Le diable était à bord de l'avion qui s'est écrasé avec Zusane?

— Oui, c'est vrai, répondit Jacqueline.

De toute évidence, elle avait été prise, et elle ne voyait plus de raison de mentir.

— Pourquoi ne pas nous l'avoir dit? Ça fait toute la différence, dit Irving en regardant Aaron.

Il y eut un genre d'échange entre eux, un message que Caleb ne comprit pas... et n'aimait pas quand il ne comprenait pas.

— Oui, Jacqueline, Irving a raison, dit Tyler, d'un ton à la fois persuasif et de reproche. Sachant ce que nous savons maintenant, que le diable tire les ficelles, ça signifie que le danger est plus grand et plus immédiat que nous l'imaginions. Ça signifie que nous devons concevoir notre défense de façon différente.

— Le diable ne tire pas les ficelles, dit patiemment Charisma. Il n'a pas le droit.

— Pardon? dit Tyler en se retournant vers elle.

— Les règles sont plus anciennes même que l'existence des Élus et des Autres. De surcroît, elles sont éternelles. Le diable n'a pas le droit de se mêler directement de la direction du monde. Il peut offrir des récompenses, comme il l'a fait avec les Wilder, les transformant en prédateurs à sa solde. Il peut corrompre les hommes, comme il semble l'avoir fait avec cet Osgood, qui est sorti vivant de l'écrasement de l'avion, et nous savons maintenant pourquoi. Toutefois, il n'a pas le droit de venir ici et de poser une bombe chez Irving pour tout faire exploser. Il n'a pas le droit, répéta-t-elle. Il ne tire pas les ficelles.

— Je crois que ce n'est pas aussi simple que tu l'imagines, rougit Tyler.

— Je crois qu'il a raison, dit Aaron. Selon *À l'aube du monde : une histoire des Élus*, l'apparence de possession par le démon indique de nouveaux et terribles problèmes pour l'univers.

— À quoi rime cette histoire du diable qui ferait exploser cette maison? demanda Tyler.

Avec une autorité que Caleb admira, Isabelle prit la parole, leur fournissant les détails de la vision de Tyler. Elle termina par :

— La question que, je suis persuadée, nous nous posons tous maintenant est à savoir si la prophétie de Tyler est correcte, et le cas échéant, quand cela se produira-t-il? Devrions-nous quitter la maison aujourd'hui, ou bien enquêter davantage?

— Mes visions ne sont jamais fausses, dit Tyler.

— C'est peut-être vrai, Tyler, mais je n'ai jamais vu un médium confirmer une date d'événement précise, répliqua Irving. Peut-être devrions-nous demander à Caleb s'il a trouvé quelque chose dans la chambre de Samuel?

— Il n'y a rien, commenta Caleb. Rien n'indique qu'il l'ait occupé non plus. Il a pris ses vêtements, sa brosse à dents, tout.

Isabelle baissa les yeux vers ses mains.

Caleb n'aimait pas avoir à le demander, mais il n'avait pas le choix.

— T'a-t-il dit quelque chose, Isabelle ?

Isabelle releva la tête pour croiser le regard de Caleb.

— Je ne l'ai pas vu depuis le grenier.

— Si c'est lui qui a activé une bombe, il avait raison de tout emporter, dit Tyler.

— Un argument de poids, Monsieur Settles, mais je ne quitterai pas ma maison, dit Irving en les regardant tous. Je comprends si vous avez envie de fuir, mais s'il vous plaît, soyez prudent à l'extérieur. Ça sent le piège.

— Peut-être Jacqueline pourrait-elle avoir une autre vision ? suggéra Aleksandr. Je veux dire, nous avons deux médiums, aussi bien les mettre à profit.

— Non, je ne… dit Jacqueline en haussant les épaules.

Elle prit sa main blessée dans l'autre main, et quelques gouttes de sueur perlèrent sur son front.

— Je veux dire, je ne peux les appeler à volonté, poursuivit-elle.

Nul besoin d'être clairvoyant pour comprendre qu'elle avait peur d'avoir une autre vision. Elle avait peur d'être blessée de nouveau.

Irving ne s'en souciait guère.

— Pourtant tu as réussi quand tu as essayé, dit-il.

Satané vieillard. Caleb l'aimait de moins en moins, puisqu'il était prêt à sacrifier tout et tous à sa cause.

— Laissons-la se remettre de sa première vision, avant de lui en demander une autre, dit Caleb.

— À situation exceptionnelle, mesure exceptionnelle, et il s'agit d'une situation exceptionnelle, dit Irving en regardant la mâchoire serrée de Caleb. Mais évidemment, nous sommes choyés d'avoir eu droit à une vision de chacun de nos médiums, ajouta-t-il.

Aaron s'éclaircit la voix.

— Permettez-moi de parler de quelque chose que je connais bien.

— Allez-y, Monsieur Eagle, nous apprécions tout conseil, dit Isabelle.

— Je n'ai pas de parents, évidemment, mais j'ai été élevé au sein d'une petite tribu de l'Idaho. Notre réserve était située dans une région pauvre, rude, abrupte et impitoyable de la chaîne Sawtooth, et que ça nous plaise ou non, nous devions travailler pour survivre. Ainsi, d'une manière que vous ne pouvez imaginer, nous avons vécu comme les Amérindiens vivent depuis des milliers d'années. Je me suis lavé dans des ruisseaux glacés tous les matins de mon existence. J'ai appris à pister et à chasser. J'ai appris à sentir le danger approcher, et à me défiler plutôt que de combattre, dit Aaron avec la fierté d'un homme qui fait état de ses compétences.

Dans sa voix, toutefois, Caleb pouvait déceler le tempo d'un discours à l'Amérindienne.

— L'odeur du danger est forte dans cette ville, et je quitterais la maison d'Irving, si j'y sentais le danger. Je ne le sens pas. Je respecte la vision de Tyler comme si elle était mienne, mais je crois que nous devrions rester ensemble et rester ici.

— Tyler, que feras-tu? Ça ne doit pas être facile d'ignorer sa propre vision dit Caleb, qui ne lui en voudrait pas s'il décidait de vouloir partir.

— Je ne me souviens pas de la vision, ce qui la rend plus facile à ignorer, dit Tyler qui céda aisément et fit un sourire charmeur. Je ne peux pas quitter les Élus. Je crois que nous sommes plus forts ensemble que séparés. Toutefois, je ne comprends toujours pas pourquoi Jacqueline ne nous a pas parlé du diable. Ai-je raté ce moment également?

Caleb comprit qu'ils n'allaient pas laisser passer.

— Elle ne voulait pas vous inquiéter.

À ce moment, Jacqueline intervint.

— Parce que je ne comprenais pas ce que ma vision nous apportait d'autre que le fait de savoir plus tôt ce que nous allions apprendre de toute façon.

— Mais c'était un élément important, dit Irving, de découvrir que le diable a trouvé un serviteur pour faire son sale boulot et qu'il le protège... C'est exactement ce que nous tentions de découvrir lorsque...

Il s'arrêta sans terminer sa phrase.

— Lorsque tu as envoyé ma mère le séduire? demanda Jacqueline dont la voix et l'attitude se firent glaciales.

— Pas séduire, protesta faiblement Irving, en toute connaissance de cause. Nous n'avons jamais suggéré à ta mère de faire quelque chose qu'elle ne voulait pas faire.

— Mais vous saviez fort bien qu'elle était attirée par les hommes de pouvoir, dit Jacqueline en se levant.

Caleb avait déjà vu Jacqueline en proie à la passion, à la peur et à l'angoisse. Il ne l'avait jamais vue rouge et tremblante de colère.

Elle avait raison d'être en colère.

— Nous l'avions simplement envoyée surveiller des gens, des hommes, que nous soupçonnions, argumenta faiblement Irving.

— Vous avez gagné le gros lot, cette fois-ci, Irving. Ma mère est morte, mais au moins vous savez que le diable se trouve à New York, dit Jacqueline en se dirigeant vers la porte.

Caleb se tassa de côté pour la laisser passer.

— Viens, Caleb, dit-elle la voix empreinte de mépris. Le reste des Élus peuvent rester avec Irving Shea, s'ils le veulent, mais moi, je m'en vais.

Chapitre 28

Caleb suivit Jacqueline. Il était compatissant, oui. Il comprenait sa rage, oui. Mais même s'il était peu recommandable, son attention était plutôt portée sur sa magnifique stature tandis qu'elle se dirigeait vers la porte d'entrée.

Elle savait comment communiquer son mécontentement, et être resplendissante se faisant. Elle avait appris davantage de Zusane qu'elle ne le croyait.

McKenna s'empressa de se placer devant Jacqueline.

— Mademoiselle Vargha, monsieur Shea n'aurait jamais demandé à mademoiselle Zusane de faire quoi que ce soit qu'il considérait comme dangereux.

— Ne me prend pas pour une imbécile, Devrais-je approuver le fait qu'il envoie ma mère entreprendre une relation avec le diable en personne? dit-elle.

Son mépris s'élargit pour inclure également le domestique d'Irving.

— Il n'en était pas certain, dit McKenna, se rendant bien compte que l'argument ne tenait pas la route.

— Il le *soupçonnait*, dit-elle en se retournant brusquement vers lui. Apparemment, il aimait ma mère. Apparemment, il l'admirait. Cependant, il était prêt à l'envoyer directement en enfer?

— Il aimait et admirait effectivement votre mère, dit McKenna. Comme nous tous.

Elle trembla de fureur.

— Pourtant, tu sais, et moi également, qu'Irving est prêt à tout sacrifier — même une femme qu'il aimait —, s'il croit que cela protégera ses précieux Élus et sa mission.

— Bien, en effet, répondit McKenna, qui frémissait presque de consternation à écouter le cri du cœur de Jacqueline.

— Bon, répondit-elle en se retournant pour se diriger de nouveau vers la porte.

Si seulement elle se rendait compte combien sa colère témoignait de sa relation à sa mère... mais Caleb n'était pas assez idiot pour le lui faire remarquer. Elle devait le comprendre par elle-même. Mais qu'il en avait assez d'attendre !

McKenna se tordit les mains.

— Néanmoins, Mademoiselle Vargha, il n'est pas logique de se lancer dans les rues de New York alors que le danger rôde partout.

— Ça ira. Je serai avec elle, dit Caleb qui n'était pas assez naïf pour tenter de l'arrêter maintenant. Donne-moi l'un des chapeaux d'Irving. Nous lui en ferons un déguisement.

Avant que Jacqueline ne quitte le manoir d'Irving, ses cheveux platine furent dissimulés sous un grand chapeau mou et son visage, caché derrière de larges verres fumés. Ils sortirent rapidement, franchirent deux pâtés de maisons vers le Met, puis montèrent à bord d'un taxi.

Une fois à l'intérieur, elle se tourna vers lui.

— J'avais raison à propos d'Irving. C'est lui le traître.

Caleb détestait devoir être la voix de la raison, mais il dit :

— Pas nécessairement.

— Que veux-tu dire ?

Elle parlait fort. Beaucoup trop fort.

Il posa les doigts sur sa bouche et jeta un regard au chauffeur de taxi asiatique. Il dit doucement :

— Le chauffeur a un accent abominable, mais il pourrait tout autant être un des Autres ou un de leurs employés. Tu le sais très bien.

Elle hocha la tête, pleine de ressentiment parce qu'il avait raison et en colère contre elle-même pour son indiscrétion.

D'une voix à peine audible, il dit :

— Irving a fait des choses méprisables au nom de l'Agence de voyages Gitane, oui, et il considère que la fin justifie les moyens. Toutefois, cela ne signifie pas qu'il a fait exploser l'agence. Tout au contraire, sachant qu'il a approuvé la délégation de Zusane en reconnaissance me fait penser qu'on peut lui faire confiance.

— Tu es cinglé, grommela-t-elle, en s'adossant dans sa banquette, les bras croisés sur la poitrine. Et qu'en est-il de ma mère ?

— J'ai été au service de Zusane pendant des années. Elle était une femme obstinée et fougueuse. Elle avait un côté théâtral. Elle adorait l'intrigue. Ils n'auraient jamais pu la forcer à séduire ces hommes. Alors, je crois que la vérité est qu'elle aimait son travail d'espionne, dit-il.

Il attendit, mais Jacqueline n'éclata pas, ce qui signifie qu'elle était plutôt d'accord.

— Au cercle de craie, après l'explosion, elle m'a ordonné de rester auprès de toi. J'étais plutôt content. J'ai cru que c'était peut-être sa façon de me donner l'autorisation de t'aimer.

Jacqueline tourna la tête vers lui. Son regard était méfiant.

Il poursuivit :

— Toutefois, je me demande maintenant si elle savait à quel point la situation dans laquelle elle se trouvait était dangereuse. Peut-être avait-elle prédit jusqu'à sa propre mort.

— Et elle voulait te l'éviter, dit Jacqueline.

— Oui.

— Elle t'a toujours aimé.

— Oui.

Ils s'arrêtèrent à Times Square pour laisser passer une foule de touristes. Caleb sortit de l'argent de sa poche et le balança au chauffeur.

— Nous descendons ici, dit-il.

En prenant Jacqueline par le bras, il la tira vers l'extérieur, où ils se faufilèrent dans la foule.

Il la bouscula jusqu'à ce qu'ils atteignent une animalerie chic.

— Ici, dit-il.

— Sommes-nous suivis ? demanda-t-elle.

— On ne perd rien à tenter de les semer, qui qu'ils soient.

Surtout, il ne voulait pas que cette femme qui lui parlait dans sa tête les trouve. Son instinct, et la réaction d'Irving, lui indiquaient qu'elle était dangereuse.

— J'ai besoin de biscuits pour chiens et je dois dire… dit-il en se plaçant fermement devant elle, si près que leurs pieds se touchaient, si près qu'elle le regardait dans les yeux et y vit la vérité… Je protégeais ta mère parce que, d'abord et avant tout, je lui devais loyauté, et pour cela elle m'aimait comme un fils.

Lui prenant le bras, il l'attira à lui et l'embrassa une fois, avec vigueur, sur les lèvres. Puis, il la repoussa doucement, replaça le chapeau d'Irving sur sa tête et dit :

— Des biscuits pour chiens.

— Des biscuits pour chiens, répéta Jacqueline, en touchant de ses doigts ses lèvres enflées. Non merci, je n'ai pas faim.

— Je pensais t'amener visiter ma mère. Il vaut mieux amener des gâteries pour les chiens, dit-il, satisfait de sa réaction à retardement.

— Ta mère ?

— Tu as dit que tu aimerais la rencontrer.

— Oui… oui, j'aimerais bien, dit Jacqueline, en baissant les yeux vers son jeans et son t-shirt. Mais je ne suis pas vraiment vêtue pour rencontrer la mère de qui que ce soit. Pas la tienne, en tous cas.

— Maman sait ce qui t'est arrivé. Ce qui nous est arrivé.

Il plongea le bras dans le contenant des biscuits pour nettoyer les dents et en prit deux, puis il saisit quelques biscuits durs. Il les balança tous sur le comptoir et jeta un regard au commis qui s'emmerdait et qui écoutait, de toute évidence.

— N'oublie pas qu'elle ta prêté sa chemise de nuit.

— Oh, ouais. Tu crois que je vais lui plaire ?

Il saisit ses doigts et les embrassa.

— Je sais que tu lui plairas beaucoup.

Chapitre 29

D'une certaine façon, l'opinion de Caleb ne rassura pas Jacqueline. Il était question de sa *mère*. Il l'amenait rencontrer sa *mère*.

D'habitude, quand un homme amène une femme rencontrer sa mère, cela signifie que ses intentions sont sérieuses. Et si elle ne plaisait pas à madame D'Angelo? Et si elle n'aimait pas les femmes de grande taille? Et si Jacqueline disait quelque chose qu'il ne fallait pas?

Oh, ça serait sans doute ça. Et si elle disait quelque chose qu'il ne fallait pas? Elle le faisait presque toujours…

Et à l'intérieur de l'animalerie, il l'avait embrassée d'une façon qui, si elle était du genre à aimer la suffisance, lui ferait croire que ses intentions étaient sérieuses.

Toutefois, elle avait déjà cru à cette idée, deux ans auparavant. Puis, sa mère avait claqué des doigts, et Caleb avait quitté Jacqueline sans regarder en arrière. Par conséquent, Jacqueline n'allait pas se faire de faux espoir, seulement du mauvais sang. Parce qu'elle s'apprêtait à rencontrer sa *mère*.

Ils prirent deux taxis, une limousine, et un circuit touristique dans Brooklyn vers un quartier bourgeois de maisons en rangée rénovées.

— Arrêtez-vous ici, dit Caleb au chauffeur de taxi.

Ils se trouvaient au bout d'une allée.

Jacqueline descendit et regarda aux alentours tandis que Caleb payait la course. Des enfants jouaient sur le trottoir, la rue était bordée d'arbres, et il y avait une affiche « À LOUER » dans une fenêtre.

Caleb la rejoignit, lui prit le bras et la guida dans l'allée.

— Chez ma mère, ce n'est pas aussi chic que chez Irving, mais c'est chez moi.

— C'est mieux que chez Irving. Je peux m'y détendre. Si je brise quelque chose chez Irving, je sais que c'est un objet de valeur. Je sais que si je brise quelque chose ici…

— Ce ne l'est pas.

Caleb lui fit contourner des bennes à ordures, puis gravir un escalier qui menait à une porte de bois avec une fenêtre drapée de dentelle. Il frappa, essaya la poignée et se rendit compte que la porte n'était pas verrouillée. Il soupira.

— Ne devrait-elle pas être verrouillée ? C'est dangereux, non ? dit Jacqueline en suivant Caleb dans la buanderie, où elle retira le chapeau et les lunettes d'Irving pour les poser sur la lessiveuse.

— Oui, mais ma mère aime que les voisins puissent venir prendre le café quand bon leur chante.

— Maman, c'est moi, cria-t-il à travers la maison.

Un jappement sauvage retentit des profondeurs de la maison.

— Lizzie lui sert de sonnette. Le problème, c'est que Lizzie n'est plus très jeune, et qu'elle n'entend plus aussi bien qu'avant. Auparavant, je ne pouvais toucher à la poignée de la porte sans qu'elle me saute dessus. Prends garde, dit-il en tendant une gâterie à Jacqueline en guise d'avertissement.

Elle entendit un piétinement tonitruant, puis vit apparaître un petit berger allemand à la grosse voix et un grand labrador blond dans l'embrasure de la porte.

— Lizzie, à terre ! Ritter, assis ! dit Caleb, de sa voix imposante que reconnut Jacqueline.

Dommage que les chiens ne l'aient pas reconnu. L'attitude du berger allemand passa de l'agressivité au mépris poli. Le labrador continua de sautiller, heureux d'avoir de la compagnie.

Jacqueline observa sur le visage de Caleb une expression de dégoût et éclata de rire.

— Lizzie, à terre ! Ritter, assis ! répéta-t-il.

Et cette fois, les chiens obéirent — jusqu'au moment de la gâterie offerte.

Puis, Ritter gambada vers Jacqueline et sourit, il sourit véritablement, jusqu'à ce qu'elle lui donne la gâterie qu'elle tenait à la main. Il la croqua sans même prendre le temps d'arrêter de se dandiner.

Lizzie était plus réservée, plus prudente ; elle prit délicatement la gâterie des mains de Jacqueline, puis se dirigea vers la cuisine. Ritter branla la queue jusqu'à ce qu'elle lui caresse le dos.

— Entre ! Entre !

La mère de Caleb avait une voix lyrique et un accent italien prononcé. Lorsqu'elle apparut dans l'embrasure de la porte, Jacqueline comprit pourquoi la chemise de nuit avait cette coupe. Madame D'Angelo devait avoir environ cinquante ans. Elle était courte et potelée, avec des yeux bruns pétillants et des cheveux courts et foncés qui frisottaient autour de son visage souriant.

Elle était aussi plutôt aveugle.

Jacqueline étouffa une exclamation de surprise. Toute sa vie, elle se souvenait d'avoir entendu Caleb parler de sa mère, et il n'avait jamais rien dit à propos de son handicap.

— Mon chéri, quel plaisir exceptionnel ! Je ne m'attendais pas à te voir aujourd'hui, dit madame D'Angelo, en tendant les bras en direction Caleb.

Il marcha dans son embrassade, et l'entoura de ses bras pour lui faire un câlin.

— Je t'ai amené de la visite.

— Jacqueline ? Tu m'as finalement amené Jacqueline ? dit-elle en déposant un baiser sur sa joue, avant de le repousser et de tendre de nouveau les bras.

— Je suis si heureuse de faire ta connaissance, ma chère !

Que pouvait faire Jacqueline ? Elle s'avança vers elle et lui fit un câlin.

— Merci de votre accueil, madame D'Angelo. Ça fait longtemps que j'ai envie de faire votre connaissance.

— Oui, mais nous devions respecter les désirs de Zusane, n'est-ce pas ? Caleb, pourquoi a-t-elle finalement cédé ? demanda madame D'Angelo en penchant la tête pour entendre la réponse de Caleb.

— Elle n'a pas vraiment cédé, maman. Elle est morte dans un écrasement d'avion hier.

— Oh, non ! Pauvre femme ! répondit madame D'Angelo en serrant Jacqueline plus fort dans ses bras. Et pauvre enfant !

Jacqueline sentit un picotement inattendu dans ses yeux. Oui, elle savait que sa mère était morte. Mais jusqu'à ce que cette femme, cette mère, la tienne dans ses bras pour lui offrir ses condoléances, elle n'avait pas vraiment ressenti le chagrin. Maintenant, elle ressentait une certaine mélancolie, qu'elle repoussa.

Pas ici, pas dans cet endroit joyeux. Pas devant Caleb. Pas devant sa mère.

— Entre et assis-toi, dit madame D'Angelo en l'entraînant dans sa cuisine ensoleillée.

Le plancher était en carreaux de terre cuite italienne, les armoires étaient peintes jaune pâle, et les électroménagers en acier inoxydable étincelaient. Deux coussins pour chien trônaient sous la fenêtre. Une petite table ronde en bois poli occupait la baie vitrée surplombant la rue, et madame D'Angelo y mena Jacqueline, tira une chaise et l'y assit.

— Une tasse de café ? Du sucre ? De la crème ? Caleb, prépare-le pour elle. Pouvez-vous rester à dîner ?

— Non, maman, nous ne pouvons rester si longtemps, répondit Caleb en versant deux tasses de café de la cafetière suspendue sous le comptoir et en remplissant la tasse de sa mère.

— Bien sûr que non. Quelle idiote je suis ! Tu dois avoir tant de choses à faire. L'effusion de condoléances pour la célèbre Zusane doit être bouleversante, dit-elle en serrant l'épaule de Jacqueline.

— La nouvelle de la mort de Zusane doit être diffusée partout, à présent, murmura Jacqueline, qui n'avait pas songé au tapage publicitaire.

Elle eut un serrement de poitrine. Qu'elle le veuille ou non, le deuil s'installait.

— Vous restez pour le lunch, alors. Une *frittata*[3], dit madame D'Angelo en traversant la cuisine vers les armoires avec une étrange précision, sortant une planche à découper et un couteau de chef de vingt-trois centimètres.

— S'il vous plaît, Madame D'Angelo, ne vous donnez pas tant de mal, protesta Jacqueline.

— Ce n'est pas un problème de cuisiner pour des amis, répondit madame D'Angelo, qui caressa une Lizzie qui traînait dans ses jambes, avant de lui dire d'aller se coucher sur son coussin.

Lizzie obéit immédiatement.

— La nouvelle de l'écrasement faisait la une, ce matin, dit Caleb en posant une tasse de café devant Jacqueline avant de s'asseoir de l'autre côté de la petite table ronde en l'observant comme s'il pouvait lire dans ses pensées.

Ritter faufila son museau humide sous sa main. Lorsqu'elle le caressa automatiquement, il soupira de satisfaction.

La tête douce du chien sous sa main, le chagrin de Jacqueline diminua légèrement.

— Qu'est-ce qui est annoncé? Pas que Zusane était…

Jacqueline jeta un regard en direction de madame D'Angelo et murmura :

— …médium.

— Pas besoin de baisser la voix, dit joyeusement madame D'Angelo. Je suis au courant.

— Maman a raison, elle est au courant, confirma Caleb. Non, les actualités n'en font pas état. Ils font plutôt une rétrospective de la vie de Zusane, ses mariages, son prestige. Ils montrent des images d'elle avec des membres de la

3. N.d.T : Omelette.

famille royale, des acteurs, des politiciens. Ils parlent de ses paillettes et de ses diamants.

— Elle adorerait ça, dit Jacqueline, en respirant plus librement.

— Jacqueline, es-tu allergique aux champignons? demanda madame D'Angelo, en se penchant dans le réfrigérateur pour sortir quelques ingrédients. Ou aux fruits de mer?

— Non, je n'ai aucune allergie, répondit-elle.

Sauf peut-être aux visions. Aux visions qui lui déchiraient les entrailles, l'empêchaient de respirer et laissaient en bouche un goût de panique amer...

— Puis-je faire quelque chose pour vous aider? demanda Jacqueline en se pourléchant les babines.

— Merci, c'est gentil d'offrir, mais je fais aiguiser mes couteaux chez Sears. Ils sont très tranchants. Il est préférable de rester loin de moi, dit-elle avec un sourire coquin.

Caleb poursuivit :

— Les journaux mentionnent que Zusane a adopté une petite fille, mais qu'elle et sa fille étaient brouillées et que personne ne sait où elle est.

— Dieu merci, dit Jacqueline avec conviction.

— Ta mère était une femme extraordinaire. Il est dommage que son œuvre la plus importante doive demeurer dans l'ombre. Elle nous a sauvé la vie, tu sais, dit madame D'Angelo en râpant du parmesan et en déveinant les crevettes avec une efficacité surprenante.

— Non, je ne le savais pas, répondit Jacqueline, dont le regard était porté sur les champignons, la courgette et les échalotes que hachait madame D'Angelo. Qu'a-t-elle fait?

Le scepticisme avait dû transparaître dans sa voix, car madame D'Angelo se renfrogna et cassa les œufs avec une force plus grande que nécessaire.

— Dis-le-lui, Caleb. Elle doit le savoir.

Jacqueline crut qu'il refuserait. Il refusait toujours de lui confier quoi que ce soit d'autre que des détails superficiels sur sa vie.

Au lieu, il s'adossa confortablement, regardant fixement Jacqueline, évaluant sa réaction au fur et à mesure qu'il racontait.

— J'ai grandi dans une petite ville sicilienne, et la première fois que j'ai rencontré Zusane, je lui ai vendu des coquillages. Elle était si belle, comme un ange. Elle m'a parlé et m'a écouté. J'avais huit ans, presque un homme, et j'ai été flatté. Je me suis pavané en rentrant à la maison.

— C'est bien vrai, ajouta madame D'Angelo en fouettant les œufs avec vigueur. Quand je t'ai vu, j'ai su qu'il s'était produit quelque chose qui te rendait aussi heureux qu'un chat qui a avalé un canari.

Donc, madame D'Angelo n'avait pas toujours été aveugle.

— Aussi charmant que je pouvais être, Zusane avait d'autres raisons de m'accorder de l'attention. Elle avait vu l'aura de douleur qui m'entourait. Elle m'a suivi jusque chez moi, et a prévenu ma mère que la mort et la violence se pointeraient cette nuit-là, et que nous devrions nous enfuir alors que nous en avions encore le temps. Mon père et mon frère aîné se sont moqués d'elle. Ma mère a pleuré.

— Parce que je savais les problèmes que ton frère avait causés, et j'avais peur, ajouta madame D'Angelo en versant les ingrédients hachés dans la préparation d'œufs.

— Les rivalités, en Sicile, ne meurent jamais tout à fait, dit Caleb à Jacqueline. Et mon frère était une tête brûlée qui ne faisait que se battre. Il s'en était pris au mauvais garçon, et avait gagné.

— Il était le plus fort de l'île. Mon aîné. Si intelligent. Si beau. Si idiot, dit madame D'Angelo en arrêtant de cuisiner, perdue dans ses souvenirs.

— Je n'avais pas compris ce qui se passait, mais la famille de l'autre garçon était riche et avait beaucoup d'influence. Ils avaient dit à qui voulait l'entendre qu'ils allaient se débarrasser de nous, dit Caleb avec un demi-sourire. Il va sans dire que nous n'étions pas riches et que nous n'avions aucune influence. Ainsi, mon père et mon frère ont refusé de partir avec Zusane, et ont refusé que ma mère et moi la suivions.

— Pourquoi, alors ? demanda Jacqueline.

— Par fierté, tout simplement, répondit-il.

Si madame D'Angelo n'avait pas été dans la cuisine, il aurait probablement craché sur le plancher.

— Oh, dit Jacqueline. Ça !

— Ils m'ont enroulé dans un matelas et m'ont dit de dormir. J'ai refusé, évidemment, grimaça Caleb. Mais je me suis endormi en attendant. Je me suis réveillé au bruit des coups de feu.

Madame D'Angelo s'approcha de lui, assis à la table, pour poser une main sur son épaule.

Il la couvrit de sa paume, la réchauffant comme s'il savait qu'elle avait besoin de ce contact.

Lizzie se pointa aux côtés de madame D'Angelo, s'assit à ses pieds, collée contre sa jambe.

— J'ai jeté un œil hors de ma cachette, et vu mon père et mon frère sur le plancher, dit Caleb d'une voix calme, mais à son ton, Jacqueline nota une souffrance ancienne. Ma mère a pris un couteau et a tué un des assaillants, avant d'être atteinte par une balle.

— Mon Dieu ! s'exclama Jacqueline, dont la main caressa convulsivement Ritter, qui geignit et se colla contre elle.

— À la tête, dit madame D'Angelo en relevant une mèche de cheveux pour montrer à Jacqueline une horrible cicatrice.

Jacqueline se couvrit la bouche sous le coup de l'horreur.

— Comment avez-vous survécu ?

— Mon heure n'était pas venue, répondit madame D'Angelo en haussant les épaules, mais depuis je ne vois que du noir.

Jacqueline regarda Caleb, impuissante devant une telle fatalité.

Il hocha la tête, acceptant sa compassion avec appréciation.

Madame D'Angelo poursuivit :

— Voilà pourquoi ta mère ne voulait pas que tu me rendes visite. Elle ne voulait pas que tu sois confrontée aux bassesses de la vie. Elle en avait tellement peur, et elle espérait pouvoir t'en protéger.

— Évidemment, elle ne le pouvait pas, dit Caleb.

— Elle était véritablement ta mère, puisqu'elle s'inquiétait, mais aucune mère ne peut protéger son enfant de tous les coups et blessures. Ce n'est pas bon de le tenter, bien qu'elle ne m'ait pas écouté quand j'ai voulu le lui dire, dit madame D'Angelo avec un sifflement désapprobateur et chagriné.

— Non, elle n'écoutait jamais, dit faiblement Jacqueline.

Caleb observa Jacqueline et sa mère, et poursuivit son récit d'une voix monotone.

— Les brutes ont mis le feu à la maison. Je suis sorti de ma cachette et j'ai tiré maman de là. Ils nous auraient tués sur place si Zusane n'était pas arrivée avec tous ses gardes du corps. Ces *delinquenti*[4] n'ont pas eu le courage de confronter des hommes armés qui savaient se défendre.

— Elle nous a sauvés, ta mère, et trois semaines plus tard, quand je me suis réveillée à l'hôpital, la première chose que Caleb m'a dit, c'est qu'il serait un jour le garde du corps de Zusane, dit avec ferveur madame D'Angelo. Et à ma grande fierté, il a tenu sa promesse.

— Zusane a réglé les frais des traitements de maman. Elle nous a amenés à New York. Elle nous a aidés à nous adapter à la vie à l'américaine, a défrayé les coûts de mon éducation et m'a embauché, rigola Caleb, amusé. Tout ce qu'elle exigeait en retour était mon dévouement le plus complet.

— Que tu lui as donné de plein gré, dit Jacqueline, qui en avait été témoin.

— Jacqueline, si tu avais une telle dette envers quelqu'un, ne lui donnerais-tu pas ce qu'elle demande ? dit-il.

Elle ne put soutenir son regard, et le sentiment de deuil gonfla de nouveau dans sa poitrine.

— Je lui dois également autant.

---

4. N.d.T. : Délinquants, criminels.

— Tu lui dois ce que tout enfant doit à ses parents — ta vie — et tu es comme tous les autres enfants de la planète — tu es ingrate, dit Caleb.

Jacqueline sursauta lorsque madame D'Angelo donna une claque derrière la tête de Caleb.

— Maman, je te suis également dévoué, protesta-t-il.

— Tu ne fais pas ce que je veux, dit-elle en retournant cuisiner, posant une poêle en fonte sur la cuisinière. Tout ce que je désire, c'est que tu te maries et que tu me donnes des petits-enfants pour égayer mes vieux jours. C'est ce que tu fais? Non!

Jacqueline se cala sur sa chaise pour éviter la dispute. Elle découvrit les deux chiens collés contre ses jambes, tentant d'esquiver les problèmes.

— Je veux que tu épouses monsieur Davies qui habite un peu plus loin pour égayer tes vieux jours, mais tu ne m'écoutes pas non plus, répliqua Caleb.

— Je n'ai pas à t'écouter, dit madame D'Angelo en vaporisant de l'huile d'olive dans sa poêle avant d'y verser la préparation aux œufs. Je suis ta mère. Tu n'es que mon fils! Maintenant, mets le couvert et verse le vin. Le repas sera prêt dans quelques minutes.

Chapitre 30

Après le repas, Caleb termina de remplir le lave-vaisselle et s'essuya les mains.

— Maman, tu as mal à la tête. Tu devrais te reposer.

Le regard de Jacqueline alla de la mère au fils. Elle fut surprise de sa perspicacité.

— Depuis qu'on a tiré sur elle, elle a des maux de tête, expliqua-t-il, sans quitter sa mère des yeux.

— C'est une faiblesse ridicule. Je déteste ça. Je me sens si vieille, dit madame D'Angelo, assise à la table, les yeux baissés vers ses mains sur ses genoux.

— Je crois que vous devriez plutôt vous dire que vous avez survécu à un crime épouvantable et que le prix à payer est le fait d'être aveugle et d'avoir quelques maux de tête, dit gentiment Jacqueline. Le prix n'est pas si élevé, il me semble ?

— Tu es bien intelligente, dit madame D'Angelo en relevant la tête vers elle. Évidemment, je le savais, dès la seconde où tu es entrée avec mon fils.

Caleb s'approcha de sa mère et l'aida à se lever.

— En plus, si tu te reposes, je suis libre de faire l'amour à Jacqueline.

— Caleb ! dit Jacqueline, qui avait peur de dire quelque chose qu'il ne fallait pas. C'était plutôt lui qui disait n'importe quoi.

De toute évidence, tous les clichés entendus à propos des fils italiens étaient vrais. Il ne pouvait rien faire de mal aux yeux de sa mère. Madame D'Angelo leva un doigt vers lui et dit, avec indulgence :

— Tu es incorrigible.

— Maman, je cherche simplement à te faire ces petits-enfants que tu souhaites tellement.

Jacqueline s'étouffa.

— Jacqueline, ça va ? demanda madame D'Angelo, préoccupée.

— Oui, ça va, dit-elle.

Mais ça irait mieux après avoir étranglé Caleb.

Madame D'Angelo sourit et sortit de la pièce au bras de son fils, Lizzie et Ritter sur les talons.

Jacqueline entendit le murmure de leurs voix, le bruit d'une porte, et Caleb réapparut dans la cuisine. Il lui tendit la main et dit :

— Viens voir mes quartiers.

Bon.

Elle se leva lentement de sa chaise et se dirigea vers lui.

Était-il sérieux ? Qu'il allait lui faire l'amour ? Il lui avait dit qu'il n'allait rien faire sans qu'elle le lui demande. Jusqu'à maintenant, il avait tenu sa promesse. Allait-il l'oublier, aujourd'hui ?

Elle accepta sa main.

Cela la froisserait-elle ?

— Des enfants ? Nous allons faire des enfants ? dit-elle en fronçant les sourcils.

— Peut-être pas maintenant. Il y a trop de danger autour de nous, et les enfants ont besoin de leurs deux parents, dit-il en la guidant vers un escalier étroit. N'es-tu pas d'accord ?

Elle admirait sa façon de manipuler la conversation. Que pouvait-elle répondre ? Non ? Évidemment qu'elle croyait qu'un enfant avait besoin de ses deux parents. Et elle savait qu'après sa tragédie personnelle, c'est également ce qu'il croyait.

Toutefois, à savoir s'ils devaient considérer avoir des enfants ensemble... Ils ne formaient même pas un couple établi.

Cependant, ils en savaient plus l'un sur l'autre que bien des gens qui étaient en couple depuis dix ans, parce qu'ils se connaissaient depuis si longtemps et parce qu'ils avaient vécu tant de choses difficiles ensemble.

Ils avaient aussi tant de problèmes irrésolus.

Le danger rôdait cependant autour d'eux, et leur temps passé ensemble pourrait s'avérer court.

Le pour et le contre se bousculaient dans sa tête, et un regard rapide en sa direction n'aida pas la situation. Il semblait sûr de lui et avoir la situation en main. Malheureusement, c'était dans ses habitudes.

Sa fugacité était contrariante. Toutefois, du même coup, elle était excitée par le simple fait de tenir sa main. Lorsqu'il ouvrit la porte au haut de l'escalier et qu'il la fit entrer, son cœur commença tranquillement à s'emballer.

Il avait dit à sa mère qu'ils allaient faire l'amour, et malgré leurs différends, sur ce plan, ils s'entendaient à merveille. Quand ils étaient ensemble, la passion s'enflammait.

Jacqueline prit une inspiration et demanda :

— Possédez-vous tout l'édifice ?

Une conversation inoffensive lui semblait appropriée.

— Oui. S'il n'en tenait qu'à maman, elle louerait un logement, mais les étrangers qui entrent chez moi me dérangent…

— Je comprends.

— …sans compter que l'étage peut ainsi être à moi.

Jacqueline le regarda.

— Je sais, je sais, je suis un grand garçon et j'habite chez ma mère. Par contre, je suis toujours en déplacement avec Zusane — du moins, je l'étais — alors maman garde un œil sur mes choses, dit-il en indiquant l'endroit d'un signe de main. Quatre pièces : une cuisine, un séjour, une salle de bain et une chambre. C'était à l'origine un logement qui comptait trois chambres, mais j'ai abattu des murs pour agrandir l'espace.

— C'est joli, dit-elle.

Le logement était beaucoup plus spacieux que ce qu'on retrouvait habituellement à New York. La personne qui avait décoré le logement de sa mère avait aussi décoré celui-ci. Les murs étaient jaune pâle. Il y avait le même plancher en tuiles en terre cuite, mais il était couvert ici de tapis contemporains noir et gris.

Il remarqua qu'elle regardait autour d'elle.

— Vas-y, visite les lieux, dit-il.

Elle était trop fascinée par l'idée d'être chez lui pour feindre autre chose que l'admiration, alors elle déambula de pièce en pièce. Son chez-lui était sans prétention, mais elle ne s'attendait pas à ce qu'il le soit. Dans le séjour, il y avait des tables avec rien d'autre qu'un livre de poche usé et une lampe. Dans la cuisine, les électroménagers de qualité étaient encore presque neufs. Il y avait des photos sur le manteau de la cheminée. Un jeune homme qui lui ressemblait — son frère. Une photo du mariage de sa mère et son père. Une photo de Zusane, devant le palais de justice fédéral, le bras autour d'un jeune Caleb.

Jacqueline eut le soufflé coupé en regardant la photo. Zusane avait l'air si fière de lui, plus fière qu'elle ne l'avait jamais été de Jacqueline, et pendant un instant, une grande tristesse l'envahit.

— Veux-tu quelque chose à boire ? demanda-t-il de la cuisine. Du vin ? De la bière ? De l'eau ?

Elle ravala son chagrin. Plus tard. Elle s'en occuperait plus tard. Elle répondit :

— Je devrais m'en tenir à l'eau. Le verre de vin du midi m'endort toujours.

Puis, à son grand désespoir, elle rougit de nouveau. Apparemment, même la mention de dormir alors qu'il était là était trop excitant pour sa libido.

Elle se précipita dans la salle de bain, qu'elle trouva austère, sans même une brosse ou un rasoir sur le comptoir. Seule une bouteille de shampooing gâchait la surface immaculée de la douche.

Le siège de toilette était levé.

— Un vrai repère de garçon, dit-elle en passant dans la chambre où elle le trouva étendu sur le lit, les bras croisés sous la tête, deux bouteilles d'eau sur la table de nuit à ses côtés.

— Wow ! dit-elle avec étonnement.

— Toutes les femmes disent ça en me voyant, dit-il en soupirant tout en suivant son regard. J'imagine que tu parles du lit.

Le grand lit à baldaquin était tout le contraire du reste du logement. Il remplissait la chambre. Il était superbe, ornementé, massif et…

— Joli, c'est une antiquité? dit-elle en traçant le détail d'une des colonnes.

Un panier de fruits très élaboré était gravé dans l'imposante tête de lit en acajou tout en courbes.

— Je l'ai vu dans la vitrine d'une boutique sur la 34e, à Manhattan. Il me rappelait le lit de mes parents en Sicile, alors je l'ai acheté.

— Sans même y penser? Tu l'as acheté sur un coup de tête?

— Quand je vois ce que je veux, je le sais, et je ne perds pas de temps à le posséder, dit-il en la regardant —, et elle sut qu'il ne parlait plus du lit.

Elle s'approcha de la tête de lit.

Il était beau. Grand et élancé, musclé et talentueux. Un homme qu'elle connaissait depuis toujours. Un homme sur qui elle pouvait compter.

Un homme dangereux pour ses ennemis — et ceux de Jacqueline.

Jacqueline passa sa main au-dessus de la poitrine de Caleb. Devait-elle céder à la tentation et le toucher? Devait-elle l'embrasser, le prendre dans ses bras, l'accueillir tout en elle?…

Il l'attrapa par le poignet et ouvrit sa main blessée vers lui. Son gant de cuir et le bandage protégeaient la plaie dans sa paume, et il la toucha délicatement.

— Comment ça va ?

Déstabilisée, elle bégaya.

— Ça… ça va. Martha est plutôt habile.

— Alors, pourquoi te tiens-tu toujours la main ? De quoi as-tu peur ? Que crois-tu qu'il soit arrivé lorsque ton tatouage a été coupé en deux ?

Elle tenta malhabilement une explication.

— Il fait partie de moi, de qui je suis. L'œil, et le fait que l'on s'attende à ce que je puisse, *veuille*, voir l'avenir. Si c'est terminé…

Comment savait-il que c'est *cela* qui lui faisait peur alors que tant d'autres dangers les guettaient ?

— Ma mère a perdu la vue dans la force de l'âge. Ça m'a brisé le cœur, mais d'un autre côté, j'étais soulagé qu'elle soit vivante. Voilà pourquoi lorsque tu refusais de *voir*… dit-il en caressant doucement sa paume gantée. Voilà pourquoi ça me rendait fou. Refuser le don de voyance me semblait idiot et peut-être… péché. Puis, hier, tu as plongé dans une vision et tu en es revenue blessée.

De façon impulsive, il l'attira au lit dans ses bras.

Elle eut le souffle coupé lorsqu'il la retourna sur le dos, prisonnière de ses bras et de son regard.

— La marque sur la main importe peu. Ce qu'elle signifie importe peu. Ce que Zusane voulait de toi importe peu. Ce qui importe, c'est que tu fasses ce que tu veux, dit-il, le plus sérieusement du monde.

À sa grande surprise, il eut ce demi-sourire qui lui plaisait tant.

— Je dois admettre, toutefois, que je veux que tu désires le faire, peu importe ce que c'est, avec moi à tes côtés.

Être ici avec Caleb, ressentant sa chaleur, respirant son odeur, entendant ces mots dans sa bouche, lui fit comprendre qu'elle le connaissait depuis si longtemps et qu'il était très important à ses yeux.

— Viendrais-tu vivre ici avec moi ? lui demanda-t-il. Rendras-tu ma mère heureuse en acceptant de m'épouser ?

Il avait sauvé Jacqueline, lui avait appris à combattre, lui avait appris à aimer, lui avait appris à haïr... Même lorsqu'ils étaient loin l'un de l'autre, il était au cœur de sa vie. Maintenant, deux ans plus tard, ils étaient réunis et... en danger... et il était le seul homme qu'elle ait désiré.

— Oui.

— Oui ? hurla-t-il de rire. Oui, que veux-tu dire, oui ?

— Oui, j'aimerais vivre ici avec toi. Oui, j'accepterais de t'épouser.

Jacqueline n'avait jamais été aussi sincère de toute sa vie.

Il se détendit, soulagé.

Elle ajouta, sévèrement :

— Quoique, pas pour ta mère, mais bien pour nous.

Appuyant son front sur celui de Jacqueline, il dit :

— Non, tu as raison. Ne reste pas pour faire plaisir à ma mère. Reste pour nous. Parce que je t'aime depuis si longtemps, et que maintenant, enfin, tu seras mienne, et je serai vraiment heureux.

— Bon, dit-elle en s'étirant pour mettre ses bras autour de son cou. S'il te plaît.

— S'il te plaît, quoi ? dit-il, un large sourire aux lèvres.

Ce jeu se jouait à deux.

— S'il te plaît, déshabille-moi. S'il te plaît, laisse-moi te déshabiller. S'il te plaît, embrasse mes lèvres, mes seins, mon ventre. S'il te plaît, laisse-moi te retourner et embrasser ta colonne vertébrale, tes épaules, ton superbe derrière. S'il te plaît, prends-moi. S'il te plaît, laisse-moi te prendre.

Il fut secoué comme par une décharge électrique, puis s'immobilisa, tentant de garder la maîtrise de lui-même.

— S'il te plaît, fais-moi l'amour. S'il te plaît, fais-le maintenant, dit-elle en glissant la main derrière son cou et ses doigts dans ses cheveux. Caleb, s'il te plaît, laisse-toi aller.

Ses lèvres remuèrent à peine alors qu'il dit :

— Tu n'as aucune idée de ce que tu me demandes.

— Oui, j'ai une idée. Je te veux aussi indompté que la première fois où nous avons fait l'amour. Je te veux fou et sauvage. Je te veux…

Il sauta hors du lit, et pendant un instant, elle crut qu'il allait quitter la pièce.

Il retira plutôt ses vêtements à la hâte, enfila un préservatif, et fut de retour à ses côtés en moins de trente secondes. Un autre trente secondes, et les vêtements de Jacqueline furent lancés par terre, et elle fut nue et captive dans les bras d'un homme aussi farouche qu'exigé. Il pressa le dos de Jacqueline contre les oreillers. Tenant sa tête dans ses mains, il l'embrassa, fouillant sa bouche avec insistance, siphonnant l'air de ses poumons pour le remplacer par le sien. Il lui mordilla le lobe de l'oreille, entortilla sa langue autour de mèches, puis il mordilla de nouveau son lobe d'oreille.

Il avait saisi le courant électrique pour le diriger vers elle, pour chacune de ses léchées, chaque mordillement, un courant de pure passion passait en elle par son système nerveux jusqu'à son cerveau, ses mamelons, son clitoris.

Et pendant tout ce temps, il la maintenait en place sous le poids de son corps nu, la pressant contre matelas, lui faisant sentir son poids, et la chaleur de son érection. Il pressa son membre viril entre ses cuisses, glissant de haut en bas de la moiteur de son entrecuisse, la titillant, se couvrant lui-même de moiteur alors que le corps de Jacqueline réagissait. Il la dominait, et tout ce qui le concernait fit comprendre à Jacqueline que cette relation sexuelle ne ressemblerait à aucune autre qu'ils avaient pu avoir.

Il se blottit contre ses seins, les explorant avec la bouche, découvrant chaque nerf et stimulant chaque sensation d'une douce succion qui se faisait de plus en plus insistante.

Jacqueline émit quelques sons, des gémissements de délice et de crainte insidieuse. Insidieuse, car elle se demandait si elle allait survivre à cette situation ou si elle allait mourir de plaisir exacerbé. Elle se tortilla, le repoussa, tenta de s'échapper, et il réagit en lui attrapant les poignets pour coincer ses mains de chaque côté de son corps.

Et il lui embrassa de nouveau les seins. Le ventre. Puis, à l'aide de ses genoux, il lui écarta les jambes et plongea la langue en elle.

Trop. C'était trop. Elle devint folle d'anticipation, et de désir.

Il la goûta, encore et encore, la maintenant au bord de l'orgasme, sans lui autoriser plus de plaisir que ce qu'il pouvait soutenir lui-même. C'était de la torture de la pire espèce, et tout ce qu'elle pensait, c'était :

« Plus haut. S'il te plaît. Un peu plus haut. Si tu me touches là, ne serait-ce qu'une seule fois... »

Mais il ne le fit pas. Il se redressa plutôt au-dessus d'elle afin que seulement le bas de leurs corps se touche et, tenant toujours ses mains, il pressa en elle son érection... lentement. Si sataniquement lentement.

Si seulement il *le faisait*.

Mais il ne le fit pas. Il s'inséra plutôt en elle, la remplit, en faisant attention de ne pas presser son clitoris. De toute évidence, il savait ce qu'elle désirait. De toute évidence, il voulait la rendre folle avant de le lui donner.

Elle tenta de mettre un pied sous elle pour se redresser et se presser contre lui.

Il la maîtrisait avec ses mains et ses coudes, et pendant tout ce temps, il l'observait avec un regard enflammé et la tentait avec ce qu'elle désirait et qu'il pouvait maintenant lui offrir.

— S'il te plaît, murmura-t-elle, s'il te plaît, Caleb, je veux... s'il te plaît.

— Tu veux quoi? demanda-t-il en se rapprochant. Ça?

— Encore.

— Chérie, combien peux-tu en prendre? demanda-t-il en se rapprochant de nouveau. Comme ça?

Son sexe pressait si profondément en elle qu'il toucha son utérus. Il l'étirait, la faisait gémir et attraper le drap à pleines mains. Il la faisait en redemander...

— Encore. Plus vite. Caleb, pour l'amour du ciel...

Elle était si près, si près...

— Ah, c'est ça que tu veux.

Il se retira presque complètement. Il se retint, et elle attendit, tremblante. Puis, avec force et rapidité, sans pitié, il la pénétra.

Elle cria tandis que l'orgasme tant attendu la parcourait par vagues, la renversant encore et encore, emportant ses pensées, ses mots, son esprit.

Elle l'entendit rire tandis qu'il la pénétrait de nouveau, avec maîtrise.

Mais son emprise sur elle s'estompa, et instinctivement elle enroula les jambes autour des hanches de Caleb et suivit son rythme.

Tout à coup, il cessa de rire. Il ne bougeait plus. Ses yeux étaient fermés, et il afficha un visage concentré.

C'était maintenant elle qui décidait. Elle resserra ses muscles, le caressa de l'intérieur, lui faisant ressentir son corps sur chaque centimètre de lui-même. Elle se redressa vers lui, se frottant contre son pelvis.

Lorsqu'il ouvrit les yeux, le Caleb qu'elle connaissait n'était plus là. Au lieu, elle découvrit le sauvage qu'elle avait demandé. Il lâcha ses mains, prit ses fesses dans ses mains, et se propulsa en elle à un rythme et une puissance qu'elle n'avait jamais imaginés possibles.

Elle le tira vers elle, exultant de la tension de ses muscles sous ses doigts.

Il était implacable.

Elle était formidable.

À deux, ils étaient invincibles.

Son orgasme, grandissant à chaque mouvement, à chaque gémissement, avec la connaissance pure qu'elle le rendait aussi fou qu'il la rendait folle.

Le front de Caleb devint rouge et son visage, marqué par la luxure. Sans remords, il commença à éjaculer en la pénétrant avec force et vitesse.

Tout le corps de Jacqueline se tendit autour de lui. Avec une voracité frénétique, elle le griffa, exigeant sans un mot qu'il lui donne tout ce qu'il avait en lui.

Ce qu'il fit, pressant tout son corps contre le sien, en elle, la possédant complètement.

Ils restèrent là, suspendus au bord de l'extase.

Puis, graduellement, la frénésie qui les avait envahis s'estompa.

Il s'effondra contre elle.

Elle goûta son épaule et savoura le goût salé de sa peau. Elle sentit son désir, et sut qu'il était à elle.

Peu importe les inquiétudes qu'elle avait ressenties avant qu'ils ne commencent, elles avaient disparu. Elle était épuisée de plaisir.

Tournant la tête vers elle, il la regarda avec les yeux plissés.

— Ça va?

— Je suis magnifique.

— En effet, tu l'es.

Grognant, il se libéra un peu de leur emprise. Il s'assit, la poitrine gonflant à chaque respiration, la regardant comme s'il désirait mémoriser chaque centimètre de sa peau.

— Jacqueline.

— Oui?

Voudrait-il le refaire encore?

— Je dois y aller.

— Pardon? dit-elle en lui attrapant le bras.

Maintenant? Il voulait partir? Était-il cinglé?

— Pour aller où?

— Pour retourner chez Irving, dit-il en lui embrassant la main, avant de la mettre sur son ventre et de descendre du lit.

— Tant pis pour Irving!

Caleb n'y porta pas attention.

— Je veux que tu restes ici. Que tu fasses une sieste. Que tu lises un livre. Que tu gardes un œil sur ma mère, si le cœur t'en dit. Je lui ai administré ses médicaments. Elle devrait dormir pendant quelques heures, mais même si elle ne se sent pas bien, elle va se lever pour faire une tarte ou quelque chose du genre, juste pour prouver qu'elle le peut.

— Je garderai un œil sur elle, ça ne me dérange pas. Tu le sais.

Elle s'assit et repoussa les cheveux de son visage.

— Mais pourquoi dois-tu y retourner ? demanda-t-elle, en espérant que la réponse soit incroyablement bonne.

— Parce que quelqu'un a tenté de te tuer, et je veux en avoir le cœur net. Laisse-moi m'en occuper.

Chapitre 31

« Laisse-moi m'en occuper. »
La phrase résonnait dans la tête de Jacqueline.

« Laisse-moi m'en occuper. »

Elle avait déjà entendu cette phrase, auparavant.

« S'il s'en occupe, il va mourir. S'il s'en occupe, il va mourir. »

Les mots prenaient de plus en plus leur sens, leur force, leur place, comme une boule de neige roulant en bas d'une colline.

« S'il s'en occupe, il va mourir. S'il s'en occupe, il va mourir. »

— Tu ne peux pas ! dit-elle en se dépêchant de s'asseoir sur ses talons dans les oreillers. Si tu t'en occupes, tu mourras.

Il se redressa, ses vêtements dans les mains, et la regarda fixement.

— Si je m'occupe de quoi… qu'est-ce que tu racontes ?

— Hier, après la vision. Et aujourd'hui. Pendant la réunion, dit-elle, les mains tremblantes. J'ai entendu une voix dans ma tête qui répétait : « S'il s'en occupe, il va mourir. S'il s'en occupe, il va mourir. » Je croyais… la boule de cristal était là. Je croyais qu'il s'agissait d'un avertissement pour que personne n'y touche, n'y regarde de plus près. Mais ce n'est pas cela. C'est toi. Tu ne dois pas t'occuper de ce crime !

— Tu as entendu une voix dans ta tête ? demanda-t-il.

Il disparut dans la salle de bain. Elle entendit l'eau couler, et lorsqu'il revint, son visage était propre et ses cheveux étaient humides et coiffés.

— Pourquoi ne pas m'en avoir parlé ?

— Nous étions occupés. J'étais blessée. Tu n'étais pas là. Il se passait beaucoup de choses en même temps, répondit-elle, voyant bien qu'il ne la croyait pas, qu'il se déplaçait toujours dans la pièce pour se préparer. Parce que c'est cinglé. D'abord, j'ai une vision, ensuite, j'entends une voix dans ma tête. Ce n'est pas normal. Mère n'a jamais entendu de voix, poursuivit-elle.

— Comment le sais-tu ? Tu ne lui as jamais parlé de ses visions, dit-il, sur un ton teinté de reproche qu'il n'avait peut-être pas voulu qu'elle remarque.

Elle en fut blessée.

— Alors, peut-être devrais-je te le demander ? Mère entendait-elle des voix ?

— Je ne le crois pas.

Il fouilla dans sa penderie, prit un jeans propre, l'enfila et revêtit une chemise blanche.

— Quel genre de voix ?

— Je n'en sais rien. Ce n'est qu'une voix désincarnée tout à fait normale, répondit-elle sarcastiquement.

— Était-ce une voix de femme ? demanda-t-il sérieusement.

— Je ne... crois pas, dit-elle tentant d'identifier le sexe, mais secouant la tête. Je n'en sais rien. C'était simplement une voix de mauvais augure. Tu crois que c'est quelqu'un qui tente de me parler dans ma tête, demanda-t-elle en se souvenant du rapport qu'il avait fait à Irving à propos de la femme qui lui parlait à distance, suivant son raisonnement.

— Oui. Qui cause le trouble. Qui tente de te faire peur. Qui était à proximité lorsque c'est survenu? demanda-t-il en s'asseyant pour enfiler des bottes de cuir qui lui arrivaient à la cheville.

— Tout le monde. Presque... tout le monde, dit-elle en tentant de se rappeler. En fait, non. Aujourd'hui, Samuel n'y était pas. Mais nous ignorons si la proximité joue un rôle, non? Qui que ce soit, si c'est quelqu'un... cette personne est peut-être capable de projeter sa voix de l'autre côté de l'univers.

— En effet. Et que quelqu'un te parle ou non dans ta tête, ou les mots ou le fait que les mots peuvent être une prédiction, importe peu également.

Caleb se leva et ajusta sa ceinture.

— Je dois retourner chez Irving et découvrir qui est notre mauvaise graine avant qu'il ne se produise quelque chose d'épouvantable.

— Que pourrait-il arriver de pire que de perdre la vie? demanda-t-elle avec un sentiment d'urgence.

— Bien des choses. Qui qu'il s'agisse, les Élus pourraient être si effrayés qu'ils se précipiteraient dans la rue en criant. Les Autres n'auraient qu'à les cueillir au vol. Ou bien cette personne pourrait faire exploser la maison d'Irving. Ou elle pourrait s'en prendre de nouveau à toi, dit-il en posant un genou sur le lit pour ajuster les couvertures sur ses jambes, touchant ses lèvres du pouce, avant de tracer le pourtour de son mamelon.

Posant la main sur la sienne, Jacqueline la pressa contre son sein. Elle n'était pas fière de sa tactique, mais elle n'hésiterait pas à utiliser le sexe pour le garder près d'elle.

— Tu ne peux pas. Ne vois-tu pas ? Peut-être est-ce ta dame avec la cicatrice sur le nez qui me parle dans ma tête, qui tente de me rendre folle ? Et si c'était un effet secondaire de ma vision ? Et si je sais ce qui va t'arriver parce que je suis médium ? Tu me poursuis depuis toutes ses années pour que je devienne le médium que je suis née pour devenir. Pourrais-tu au moins respecter mon don autant que tu respectes celui de ma mère ?

— Mais je *respecte* ton don. Comment ne le pourrais-je pas ?

Il retira sa main, à contrecœur, mais il le fit.

— J'ai vu ce dont tu es capable — et ce que les visions peuvent te faire. Ce que tu as est beaucoup plus puissant que ce que Zusane n'a jamais cru, et si tu ne l'utilises jamais plus, ça m'irait.

Elle regarda sa main bandée.

— Je pourrais y être obligée, murmura-t-elle.

— Exactement, tu as un travail à accomplir, et j'ai le mien.

Il la frustrait tant qu'elle avait envie de crier.

— Tu demandais toujours conseil à Zusane, vantant son merveilleux don. Si elle t'avait demandé de rester, tu l'aurais fait.

— Je lui devais respect, oui, dit-il les yeux rétrécis et la voix glaciale. Et je l'ai louangée, parce qu'elle en avait *besoin*.

— Et pas moi ?

— Non, tu n'as pas besoin qu'on flatte ton ego. Tout va bien.

— Ma mère allait bien également.

— Non, tout n'allait pas bien. Zusane était brisée.

— Brisée ? Que veux-tu dire par brisée ? Elle était élégante. Elle était désirée. Elle était si complètement sûre d'elle-même, répondit-elle.

Contrairement à Jacqueline qui avait passé son adolescence un peu gauche à être comparée, de façon peu favorable, à Zusane.

— Elle était du nombre des Abandonnés, dit-il.

Alors que Jacqueline allait souligner l'évidence, il leva un doigt.

— Pas comme toi. Personne n'a sauvé Zusane des ordures. Elle a dû se sauver elle-même.

Il attacha un étui à revolver autour de sa poitrine, puis prit un pistolet dans le tiroir et le glissa en place.

— Elle a grandi en Europe de l'Est, en Ruyshvania…

— Ce n'est pas vrai !

— …durant les années sombres du communisme. Les gens là-bas avaient peur, les vieilles superstitions tenaient bon, et la famille, ou le village, l'avait balancée, encore bébé, dans un fossé en plein hiver. Peut-être était-ce parce qu'ils avaient faim et qu'ils ne pouvaient pas nourrir une nouvelle bouche. Peut-être parce qu'elle avait la marque d'un œil sur l'omoplate. Elle a grandi dans un orphelinat, où l'on a abusé d'elle en raison de la marque, et lorsque la femme responsable de l'orphelinat s'est rendu compte que Zusane avait des visions, elle l'a vendue.

— T'a-t-elle raconté tout ça, demanda Jacqueline en ravalant sa nausée. Parce que ce n'est pas ce qu'elle m'a raconté. Elle m'a dit qu'elle était la fille d'un Hongrois noble déshérité.

— Elle n'a jamais vécu en Hongrie, dit-il en sortant une collection de couteaux du tiroir du centre de sa commode pour les étaler sur le dessus.

Les paroles de Caleb l'horrifièrent. Ce qu'il faisait l'horrifiait.

— Je ne te crois pas.

L'idée de Zusane, choyée et dorlotée par sa nourrice hongroise, par ses domestiques et son père, était trop bien implantée dans la mémoire de Jacqueline pour disparaître si facilement.

— Elle a vécu en Ruyshvania, répéta Caleb. Le dictateur Czajkowski l'a achetée, en a pris possession dans tous les sens du terme. Il l'a revêtue de beaux atours, il l'a formée aux manières élégantes, il l'a gardée à ses côtés... et lorsqu'elle n'avait pas de vision sur demande, il la battait jusqu'à ce qu'elle perde l'enfant qu'elle avait conçu.

Jacqueline tressaillit à cette horrible image dans sa tête.

— Pourquoi crois-tu qu'elle n'a jamais eu d'enfant bien à elle?

Pour ne pas défigurer son corps. Voilà ce que Jacqueline avait toujours cru.

— Elle a failli en mourir, et n'a jamais pu concevoir de nouveau.

Jacqueline ne le croyait pas, ne pouvait pas le croire.

— Mais la Hongrie...

— À l'âge de dix-sept ans, elle a fait la connaissance de l'un des invités de Czajkowski. Un homme riche et puissant. Elle s'est glissée dans son lit, s'est servi de ses talents pour le convaincre de l'amener avec lui aux États-Unis, et lorsqu'il l'a suppliée, elle l'a épousé.

— Pour l'argent.

— Évidemment, répondit-il.

Il comprenait bien, même si elle en était incapable.

— Elle avait besoin de l'argent pour s'inventer le personnage de Zusane. L'élégante Zusane. La riche Zusane. Plus jamais la pauvre petite Zusane abusée.

Non. *Non.*

— Et comment sais-tu tout ça?

Il glissa dans sa botte un couteau de dix centimètres. Il enfila une veste de sport, vérifia pour s'assurer qu'aucune protubérance ne laissait voir qu'il était armé.

— Je voulais savoir la vérité. J'ai remonté la filière jusqu'en Ruyshvania.

Caleb évoquait une Zusane bien différente dans sa tête. Suffisante, oui. Gâtée, oui. Superficielle… oui, mais parce qu'elle ne pouvait tolérer l'ampleur de sa douleur.

— Tu as dit qu'elle t'avait adoptée parce qu'elle désirait un clone d'elle-même. En un sens, c'est vrai. Elle t'a sauvée parce qu'elle s'est vue en toi et qu'elle ne pouvait tolérer de savoir qu'un autre enfant pourrait souffrir comme elle avait souffert, raconta Caleb, sans pitié. Elle n'était pas une bonne mère. La maternité implique de souffrir pour son enfant, et elle ne voulait plus jamais souffrir. Toutefois, elle t'a aimé.

— Je le sais, répondit Jacqueline.

Elle le savait, elle l'avait toujours su.

Il aurait dû arrêter de parler, mais de toute évidence, il attendait ce moment depuis très, très longtemps.

— Tu étais toujours en colère parce que ta mère ne se comportait pas comme les autres mères, elle se comportait comme une diva. En faisant de moi ton garde du corps, elle a agi dans ton intérêt, parce qu'elle était ta mère.

Il était entêté. Très entêté. Malgré le désir de Jacqueline, malgré le danger, il la quittait. Il la quittait après lui avoir demandé de l'épouser, et qu'elle ait admis l'aimer. Il ne l'aimait pas, sinon il ne partirait pas.

— D'accord, dit-elle, mais es-tu certain qu'elle ne l'a pas fait dans l'intérêt de l'Agence de voyages Gitane ? En raison de la marque dans la paume de ma main ?

Il était habillé. Il était prêt à partir. Et il posa les mains sur ses hanches avec une impatience si manifeste qu'elle remonta les couvertures sur elle.

— Vas-tu finir par grandir ?

Il lui avait exposé un volet d'elle-même qu'elle n'aimait pas, et malgré ses supplications, il était prêt pour un combat d'où il pourrait ne pas revenir. Dans une rage de honte et de peur, elle lui cria :

— Peut-être es-tu *vraiment* trop âgé pour moi.

— Peut-être, dit-il en glissant un deuxième couteau dans sa manche. Mais je vais tout de même aller débusquer l'imbécile qui a tenté de te tuer et lui faire sa fête.

— Parce que ma mère te l'a demandé, persifla-t-elle, avec un ton le plus mordant possible.

Se penchant sur elle, il lui pinça le menton et ajouta :

— Parce que ta mère me l'a demandé.

Elle retira sa tête brusquement et l'observa s'éloigner. Elle attendit, attendit qu'il revienne et qu'elle puisse s'excuser, qu'elle puisse lui expliquer qu'elle ne voulait pas vraiment dire ça.

Puis, la porte extérieure se referma derrière lui, et elle fut toute seule.

Il était parti. Vers la mort ? Elle n'avait pas besoin d'une vision ou de paroles prononcées dans sa tête pour comprendre les conséquences possibles de leurs fâcheux adieux. Elle pourrait ne plus jamais le revoir.

Il était parti… comme sa mère était partie.

Le souvenir de la catastrophe de la veille l'assaillit de nouveau. La fumée, la peur, les cris… le visage calme de sa mère et sa main qui poussait Jacqueline hors de l'avion, dans le vide. Ce simple souvenir lui gonfla le cœur, et ses poumons lui firent mal. Finalement, le chagrin qui la hantait comme un spectre intérieur dans son inconscient la frappa avec la force d'un ouragan.

Son cri de lamentation fut profond, arraché et douloureux. Elle se recroquevilla dans le lit, se cachant le visage dans l'oreiller pour assourdir le bruit de son angoisse. Elle pleura Caleb. Elle pleura ses rêves qui avaient si brièvement brillé comme de l'or, et qui maintenant redevenaient poussière.

Par-dessus tout, elle pleura sa mère.

Elle pleura parce que Zusane n'était plus, et Jacqueline ne la verrait plus jamais entrer, couverte de diamants, étincelante de paillettes, toute en beauté et en élégance. Elle n'entendrait plus jamais cette voix riche et accentuée qui n'arrêtait pas de lui dire de terminer ses études et d'accepter son destin. Elle n'aurait jamais l'occasion de lui dire combien elle aimait son rire, sa façon d'être capable de se moquer d'elle-même. Elle ne pouvait expliquer combien elle admirait la générosité de Zusane, qui distribuait bijoux et argent avec détachement à quiconque en avait besoin.

Alors que des vagues de misère déferlaient sur Jacqueline, elle tira les genoux sous son menton et se recroquevilla en position fœtale. Elle se berça, cherchant le soulagement des sanglots qui lui déchiraient la gorge, de la douleur qui lui déchirait le cœur, mais rien ne pouvait l'aider pour l'instant.

Lorsqu'elle était enfant, elle adorait l'élégance de Zusane, s'ennuyait d'elle quand elle n'y était pas, adorait ces moments particuliers alors que Zusane lui racontait ses visions et lui garantissait qu'un jour, elle aurait aussi des visions.

Puis, elle était devenue une adolescente gauche, trop grande et trop blonde, et Zusane était devenue quelque chose d'embarrassant. Pire, dans le fin fond de son cœur, Jacqueline détestait y être comparée. Elle savait qu'elle ne pourrait jamais être aussi sensationnelle, aussi ravissante, aussi exotique que Zusane.

Jacqueline avait été jalouse.

Alors, elle avait dit à Zusane qu'elle était une piètre mère. Elle avait dit à Zusane qu'elle désapprouvait sa quête de mari et sa propension à la fête. Elle lui avait dit qu'elle était superficielle et bête.

Comme si cela avait la moindre importance, parce que Caleb avait raison. Madame D'Angelo avait raison. Zusane avait sauvé Jacqueline, elle avait fait de son mieux pour l'élever, et le ressentiment de Jacqueline n'était que de la foutaise.

Finalement, Jacqueline connaissait la vérité – Zusane l'avait jetée en dehors de l'avion pour lui sauver la vie, pour la protéger du diable en personne. Et Jacqueline savait, que pour ce geste de protection maternelle, le diable avait fait en sorte que Zusane souffre horriblement, et meure toute seule.

Oh, mon Dieu! Le tourment était plus fort qu'elle ne pouvait le tolérer, parce qu'elle n'y pouvait rien. Zusane était *morte*. Jacqueline n'aurait plus l'occasion de lui dire ce qui était vraiment important. Elle ne pourrait jamais lui dire combien elle l'aimait.

— C'est pourtant vrai, maman, murmura-t-elle dans l'oreiller. Je t'aimais vraiment.

Son insécurité avait blessé Zusane et fait fuir Caleb.

Que pouvait-elle faire?

Elle n'était pas assez idiote pour suivre Caleb. Si les Autres étaient là, ils l'attraperaient sans perdre de temps.

Cependant, elle ne pouvait rester là à pleurer alors qu'il était en danger. Elle avait déjà raté sa relation avec sa mère. Elle ne ferait pas la même chose de sa relation avec Caleb.

Zusane lui dirait de se redresser et d'arrêter de pleurer.

Ce qu'elle fit. Elle s'essuya le visage avec une poignée de mouchoirs. Elle se leva du lit et se tint là, nue, chancelante, encore sous le coup des sanglots.

Elle réfléchit et sut ce qu'elle devait faire.

Quel qu'en soit le coût, quelle que soit sa crainte de souffrir, elle devait appeler une vision.

Elle devait découvrir qui avait trahi l'Agence de voyages Gitane.

Chapitre 32

Caleb n'était jamais allé chez Irving prêt pour une embuscade, mais c'était bien le cas, maintenant. Deux jours auparavant, l'explosion avait détruit l'Agence de voyages Gitane. Hier, Jacqueline avait eu une vision et avait été attaquée. Aujourd'hui, il allait découvrir quel fourbe se dissimulait sous le masque de l'amitié.

Il était presque certain de savoir de qui il s'agissait, et s'il avait raison, avant longtemps, le petit traître reviendrait terminer le travail qu'il avait commencé deux jours auparavant.

Caleb sonna à la porte et entra lorsque McKenna vint ouvrir.

— Rebonjour, monsieur, dit McKenna en tentant de prendre sa veste de sport.

Caleb secoua la tête.

— S'est-il passé quelque chose?

— Tout est calme depuis votre départ, dit McKenna en jetant un coup d'œil derrière lui vers la rue. Mademoiselle Vargha n'est pas avec vous?

— Non, fut la seule réponse qu'il formula. Samuel Faa est-il de retour?

— Si vous étiez arrivé une minute plus tôt, vous l'auriez croisé à la porte. Il a dit qu'il allait à sa chambre, puis…

McKenna découvrit qu'il s'adressait au dos de Caleb et eut un soupir de dégoût.

— Les jeunes gens, de nos jours, n'ont pas de manières.

Caleb se dirigea d'un léger pas de course vers l'escalier, sentit un mouvement dans la bibliothèque et changea de direction.

Et voilà enfin où se trouvait Samuel Faa, tapi dans l'ombre, à regarder dans la bibliothèque bien éclairée comme s'il n'arrivait pas à décider où il devait poser sa bombe. À la dernière seconde, Samuel entrevit Caleb, mais il était trop tard.

L'attrapant par le collet, Caleb le plaqua contre le mur.

— Petite merde. J'ai peine à croire que tu as eu le courage de revenir. Tu as tenté de tuer Jacqueline.

— Mais de quoi parles-tu donc? dit Samuel, se tordant pour se libérer de l'emprise de Caleb et le plaquer contre le mur opposé. Je ne toucherais jamais à ta petite amie.

Caleb lui sauta dessus pour l'attraper de nouveau. Samuel fit une feinte, mais Caleb lui attrapa le poignet et lui tordit le bras dans le dos en lui parlant à l'oreille.

— Tu es monté au grenier où elle avait une vision et tu lui as fracassé la boule de cristal sur la tête.

Samuel resta très immobile, mais sa voix se fit sombre et irritée.

— Pourquoi diable me donnerais-je cette peine? Je peux manipuler les esprits. Si j'avais voulu lui faire du mal, je l'aurais fait voler dans l'escalier par elle-même.

— Fort peu probable, dit Caleb.

Et il avait raison, non ?

— C'est ce que je fais, dit Samuel. C'est mon don, et j'y excelle. Demande à Irving et à Martha, si tu ne me crois pas. Tant qu'à y être, demande à mes clients. Voilà pourquoi je suis un avocat si grassement payé.

— Pas très éthique mais fort bien payé.

— Je suis éthique, lorsque c'est nécessaire. Lorsque je sais que mon client est innocent alors que leurs clients sont on ne peut plus coupables, grommela Samuel comme s'il désirait garder cette conversation confidentielle. Mon dada, c'est de ne pas laisser s'échapper des meurtriers.

Samuel se jouait-il de l'esprit de Caleb ? Parce que Samuel semait le doute, assez de doute pour que Caleb relâche son emprise.

— C'est à cause de la manipulation mentale que j'ai été reconnu coupable de pratique déloyale, ajouta amèrement Samuel. Ce satané juge, j'aimerais savoir comment il a su.

Pourtant, Caleb avait été formé par l'Agence de voyages Gitane pour savoir quand quelqu'un tentait de jouer dans son esprit. En ce moment, il était presque convaincu d'être seul dans sa tête.

— Si l'Agence de voyages Gitane était après toi, ils lui auraient probablement donné un coup de pouce. Ils n'étaient pas non plus à l'abri de pratiques malhonnêtes.

— Je me demandais justement. Les *salauds*.

Bon. Samuel ne se donnait vraiment pas la peine de jouer dans l'esprit de Caleb. Il était trop pris dans son propre ressentiment.

— Pourquoi as-tu quitté la maison, hier ?

— Parce que j'en ai plus qu'assez de rester là à ne rien faire d'autre que de faire attention à ce qu'on fait. Je suis sorti et j'ai *fait* quelque chose.

— Quoi donc?

— Lâche-moi, et je te le dirai.

— Et si je resserrais mon emprise? Les mots sortiraient d'eux-mêmes!

Samuel se débattit et grogna comme un tigre pris au piège.

— Tu crois vraiment être responsable de tout, ici, non?

— Non, répondit Caleb en faisant souffrir Samuel un peu plus. Mais je sais que je suis responsable de la sécurité de Jacqueline, et je déteste croire que je n'ai pas bien fait mon boulot.

Samuel abdiqua, resta immobile, et lui raconta les faits.

— J'ai communiqué avec un de mes amis avocats qui s'occupe d'immeubles de placement à New York. Je lui ai dit que je voulais acheter le site où était l'Agence de voyages Gitane, et lui ai demandé à qui allait l'héritage.

Bonne idée. Étonné, Caleb lâcha prise.

— Et que t'a-t-il répondu?

Samuel rajusta sa cravate et se retourna pour le confronter.

— Pour l'instant, il n'y a pas de corps, à cause de la bombe — ce que l'escouade antibombe considère comme une fuite de gaz et que le service des incendies considère comme une nouvelle sorte d'explosif — tout a été pulvérisé à l'intérieur comme à l'extérieur de l'édifice. Toutefois, la liste des ayants droit s'étire à n'en plus finir, et il n'y en a que deux qui sont toujours en vie selon mon ami. L'un est ce type dans le coma, Gary White. L'autre est… Irving.

— Irving? Il est un ayant droit? Je ne veux pas savoir ça!

— Bon, de toute façon, je me fous d'Irving, je ne le connais pas depuis si longtemps, mais ça ne me semble pas logique qu'il soit l'auteur de l'explosion. La première chose à faire pour les avocats est de fournir des certificats de décès pour tous ceux qui sont devant Irving sur la liste des ayants droit, et à moins que le vieil homme ait découvert la fontaine de jouvence — ce qui n'est pas nécessairement au-delà de ces gens — il sera mort et refroidi bien avant qu'il ne puisse toucher l'héritage, dit Samuel qui avait de toute évidence fait le tour de la question.

Froidement, Caleb fit le tour de la question dans sa tête.

— J'ai mis en doute la moralité d'Irving, aujourd'hui, en fait, et je sais que parfois certaines personnes en veulent toujours plus, que cela soit logique ou non.

— Je suis avocat. Personne ne le sait autant que moi. Mais Irving n'a aucun héritier, et il ne semble pas fréquenter qui que ce soit, alors pour qui ferait-il ça?

— Pour qui, en effet? dit Irving en sortant de l'ombre au bout du couloir. Non, messieurs, je ne suis pas votre homme. Toutefois, je suis prêt à parier que Samuel a su soutirer à son ami la liste des ayants droit.

— En effet, admit Samuel.

— J'ai aussi une liste, qui est censée être la plus à jour, dit Irving, avec un air à la fois souriant et fâché. Devrions-nous les comparer?

— Bien sûr que oui, dit Samuel avec un plaisir évident. Peut-être cela jettera-t-il de la lumière sur l'auteur du crime.

Les deux hommes s'éloignèrent dans le couloir.

Caleb ne bougea pas.

— Je me fous bien de la liste. Je veux savoir qui a pris la boule de cristal pour la fracasser contre le crâne de Jacqueline.

Irving et Samuel s'arrêtèrent et pivotèrent sur leurs talons.

— Tu es certain de ce que tu avances ? demanda Samuel.

— Oui, dit Caleb, sans vouloir expliquer que la boule de cristal avait tout raconté.

— Quelqu'un de la maison ? clarifia Irving.

Caleb soutint son regard.

— Tu as produit l'enchantement, Irving. Je dirais que tu es au courant de tout ce qui se passe ici. Alors, un étranger s'est-il introduit dans la maison ?

— Non, dit Irving.

— Alors, oui, quelqu'un de la maison, dit Caleb en soutenant son regard. Si ce n'était pas Samuel, qui était-ce ?

— Nous pourrions demander à notre deuxième médium s'il sait quoi que ce soit, dit Irving.

— Notre deuxième médium ? dit Samuel en reculant d'un pas. Je n'ai pas été parti si longtemps. De qui veux-tu bien parler ?

Un vilain soupçon traversa l'esprit de Caleb.

— Tyler Settles. Tu l'ignorais ? dit Irving en regardant fixement Samuel. C'est son don.

— Non, ce ne l'est pas, répondit Samuel d'un ton on ne peut plus méprisant. Il manipule les esprits, comme moi. Je l'ai vu manipuler Zusane.

Un bref regard jeté à Irving permit de constater que sa mâchoire était grande ouverte et que ses yeux étaient écarquillés.

Bon. C'était aussi une surprise pour lui. Caleb ne se sentit pas aussi idiot.

— Lorsque tu l'as vu faire, pourquoi ne pas l'avoir dit?

— Parce que je n'avais pas envie de pénétrer dans ce cercle de craie. Je ne voulais pas faire partie de l'Agence de voyages Gitane. Je ne voulais rien avoir à faire avec tout ce cirque, et je me suis dit que moins je m'impliquais, mieux ça serait, avoua Samuel avec franchise.

— Et maintenant? demanda Irving.

— Là, je suis pris, pour plus d'une raison, rougit Samuel.

— Ah, les femmes, dit Caleb, d'un ton compréhensif.

— Settles peut aussi parler dans les esprits, dit Samuel. Lorsqu'il m'a mis à l'épreuve pour savoir lequel de nous deux était le plus fort, il a tenté de me faire croire que ses pensées étaient les miennes. Je lui ai fait savoir que ça ne fonctionnait pas avec moi, et il a baissé les bras.

— Les gars, vous avez une minute? demanda Charisma, debout dans l'embrasure de la porte de la bibliothèque. J'ai quelque chose qui vous intéressera.

De toute évidence, elle écoutait depuis un moment.

Caleb se balança impatiemment.

Elle le regarda droit dans les yeux.

— Honnêtement, tu dois voir ça.

Il suivit les autres hommes à la bibliothèque.

Elle referma la porte derrière eux.

— Là, à l'ordinateur. Lorsque Tyler avait sa vision, je n'arrêtais pas de penser que j'avais déjà vu ça quelque part. Alors, je suis allé consulter YouTube, et devinez ce que j'y ai trouvé? dit-elle en cliquant la souris pour lancer la vidéo. Voyez l'acteur de genre de cet épisode de *Dre Grey, leçons d'anatomie.*

— C'est Tyler, dit Irving, qui dut s'asseoir à son bureau, car ses genoux semblaient ne plus vouloir le soutenir.

— Le dialogue est différent, et il tient un pistolet à la main, mais… c'est exactement le même scénario, dit Samuel.

— Ce l'est, dit Caleb, sans poser une question. Il prononçait une menace qu'il avait bien l'intention de tenir.

— Il semble jouer un patient épileptique souffrant d'hallucinations, dit Charisma, sans quitter l'écran des yeux. Dans cette version, à la fin, plutôt que de se relever du sol par lui-même, il s'étouffe à mort avec sa propre langue.

— Nous n'avons pas eu cette chance, dit Irving.

— J'ai trouvé la vidéo de son émission de guérison. C'est le même scénario, dit-elle en se penchant pour cliquer la souris et lancer une nouvelle vidéo.

Caleb se tourna vers Irving.

— Je suis confus. Comment est-ce possible que tu n'aies pas su quel était son don ? Je croyais que les responsables le savaient toujours.

— C'est bien le cas. Je le savais, dit Irving, qui cligna des yeux en se concentrant. Je me souviens d'avoir pensé qu'il manipulait les esprits, mais après l'explosion, j'étais si bouleversé que lorsqu'il a dit qu'il était médium, j'ai compris que je m'étais trompé.

— Il n'a jamais dit ça lorsque j'étais présent, dit Samuel. Ou du moins pas assez fort pour que je l'entende.

— Parce que tu étais plus fort et que tu l'aurais mis au pied du mur, dit Caleb, qui était désolé d'avoir été si peu observateur. Et il a attendu que tu sois hors de la maison pour avoir sa vision.

— Comment ai-je pu être si crédule ? On m'a appris à reconnaître les fraudeurs, dit un Irving on ne peut plus chagriné.

— Tu l'as dit toi-même, tu étais bouleversé pas le chagrin et la colère. Où est-il, en ce moment ? demanda Caleb, prêt à passer à l'action.

— Il m'a dit qu'il devait sortir, dit Irving en le regardant droit dans les yeux.

— Tu l'as laissé faire ? dit Caleb.

Il ne croyait pas que les choses pouvaient être pires. Quelle frustration de se rendre compte qu'il avait tort !

— Il avait une mission importante, alors je l'ai encouragé, dit lentement Irving, le regard flou.

— Quelle mission importante ? demanda Charisma.

Il fallut une minute à Irving pour comprendre qu'il avait été manipulé.

— Je ne m'en souviens pas.

— Quand est-il parti ?

— Il a quitté la réunion juste après vous.

— J'imagine. Fouillez sa chambre. Voyez ce que vous pouvez trouver. Un ordinateur, un téléphone cellulaire. Quelque chose avec lequel il pouvait communiquer. Quelque chose qui leur permet de savoir que nous sommes là. Je vais voir si je peux le retrouver, dit Caleb en se retournant vers la porte.

— La ville est grande, le prévint Samuel.

— Je crois savoir où il est, répondit Caleb. Et je vais m'assurer qu'il soit désolé d'avoir voulu me faire du mal ou faire du mal aux miens.

Chapitre 33

Tête baissée, Jacqueline grimpa avec une détermination saccadée l'escalier menant au grenier de madame D'Angelo, pendant tout ce temps, la peur la paralysait.

Elle n'aurait pas dû être là.

Elle n'avait pas l'autorisation.

Madame D'Angelo ne serait pas contente.

Caleb serait furieux.

Elle pourrait avoir une vision et être blessée.

Elle épongea un peu de sueur qui perlait sur son front, et d'une main tremblante, ouvrit la porte du grenier. Elle pénétra et tenta de centrer son attention sur autre chose que la peur.

Le grenier de madame D'Angelo était tout le contraire de celui d'Irving — petit, étroit, avec de petites fenêtres et un plafond bas, encombré de coffres et de vêtements pendus, et encore des rideaux de dentelle.

Jacqueline l'aimait bien. C'était douillet. Accueillant. Et sans le côté effrayant du grenier complètement nu d'Irving. Si seulement elle n'avait pas besoin d'avoir une vision ici.

Toutefois, il était inutile de changer d'avis. Elle devait faire ce qu'elle devait faire. Elle le *ferait*. Pour Caleb.

Penser à Caleb la calma. Caleb ne changerait pas d'idée. Caleb n'aurait pas peur. Il faisait toujours ce qu'il avait à faire. Le souvenir de sa bravoure lui donna de l'élan. Refermant la porte derrière elle, elle regarda autour d'elle et se rendit compte qu'elle était encore trop novice en matière de vision pour savoir comment procéder. Et si elle avait besoin de la boule de cristal pour provoquer une vision ? Et si elle devait être dans le grenier d'Irving ?

La panique prit le dessus... accompagné d'un sentiment de soulagement honteux.

Lâche. Elle était *lâche.*

Puis, elle redressa l'échine. Si la douleur et la mort étaient le prix à payer pour appeler une vision, alors elle le paierait. Elle devait bien à Caleb de l'aider comme elle le pouvait. S'il lui arrivait quelque chose... non. Elle n'allait pas le permettre.

Apercevant un chevalet d'artiste et une collection de dessins au mur, elle s'avança pour voir une série de dessins au crayon, tous marqués de la signature de Caleb dans un des coins. Certaines images lui firent ressentir la passion de Caleb. Le jeune Caleb avait dessiné des camions de pompiers, des pompiers, de grands édifices, des taxis, tout ce qu'il découvrait dans ce nouveau monde qui était le sien. Certains lui firent ressentir son chagrin : il y avait des dessins de son père et de sa mère, de son frère et lui, une maison surplombant la mer, et finalement, les yeux bruns et aveugles de sa mère.

Jacqueline regarda fixement l'un d'eux, si intensément de façon à l'imprimer dans son esprit. Madame D'Angelo avait défendu son mari et son fils, et avait dû payer un prix horrible en douleur, en sang et en obscurité.

Jacqueline toucha l'endroit de son front qui se souvenait de la douleur de la commotion. Elle prit une grande inspiration purifiante, en désirant ne plus jamais devoir respirer la fumée. Elle jeta un coup d'œil à sa main bandée.

Elle tremblait tellement que les pierres du bracelet de Charisma cliquetaient contre l'argent du bracelet.

Elle tenta de fermer ses doigts pour former un poing.

Ça faisait mal. C'était douloureux. Les points la tiraillaient.

Elle se sentit mal.

Elle reconnut un dessin au crayon de Zusane, vêtue d'une de ses robes à paillettes, avec un col de fourrure. Elle le prit et murmura :

— As-tu déjà souffert d'une vision ?

Non. Caleb lui avait dit la vérité. Zusane avait été blessée par la *vie*.

Sous le dessin de Zusane, Jacqueline découvrit un portrait d'elle sur le terrain de baseball, toute en jambes, avec un visage allongé, vêtue de son uniforme de softball et s'apprêtant à lancer la balle. Il avait bien saisi sa moue boudeuse d'adolescente et l'incertitude dans son regard. Elle trouva également un dessin de sa remise de diplôme, et un autre d'elle en costume de karaté, l'air renfrogné, poings levés. Elle trouva une série de photos, avec un dessin attaché à chacune. Il lui fallut un instant pour se rendre compte que les photos avaient été prises au cours des deux dernières années, alors qu'elle parcourait le pays, tentant d'échapper à son destin. Caleb les avait reproduites ici, dans son grenier, à son chevalet, puis les avait rangées hors de la vue.

Alors, c'était bien vrai, il l'aimait. Il l'aimait depuis des années.

Elle devait maintenant appeler la vision. Inutile de se mentir à elle-même. Elle *savait* pertinemment comment appeler les visions, elle devait simplement se donner toute entière à son rôle de médium.

Elle retira ses gants de cuir, et les posa sur la tablette. Elle trouva le bout du bandage et l'arracha de sa main. Elle laissa le tout tomber sur le sol, ouvrit la paume… mais ne put se forcer à regarder.

Et si… si elle était incapable d'aider Caleb à démasquer le traître ? Et si le diable avait réussi, qu'en ayant coupé l'œil, il avait détruit son don ?

Mon Dieu, ce qu'elle pouvait avoir peur !

Elle avait peur pour bien des raisons. Peur d'être coupée de nouveau, peur de s'étouffer sur une fumée meurtrière, plus que tout, peur de ces yeux de flammes qui viendraient la chercher… et la mener en enfer.

En jetant un coup d'œil autour d'elle, elle trouva un petit miroir de poche dont la charnière était brisée. Elle l'ouvrit, le miroir était intact. Parfait.

Dans un coin sur une tablette, elle trouva une boule à neige bon marché avec à l'intérieur des sites new-yorkais : l'Empire State Building, Times Square, Central Park. Tout aussi parfait.

En fouillant dans les fournitures d'art de Caleb, elle dénicha un bout de craie verte. Le cercle de craie de Martha était rouge et bleu, mais Martha avait suggéré un cercle, elle n'avait pas précisé la sorte.

Ces objets en main, Jacqueline se dirigea vers le centre du grenier. Elle tendit les bras comme un compas pour tracer un cercle de craie autour d'elle. Elle s'assit en plein milieu – le fait d'être assise lui garantissait qu'elle ne tomberait pas si quelque chose, comme l'aile d'un avion, la frappait durant sa vision. Elle vérifia l'agrafe du bracelet de protection de Charisma, et prit une grande inspiration pour se préparer.

Bon sang, elle espérait que cela aiderait.

Elle posa la boule à neige et le miroir sur le plancher. Aucun n'était vraiment comme une boule de cristal, mais ils lui offraient au moins un point de concentration. Malheureusement, assise là, elle ne sentait rien qui ressemblait à une vision venir à elle. Pas de teinte sépia, aucun sentiment de temporalité tordue.

Elle prit le miroir et se mira dans la glace.

Les dessins de Caleb avaient bien su capter les nuances de ses traits – elle toucha la peau encore humide de larmes et gonflée autour de ses yeux et de son nez –, même si elle était contente qu'il ne puisse la voir à l'heure actuelle. Elle ne voulait pas avoir à lui expliquer ses larmes, pas qu'il ne comprendrait pas, mais bien parce que ses émotions étaient encore à fleur de peau, et qu'elle n'avait pas envie de sangloter de nouveau.

Posant le miroir, elle prit la boule à neige. C'était une babiole, un souvenir d'enfance. Lorsqu'elle la secoua, la neige cascada sur les édifices et les routes en plastique comme en plein hiver. La personne qui l'avait conçue ne s'était pas préoccupée de l'emplacement exact des grands sites new-yorkais. La Statue de la Liberté était sur la East River, le Rockefeller Center, sur Broadway, le Metropolitan Museum of Art, dans SoHo, à côté de quoi il y avait une église, un hôpital et un cimetière…

Le bruit de l'eau qui gouttait devint plus fort.

Une église? Un hôpital? Un cimetière? Quels drôles d'objets à mettre dans une boule à neige pour enfants. Il était bizarre de voir la teinte sépia de ce souvenir bon marché qu'elle tenait à la main…

Lorsqu'elle regarda autour d'elle, elle se retrouva debout dans une rue tranquille et enneigée.

Où était passé l'été? Où était passé le grenier?

Comment s'était-elle retrouvée dans la boule à neige?

Une vision. Elle ressentait sa vision.

L'expérience était délicate. Si elle se débattait, si elle paniquait, elle pourrait s'échapper, et elle *savait*, pertinemment, qu'elle n'aurait plus jamais à s'inquiéter d'avoir des visions. Elle pourrait, enfin, être aussi normale qu'elle en avait toujours rêvé.

Voilà une tentation qui ne venait pas du diable, mais bien de ses propres désirs.

Elle leva les yeux vers le ciel gris et triste. La neige tombait, froide sur son visage. Au loin, elle pouvait entendre les klaxons des taxis et, encore plus loin, apercevoir les clignotants des panneaux d'affichage new-yorkais. Les sites correspondaient à ceux de la boule : une église, un hôpital, un cimetière…

Ici, le bruit de goutte était constant et désagréable. Le bruit venait d'à proximité, et son instinct lui dit que si elle voulait *savoir*, elle devrait *chercher*.

Mais elle ne voulait pas regarder l'église. L'édifice était vieux, délabré, entouré d'une clôture et marqué d'une affiche où on pouvait lire CONDAMNÉ. Le cimetière était adjacent, et ses pierres tombales étaient lisses, craquelées et couvertes de mousse. Certains des noms étaient effacés par le temps, et elles étaient entourées d'arbres anciens qui pendaient sous le fardeau de la neige. Une ombre passa dans l'église, une obscurité qui lui donna envie de fuir à toute vitesse.

Elle avait peur. Elle avait la possibilité de se libérer. Elle pouvait abandonner.

Parcourue d'un frisson, elle se tourna vers l'hôpital. L'édifice était de petite taille, seulement trois étages. Les murs étaient privés et pâles, et lorsqu'elle regarda par les fenêtres, elle vit des infirmières et des médecins effectuant leur tournée en silence. Elle se demandait si l'un d'eux aurait été plus habile que Martha pour lui faire des points de suture dans la paume de la main, ou si ce qui avait été détruit d'un coup de bouteille cassée ne pourrait jamais être réparé.

Ouvrant la main, elle se força finalement à regarder.

Le tesson avait coupé la ligne extérieure de l'œil, de même que la pupille et l'iris, mais Martha avait réussi à bien les réunir. Les points noirs étaient petits et bien faits, retenant la peau convenablement. Le fait que la coupure soit rouge n'avait rien à voir avec Martha. Elle l'avait désinfectée. Elle avait fait tout ce qu'elle pouvait. Pourtant, lorsque Jacqueline toucha la plaie du bout des doigts, elle sentit la chaleur d'une infection.

Sa marque ne serait jamais plus pareille, mais par-dessus tout, si c'était vraiment l'œuvre du diable, n'aurait-elle pas pu perdre la main et la vie en raison de cette blessure?

Une larme glissa de sa joue dans sa main. Elle éclata, et cela l'effraya. Elle épongea son nez du revers de la main et leva les yeux.

Oui, elle était vraiment lâche.

Et alors ? Elle pourrait être effrayée et tout de même procéder. La peur n'aurait pas le dessus sur elle. Pour Caleb, pour les Élus, pour sa mère, elle *devait* le faire.

Le poids des années de peur et de rébellion s'estompa. Elle arpenta la rue, armée de sa peur, oui, mais également de sa détermination.

Mon Dieu. Si seulement le bruit de gouttes pouvait s'arrêter. Plus elle l'entendait, plus cela continuait, plus elle avait peur. Cela ne sonnait pas comme de la pluie, ou la neige qui fond du toit, ou même un robinet qui fuit... Le bruit était trop régulier pour cela. Il avait une certaine notion d'éternité. Le bruit ressemblait davantage à l'eau qui goutte dans une grotte, le mouvement d'une molécule à la fois, formant une goutte sur une stalactite minuscule, pendant au bout pendant une seconde infinie, puis tombant sur le sol. Avant de recommencer.

Peut-être y avait-il une grotte sous l'église ? Ou encore l'une des vieilles pierres tombales était peut-être tombée ? Ou... elle sentit la froideur du plancher sur son dos tandis qu'elle s'allongeait... peut-être était-elle morte.

Ses mains sont de chaque côté d'elle ; elle ne peut les lever. Sa tête n'est pas tournée, mais bien droite, comme placée. Peu importe ses tentatives, elle ne peut pas parler. Elle ne peut pas crier. Ses yeux sont fermés. À jamais fermés. Ses amis ont disparu, ils l'ont abandonnée, se préoccupant peu de sa solitude. Personne ne se souvient de sa grandeur. Elle n'a plus de souffle. Elle n'a plus de lumière.

Elle est *morte.*

Une voix murmure dans son esprit. Sans fin, elle sympathise avec l'absence de ses amis, offrant la vie... tout ce qu'elle doit faire, c'est de trahir ceux qui l'ont trahie.

Sous le choc, elle reconnaît la voix du diable.

Elle a peur. Tellement peur. Mais elle ne peut pas sauter. Elle ne peut pas s'enfuir.

Elle est maintenue en position, à jamais dans l'obscurité, à entendre le bruit de goutte...

Maudissant ceux qui l'ont oubliée.

Écoutant la promesse du diable.

Une promesse qui sonne de moins en moins comme une tentation et de plus en plus comme la justice, et la seule façon de se sauver... et de retrouver sa vie.

Chapitre 34

— Chérie, je sais qu'il s'agit là d'une importante vision et je suis fière que tu aies su surmonter ta peur, mais j'ai besoin que tu te réveilles, dit une voix familière.

La main posée sur son front l'était tout autant.

Jacqueline ouvrit les yeux dans le petit grenier ensoleillé.

— Mère ?

Zusane était agenouillée à ses côtés. Elle portait une robe dorée à paillettes, d'énormes boucles d'oreilles jaunes à diamant, et son expression d'angoisse força Jacqueline à se redresser.

— Mère, je suis plutôt occupée, dit-elle en pensant aux rues de New York enneigées. Je m'apprête à découvrir qui a trahi les Élus.

— Je le sais, mais si tu restes dans le grenier de madame D'Angelo, tu seras blessée, lui dit Zusane d'un ton calme, mais avec l'air d'être sur le bord d'une de ses fameuses crises d'Europe de l'Est. Je ne les laisserai pas te toucher de nouveau.

Parce que la dernière fois que Jacqueline avait été blessée, Zusane avait été… avait été tuée. L'idée donna à

Jacqueline un pincement au cœur, qui la ramena à la réalité.

— Je croyais que vous étiez morte.

— Je le suis, chérie. Toutefois, il y a quelques avantages à s'être sacrifiée si souvent au profit des Élus.

— Évidemment, dit automatiquement Jacqueline, se demandant quel genre d'avantages une personne morte pouvait bien avoir. Qu'est-ce qu'il y a?

— Quoique, songea Zusane, je n'avais pas l'intention de faire le sacrifice ultime de ma vie. Si je m'étais rendu compte qui se cachait dans l'âme d'Osgood et qu'il pouvait te faire monter à bord avant que je ne monte dans l'avion, je ne l'aurais pas fait.

— Je suis heureuse de savoir que vous avez au moins un peu de bon sens.

— Que veux-tu dire? Je suis très sensée.

— Je veux dire que vous aimiez tant l'aventure que vous ignoriez le danger. Combien de fois avez-vous cru pouvoir parier sur votre vie et gagner?

— Tu es l'enfant la plus agaçante.

— Parce que je suis logique?

— Parce que… oh, pour l'amour de Dieu! Nous n'avons pas le temps pour ce genre de chamailleries. Tu ne peux rester ici à flâner toute la journée. Tu dois partir, sinon tu ne pourras en supporter les conséquences, dit Zusane en se levant.

Elle disparaissait. Elle partait. Une heure auparavant, Jacqueline la pleurait, et rêvait d'avoir encore l'occasion de lui parler, et maintenant elle ne réussissait à entretenir qu'un bavardage anodin.

— Mère ! Attendez. Je ne peux supporter les conséquences au moment où l'on se parle. Mère, je fais ce que vous vouliez que je fasse, je vois l'avenir.

— Je sais. Maintenant, si tu pouvais terminer ton cours universitaire pour te trouver un emploi…

Si Jacqueline avait eu le moindre doute sur l'identité véritable de Zusane, il avait maintenant disparu. Exaspérée, elle poursuivit…

— Écoutez, mère, je ne vous ai jamais dit que…

— Que tu m'aimais ? sourit Zusane, de son célèbre sourire empreint de sa personnalité si vivante. Il y a une chose que j'ai apprise ici, de l'autre côté… l'amour est une émotion très réelle. Je sens ton amour, aussi doux que le pelage d'un chiot. Je vois ton amour, aussi brillant qu'un diamant. L'odeur de ton amour est mon parfum préféré. Et j'entends tes pleurs lorsque tu t'ennuies de moi. Ne pleure pas, Jacqueline. Ne t'ennuie pas de moi. Je ne suis jamais bien loin.

Les yeux de Jacqueline se remplirent de larmes.

— Oh, maman…

— Toutefois, au cours de ma vie, j'aurais bien aimé t'entendre dire que tu m'aimais. J'en aurais été très heureuse.

Jacqueline éclata de rire.

— La culpabilité, un gage pour l'éternité.

— Toujours l'humour, dit Zusane, la tête penchée sur le côté comme si elle avait entendu quelque chose, et sa voix trahissait l'urgence. Lève-toi, maintenant. Sors de ta vision. Les problèmes se pointent, et tu dois être prête à leur faire face.

— Mais je ne sais toujours pas qui est le traître !

Zusane s'arrêta. Elle se retourna et sourit.

— Tu connais l'un d'eux, réfléchis !

Jacqueline se plongea dans ses pensées, cherchant un indice, un fil…

« S'il s'en occupe, il va mourir. S'il s'en occupe, il va mourir. »

— Cette voix. C'est celle de Tyler Settles.

Le voile qui recouvrait sa mémoire se leva. Tyler était venu voir Jacqueline alors qu'elle était en pleine vision, avait ramassé la boule de cristal et la lui avait fracassée sur le crâne. Il l'avait reprise, prêt à la tuer, lorsqu'il avait entendu des pas dans l'escalier. Il avait laissé tomber la boule et s'était précipité vers l'autre sortie, s'échappant de justesse avant l'arrivée de Caleb…

— Tu vois ? Tu le connais et tu t'en souviens. Maintenant, va. Souviens-toi que je t'aime et sois prudente, dit Zusane avant de disparaître avec un pop incongru.

Jacqueline se retrouva debout au milieu du cercle de craie verte, les yeux écarquillés, à écouter les sons de la maison de pierres.

Rien dans ces bruits n'annonçait un problème, mais l'atmosphère de la maison était tourmentée, comme un brouillard marin.

Le danger dont avait parlé sa mère était présent.

Prenant la boule à neige, Jacqueline se dirigea vers l'escalier. Doucement, sans faire de bruit, elle descendit l'escalier et se précipita chez Caleb.

La porte était verrouillée. Madame D'Angelo était en bas…

Avec Tyler ?

Se déplaçant avec assurance et rapidité, Jacqueline ouvrit la porte de la cage d'escalier et entreprit de descendre.

Peut-être madame D'Angelo dormait-elle toujours. Toutefois, si c'était le cas, où étaient les chiens ? Pourquoi Lizzie ne jappait-elle pas ? Même si Jacqueline avait tort, même si Tyler était là, Lizzie devrait japper. Mais l'endroit était aussi silencieux… qu'une tombe.

Tandis que Jacqueline descendait l'escalier, son cœur se mit à battre lentement et avec force. Elle regarda la boule à neige dans sa main. Quelle arme *idiote* ! Cependant, elle l'avait prise sans réfléchir, et maintenant elle devait suivre son instinct.

En posant le pied dans l'entrée, une voix se fit entendre dans sa tête.

« Tu vas mourir, et elle va mourir avec toi. »

La voix de Tyler. Il était là — et il savait qu'elle y était aussi.

Comment avait-elle pu ne pas reconnaître sa façon théâtrale ?

Il avait tué des centaines de personnes à l'Agence de voyages Gitane, et détruit d'innombrables et inestimables livres et reliques.

Il l'avait blessée. Il avait tenté de la tuer.

Et il s'y essayait de nouveau, et il avait l'intention de détruire également madame D'Angelo.

Jacqueline allait le lui faire payer.

Elle traversa en vitesse le séjour. Qui était vide. Puis, elle jeta un coup d'œil à la cuisine… et s'arrêta net.

Il y avait du sang encore humide sur le plancher.

Madame D'Angelo était assise à la table, le regard vide, la main sur la tête de Ritter.

Tyler, le beau, le blond, le prétentieux Tyler était debout derrière elle, un pistolet sur sa gorge. De tout son charme, il décocha un sourire à Jacqueline.

— Madame D'Angelo est une hôte si accueillante. Lorsque je suis arrivé, sa porte arrière était verrouillée. J'ai cru que je devrais entrer par infraction, mais son chien s'est mis à japper. Elle lui a dit de se taire et m'a invité à entrer. Quel accueil! Mais considérant ses antécédents, quelle bêtise!

Le regard de Jacqueline alla de Tyler à madame D'Angelo.

Madame D'Angelo n'avait aucune expression sur son visage. Elle était aussi lointaine et froide qu'un iceberg. Pourtant, ses doigts étaient agrippés à la peau de Ritter, et le gentil labrador se collait de plus en plus.

— Alors, j'ai tiré sur le chien, celui qui jappait. Et si madame D'Angelo ne coopère pas, je tirerai également celui-ci, dit-il en désignant Ritter de son pistolet. Et si tu ne coopères pas, je tirerai une balle dans la tête de madame D'Angelo. Je te garantis qu'elle ne s'en remettra pas cette fois. Elle sera en état de mort cérébrale jusqu'à ce que la mort s'ensuive.

— N'a-t-elle pas assez souffert dans la vie? s'écria Jacqueline.

— En quoi est-ce que ça te concerne? Tu es comme moi. Tu n'as pas de *mère*. Les gens comme nous… nous ne nous préoccupons pas de la notion de *famille*. Seuls les faibles ont envie de ce qu'ils ne peuvent avoir, dit-il avec mépris.

— Seuls les faibles envient tant les familles qu'ils veulent leur faire du mal, répliqua-t-elle.

— Je ne suis pas un faible, et je n'ai pas envie de faire de mal à cette *mère*, dit-il en plongeant les doigts dans les cheveux de madame D'Angelo. Mais puisque l'occasion se présente, aussi bien y prendre plaisir. Alors, entre, Jacqueline Vargha, et parlons de notre plan pour les Élus.

Jacqueline ne voulait pas parler de son plan pour les Élus, parce que son seul plan pour les Élus était leur mort.

Et les Élus étaient les amis de Jacqueline. Ils étaient son monde.

Elle se dirigea vers lui, calmement et tranquillement, tentant de le mettre à l'aise.

— Ne fais pas de mal à madame D'Angelo, Tyler. Nous pouvons trouver une solution.

Son regard se posa sur elle, et il détaillait avec plaisir son jeans, son t-shirt et ses pieds nus.

— Sais-tu ce qu'il m'a promis, si je mettais fin aux Élus ?

— Je n'imagine même pas.

— Toutes les femmes que je veux. Tout le pouvoir que je veux. Toute la gloire que je veux, gloussa-t-il. Ma propre émission de télé. Je serai plus célèbre que Joe Barron. Et pourquoi pas, plus célèbre qu'Oprah !

— Wow !

Il était si épris de sa magnifique vision de l'avenir qu'il ne releva même pas son sarcasme.

Elle se balança sur ses pieds, prête à l'attaque.

— Je ne sais pas pour le pouvoir et la gloire, mais je ne suis pas disponible. Je suis plutôt impliquée avec Caleb.

— Chérie, il n'est pas là et il ne viendra pas, dit Tyler avec une trop grande certitude.

Jacqueline hésita, se redressa pour être plus solide.

— Pourquoi pas?

— Il est passé voir sa mère avant de partir... Quel bon garçon! Et il lui a dit qu'il retournait chez Irving, sourit Tyler.

Il était si beau, si magnifiquement superbe, mais à cet instant précis, Jacqueline put voir la corruption qui le grugeait de l'intérieur, transformant son esprit en une masse cancéreuse, sa chair en une maladie dégénérative.

— Qu'as-tu fait? murmura-t-elle.

— Ce à quoi je suis bon.

— Je ne suis pas certaine de savoir ce que c'est, mais je suis persuadée que cela n'a rien à voir avec le fait d'être médium, dit-elle, en reprenant son souffle. Tu parles dans les esprits.

— Bravo, dit-il.

Les mots étaient approbateurs, mais son ton ne l'était pas. Il n'aimait pas être débusqué.

— Je manipule également les esprits, et Irving s'est avéré une proie facile.

Si c'était la vérité, c'était de mauvais augure.

— Je n'y aurais pas cru.

— Dans mon travail...

— De guérisseur, non?

— Oui, oui. Dans mon travail, on apprend que le bon moment pour prendre possession de l'esprit d'autrui est lorsque cette personne est bouleversée par la tragédie, l'angoisse ou la douleur. La personne n'est pas sur ses gardes, ne porte pas attention, alors ses protections ne sont pas en place, et je peux m'immiscer.

— Oui, je vois comment ça peut fonctionner, dit-elle.

Après réflexion, elle ajouta :

— J'imagine que tu as convaincu bien des gens de te donner le mot de passe de leur compte bancaire.

— Quelle fille intelligente tu es !

— Oui, je le suis. Mais tu n'as pas manipulé mon esprit, dit-elle.

Elle le savait parce qu'après avoir obtenu les renseignements dont elle avait besoin, elle avait toujours l'intention de le tabasser.

— Non, dit-il d'un ton maussade. Certains Élus disposent d'une protection que je ne connaissais pas encore. Comme toi, plus particulièrement. Ton esprit est en téflon. Je ne pouvais absolument pas entrer. Du moins, pas avant cette première vision. Alors, tu étais blessée et confuse, et tu m'entendais bien quand je te parlais ! dit-il avec un sourire en coin qui donna envie à Jacqueline de le gifler.

Cependant, elle garda son calme et sa distance.

— En effet. Tu m'as dit : « S'il s'en occupe, il va mourir. S'il s'en occupe, il va mourir. »

— Tu vois ? J'ai bien fait de te prévenir. Dommage que tu ne lui aies pas transmis le message.

— Je l'ai fait, mais Caleb ne s'en est pas préoccupé. Il voulait trouver l'homme qui avait tenté de me tuer, dit-elle.

Le souvenir de ce moment, alors que Caleb et elle se déchiraient par des mots, faisait monter les larmes à ses yeux. Mais elle ne pouvait pas ; cela donnerait à Tyler une emprise sur son esprit.

— S'il avait compris que je viendrais ici, il aurait économisé en frais de taxi, rigola Tyler. Sans oublier qu'il aurait échappé à une mort certaine et pénible.

Ce rire, cet air reconnaissable de triomphe, donna froid dans le dos à Jacqueline.

— Tyler, qu'as-tu fait? demanda-t-elle.

— La même chose qu'à l'Agence de voyages Gitane. J'ai truqué ma chambre et mes affaires personnelles.

— Truqué? Tu as posé une bombe?

— Une *bombe*? dit-il avec mépris. Une *bombe* est inutile, lorsque les Autres sont prêts à me montrer des trucs surnaturels. Ton petit ami a un tel dédain des téléphones cellulaires, et j'ai gardé celui de secours, que j'ai utilisé pour tout faire exploser.

— Il s'agit donc d'une bombe.

— Non! trancha-t-il. Ce n'est pas aussi rudimentaire. Il s'agit d'un enchantement. Tôt ou tard, ton petit ami ou l'un de tes amis fouillera ma chambre. Il l'allumera pour savoir à qui j'ai téléphoné et qui m'a téléphoné, et — Tyler claqua des doigts — la maison d'Irving et tous ceux qui se trouvent à la portée de ce sort de confinement seront pulvérisés, y compris ton petit ami.

Dans un tourbillon de furie qui effraya Jacqueline et prit Tyler par surprise, la frêle madame D'Angelo se leva et se précipita tête baissée contre la poitrine de Tyler.

Peut-être si elle avait carrément percuté le sternum, elle lui aurait fait mal. Elle frappa plutôt contre ses côtes sans suffisamment de poids ou de force.

L'attrapant par le bras, il la repoussa, et elle se frappa la tête contre le comptoir.

Elle s'écrasa au sol, inconsciente.

— Espèce de… *mère*! cria-t-il comme si c'était la pire des insultes.

Il leva son pistolet et visa la tête de madame D'Angelo.

— Non! cria Jacqueline en se dirigeant vers lui.

Ritter, le doux Ritter, planta ses crocs dans la cuisse de Tyler.

— Merde! dit Tyler, qui donna un coup de son pied libre dans les côtes du chien.

Ritter glapit et lâcha prise. Sur le ventre, il rampa vers madame D'Angelo.

Tyler pointa l'extrémité de son pistolet vers le chien, puis vers Jacqueline, puis de nouveau vers le chien.

Levant la boule à neige au-dessus de sa tête, Jacqueline la lança de toute la force considérable de son bras musclé. Le souvenir bon marché traversa l'air.

Le bracelet que lui avait offert Charisma lui glissa du bras.

Il leva le bras pour éviter la boule à neige. Il la fit dévier, mais pas assez. Avec le poids de l'eau de la boule, celle-ci lui éclata contre le visage. Le plastique vola en morceaux. Le globe explosa dans un éclaboussement d'eau et de sang.

Il cria de douleur et de rage.

Jacqueline se précipita vers lui.

Se redressant, il pointa son pistolet vers elle.

Elle freina.

Il leva la main à son visage, la Statue de la Liberté, l'Empire State Building, *quelque chose* lui avait déchiré la joue, laissant une plaie béante du coin de l'œil au coin de la bouche.

— Tu m'as marqué! dit-il avec incrédulité, regardant fixement le sang sur ses doigts.

L'occasion ne pouvait être meilleure. Jacqueline bondit vers lui, les hanches pivotant tandis qu'elle dirigeait son coup de pied vers son entrejambe.

Il se leva d'un bond.

Le coup atterrit directement sur sa cuisse, et il se tordit de douleur. Il répliqua avec un coup vers la gorge de Jacqueline.

Elle l'évita, mais elle savait maintenant –, il avait une longue portée, il s'entraînait et il était bon. Très bon.

Quand il frappa de nouveau, elle lui donna un coup de pied sur l'avant-bras. Elle lui asséna ensuite un solide coup au visage qui fit gicler du sang de sa lèvre.

Il grogna de rage et se dirigea sur Jacqueline avec une série de coups assénés à la vitesse de l'éclair qui la firent reculer dans la cuisine.

Au loin, Lizzie aboya brusquement en agonisant.

Comme s'il s'agissait justement du son qu'il avait besoin d'entendre, il s'arrêta et se mit à rire.

Une ouverture.

Elle visa sa gorge avec son poing.

Tyler attrapa le poing de Jacqueline dans sa main, la saisit et la vit voler vers la porte.

— Je vais te tuer. Lentement. De la même manière que j'ai tué ce foutu chien, et de la même manière que je vais tuer cette foutue mère.

Caleb avait enseigné à Jacqueline d'économiser sa salive dans un combat, ce qu'elle fit. Elle se battait avec force, le forçant à se taire et à reculer.

Il était haletant, ensanglanté, blessé.

Elle chercha l'ouverture. Celle-ci se présenta quand il s'élança de loin.

Elle décocha un autre coup de pied, visant son ventre mou.

Avec des réflexes aussi rapides que l'éclair, il l'attrapa par la cheville et la retourna.

Il n'était pas aussi blessé qu'elle le croyait.

Elle avait été bernée.

Elle tomba violemment au sol, poitrine contre le plancher. L'impact lui coupa le souffle.

Il tomba sur elle de tout son poids.

Ses côtes se fêlèrent, elle poussa une exclamation d'agonie, vit des étoiles rouges exploser dans ses yeux, et perdit connaissance pendant une minute cruciale.

Elle reprit connaissance sur le dos.

Son pistolet avait disparu. Il était assis sur sa poitrine, les yeux bleus enflammés de colère. Ses mains lui encerclaient la gorge.

— Le diable a choisi cette mort pour toi. Alors, meurs, meurs.

Il serra de toutes ses forces pour l'étouffer.

Elle se débattit désespérément, lui égratignant les poignets.

Ses doigts se resserrèrent, bloquant son apport d'air.

— Tu étais presque morte hier parce que tu ne pouvais pas respirer, mais il a fallu qu'Isabelle se vante. Il a fallu qu'elle te sauve. Alors, je te tue maintenant.

Le sang coula de la joue de Tyler sur Jacqueline. Elle ne pouvait plus respirer. Dans sa tête, elle pouvait entendre très fort le bruit de l'eau qui gouttait. Si elle ne faisait rien, le bruit ne cesserait jamais. Elle serait à tout jamais enfermée dans le cimetière, seule et sans ami…

Instinctivement, elle porta sa paume blessée à la tête de Tyler et la pressa contre son front.

Une vague de choc lui parcourut le bras, avant d'exploser comme un feu d'artifice sur le front de Tyler.

Il tituba vers l'arrière, portant la main à ses yeux en poussant un cri de douleur.

La main tendue, elle respira à fond et se lança de nouveau, mais il était plus fort.

Accroupi comme un taureau prêt à attaquer, il poussa ses épaules vers l'avant. Son regard fiévreux était fixé sur Jacqueline.

Haletante, elle tenta de se défiler. Elle ne pouvait se remettre sur pieds. Lorsqu'il percuterait contre elle, elle ne s'en remettrait pas.

Il s'avança vers elle avec la rapidité d'un joueur de football et, du coin de l'œil, elle décela un mouvement.

Caleb. C'était Caleb. Il était là. Il était vivant.

Elle s'écroula au sol, haletante.

Chapitre 35

Caleb chargea Tyler de côté et le projeta de l'autre côté de la cuisine.

Se tenant la gorge à deux mains, Jacqueline tentait de respirer. La fraîcheur des tuiles pénétra sa peau chaude et la ramena doucement vers la conscience, le soulagement et la gratitude.

Caleb était là. Mon Dieu, son amoureux était en vie.

Il était vivant. Le plan de Tyler avait échoué, et Caleb était arrivé à temps pour sauver Jacqueline et sa mère.

Tyler percuta le réfrigérateur en acier inoxydable assez violemment pour marquer la porte et faire tinter le métal. Il fouilla dans sa veste, roula sur le dos et leur fit face, le pistolet à la main pointé sur la poitrine de Caleb.

Dans un mouvement si rapide que Jacqueline eut à peine le temps de le voir, Caleb sortit un couteau de sa manche et, avec une précision meurtrière, le lança dans l'épaule de Tyler.

Tyler cria et laissa tomber le pistolet.

Caleb se précipita sur lui, le plaquant de nouveau contre le réfrigérateur.

L'attrapant d'une main par la gorge et de l'autre par le front, il percuta le crâne de Tyler contre le métal deux fois plutôt qu'une.

Jacqueline ne s'en souciait pas. Tyler avait tué Lizzie. Il avait blessé, peut-être même tué madame D'Angelo. Il avait blessé Ritter. Il l'avait blessée, elle.

Elle souhaitait que Caleb le tue.

Rampant vers madame D'Angelo, elle vérifia son pouls. La mère de Caleb était inconsciente, elle saignait d'une blessure au front, mais elle était vivante. Ritter était par terre contre elle, et léchait la main de Jacqueline tandis qu'elle tirait à elle le combiné du téléphone sur le comptoir pour composer le numéro d'urgence.

— Braquage de domicile, dit-elle d'une voix rauque, et pliant une serviette de cuisine sur la blessure de madame D'Angelo. Il nous faut une ambulance.

— Quelle est l'adresse ? demanda l'agent du service d'urgence.

— Je l'ignore, répondit-elle tandis que les coups contre le réfrigérateur se poursuivaient.

— Ne quittez pas, dit l'opérateur.

— Je ne peux pas, dit Jacqueline en raccrochant le combiné.

Se rendant compte qu'elle ignorait le numéro de téléphone d'Irving, elle tenta de crier à Caleb. Ce n'était que justice rendue que sa voix était trop éraillée pour empêcher Caleb de tabasser Tyler. Toutefois, elle le devait, c'était plus important que la punition de Tyler. Elle tenta de se relever, et tomba sur un genou. Elle fit une nouvelle tentative, et se jeta sur une chaise. Elle attrapa le dossier et la poussa sur le plancher vers Caleb. Il fut frappé derrière les jambes.

Les mains toujours autour d'un Tyler pleurnichant, il se retourna vers elle, les yeux injectés de folie meurtrière.

— Ma mère? demanda-t-il.

— Elle est vivante, réussit à dire Jacqueline. J'ai composé le numéro d'urgence, et demandé de l'aide, mais j'ignorais l'adresse.

— Ils retraceront l'appel.

Tyler égratigna le visage de Caleb.

Caleb le gifla avec mépris.

— Caleb! dit-elle, plus fort cette fois. Le numéro de téléphone d'Irving. Nous devons les prévenir…

Caleb comprit qu'elle était désespérée et rejeta Tyler comme un détritus.

— Les prévenir de quoi?

Tyler tomba au sol.

— Il a tendu un piège, dit-elle en désignant celui qui parlait dans les esprits.

— Quel piège? demanda Caleb en attrapant le combiné pour composer le numéro.

— Son téléphone cellulaire est piégé pour faire exploser la maison.

Jacqueline n'avait jamais entendu Caleb jurer en italien, mais c'est bien ce qu'il fit. Il était pâle tandis qu'il parlait avec urgence dans le combiné.

— Allez, allez!

Son regard passa sur Jacqueline tandis qu'il écoutait la sonnerie du téléphone, se posa sur son cou meurtri, puis revint sur Tyler.

— Je *vais* le tuer!

— D'accord, dit-elle en s'assoyant lourdement sur une chaise. Mais d'abord, *ils doivent* répondre au téléphone.

Il pressa un bouton, et elle put soudainement entendre la sonnerie.

— Je l'ai mis sur le haut-parleur, dit-il.

Quelqu'un répondit.

— Allô, dit un McKenna ennuyé.

— McKenna, écoutez-moi. N'allez pas dans la chambre de Tyler. Ne touchez à rien. Ne touchez surtout pas au téléphone cellulaire, aboya Caleb en se redressant.

— Mais, monsieur, monsieur Shea, monsieur Eagle, monsieur Faa et mademoiselle Fangorn sont tous montés fouiller la chambre.

— Alors, arrêtez-les, grogna Caleb.

— Ils suivent vos ordres, monsieur, dit McKenna d'un ton de reproche.

Jacqueline se leva.

— Arrêtez-les, arrêtez-les, dit-elle d'une voix rauque.

— Si vous ne les arrêtez pas, dit Caleb, la maison va exploser. McKenna, écoutez-moi!

Le combiné, à l'autre bout du fil, fut posé.

Caleb et Jacqueline échangèrent un regard.

— Tu crois qu'il le fera? demanda Jacqueline.

— Il le fera. Est-ce que je crois qu'il mettra sa dignité en jeu en courant ou en criant? Voilà une autre question, répondit-il, en jetant un regard à Tyler, toujours vautré devant le réfrigérateur.

Les yeux de Tyler étaient fermés par l'enflure.

— Il n'est pas prêt de se relever, dit Jacqueline.

— Pas s'il sait ce qui est bon pour lui, répondit Caleb en se dirigeant vers elle, bras tendus, le regard soulagé.

Sur le plancher, madame D'Angelo gémit.

Se retournant, Caleb s'agenouilla près d'elle.

— Maman, peux-tu m'entendre ?

— Oui, dit-elle en portant une main à son front. Cesse de crier.

Soulagé, il s'adossa au comptoir.

— Peux-tu bouger ?

— Le faut-il ? demanda-t-elle.

— Juste un peu pour me montrer que tu es capable, dit-il en la regardant bouger les bras et les jambes, lever la tête et la reposer au sol.

Caleb regarda Jacqueline et sourit de soulagement.

Puis, madame D'Angelo se débattit un peu plus violemment.

— Lizzie ? s'enquit-elle.

Jacqueline regarda autour d'elle, suivit les traces de sang sur le plancher qui menaient au porche.

— Là-bas, dit-elle.

Caleb se leva et se précipita vers la porte.

On entendit trois jappements plaintifs.

Caleb disparut de l'autre côté. Jacqueline entendit des portes d'armoire s'ouvrir, puis Caleb revint et essuya le sang sur ses mains.

— Elle ne va pas bien, maman. Elle perdra une patte, dit-il en jetant un regard empreint de représailles à Tyler. Je l'ai enroulée dans des serviettes pour la garder au chaud jusqu'à ce que l'on puisse l'amener chez le vétérinaire. Toutefois, si elle est capable de japper contre moi, elle survivra.

— Dieu merci, murmura madame D'Angelo, en caressant le museau insistant de Ritter.

Caleb marcha vers Jacqueline à bras ouverts.

Doucement et avec précaution, elle se dirigea vers lui.

L'enserrant dans ses bras, il l'attira à lui dans un câlin.

— Attention aux côtes! haleta-t-elle.

— Que t'a-t-il fait aux côtes? demanda Caleb en relâchant son étreinte.

— Il m'a sauté dessus.

Caleb jeta un regard furieux à Tyler, puis il tourna le visage de Jacqueline vers lui.

— Je peux voir ce qu'il t'a fait à la gorge, dit-il en traçant les meurtrissures avec ses doigts, et au visage.

Il traça également la bosse qu'elle avait au front, dont elle ignorait l'existence. Puis, il éclata :

— Pourquoi t'ai-je laissé seule? Pourquoi n'ai-je pas écouté ton avertissement?

— Parce que tu es entêté et que tu crois toujours avoir raison? suggéra-t-elle avant de blottir son visage dans le creux de son épaule pour dissimuler son sourire.

— Je suis un idiot!

— Oui, dit-elle en levant la tête vers lui, la voix empreinte d'inquiétude. Tu ne peux être partout à la fois. Même maintenant, tu meurs d'envie de retourner chez Irving pour les sauver.

— Je leur ai demandé d'aller fouiller la chambre de Tyler pour trouver un téléphone cellulaire. Si la maison explose...

— Tu n'es pas responsable. Tu es le seul qui croyait qu'il y avait un traître et qui a tenté de le démasquer. Sans toi, nous serions tous victimes de l'explosion de la maison d'Irving et... oh, Caleb, dit-elle en lui jetant les bras autour du cou, ignorant la douleur causée par le mouvement brusque, Dieu me garde, mais tandis que nous attendons des nouvelles, je suis si heureuse que tu sois ici et en vie.

— Dieu nous garde tous les deux, dit-il en l'embrassant, doucement pour lui faire comprendre combien il s'était inquiété.

La sonnerie perçante du téléphone les sépara. Ils se précipitèrent tous deux sur le récepteur, et Caleb enfonça le bouton du haut-parleur.

— Monsieur, j'ai empêché mademoiselle Fangorn d'allumer le téléphone cellulaire de monsieur Tyler, dit McKenna. Y a-t-il autre chose que je puisse faire pour vous ?

— Merci, McKenna, dit Jacqueline, qui s'effondra au sol de soulagement.

Caleb lui donna des instructions.

— Fait sortir tout le monde de la maison jusqu'à ce qu'Irving, ou quelqu'un d'autre, puisse annuler le sort jeté au téléphone cellulaire.

— J'ai le téléphone cellulaire en main, monsieur, que voulez-vous que j'en fasse ?

Jacqueline se redressa.

— Tu n'aurais pas dû le toucher, dit Caleb en portant une main à son front.

Ils entendirent une voix de femme en sourdine, puis Charisma prit la parole.

— Hier soir, je lisais un des manuels de magie d'Irving, et je crois savoir de quoi il s'agit. C'est un enchantement qui vise à faire volatiliser les ordures ou des pelures de pommes de terre. Il est possible de jeter un sort de confinement à la poubelle, comme le sort jeté à l'Agence de voyages Gitane ou la maison d'Irving. Si le mécanisme est déclenché, tout ce qu'il y a à l'intérieur disparaît.

— Et qu'est-ce que *cela* a à voir avec la *situation actuelle*? demanda Caleb.

— Ne le comprends-tu pas? dit Charisma. L'explosion remplit l'espace confiné et fait ce qui doit être fait. C'est un usage brillant d'une vieille technique. Magiquement parlant, évidemment.

— Je crois qu'elle a raison, dit Irving qui venait de se joindre à la conversation. Il y a toujours un décalage temporel pour qu'un couvercle soit posé sur la poubelle. Le problème tient au fait que lorsqu'un tel mécanisme est inscrit dans un sort de confinement, il ne peut être retiré sans être déclenché. Dans ce cas, s'il quittait ma maison, cela ferait exploser le monde entier. Donc, je fais sortir tout le monde de la maison, et je le mettrai dans les ordures, question de tenter de contenir l'explosion.

La voix de McKenna était froide, formelle, et manifestement offensée par le fait qu'Irving prévoyait se sacrifier, comme si cela lui était possible.

— Je viens d'accompagner mademoiselle Fangorn à l'extérieur. Maintenant, monsieur, si vous voulez bien partir...

— Je n'ai aucune intention de partir, dit Irving, pas plus que je te laisserai te sacrifier de la sorte...

— Je suis votre majordome, monsieur, et cette tâche m'incombe...

— Je suis âgé, et tu es encore un jeune homme, je ne le permettrai pas...

— J'ai quarante-neuf ans, plus jeune du tout, et j'ai eu une vie remplie au service de...

Jacqueline entendit une explosion étouffée en arrière-plan.

Irving et McKenna cessèrent abruptement de parler.

— Tout va bien, Monsieur D'Angelo, je me suis occupé de tout. Et les ordures ont manifestement disparu, dit Martha.

On entendit ses talons claquer sur le plancher tandis qu'elle s'éloignait.

Un long silence s'ensuivit.

Jacqueline sourit à Caleb.

— J'imagine que ça résout le problème, n'est-ce pas, messieurs ? dit Caleb d'un ton impartial.

— En effet, répondit McKenna en se raclant la gorge.

— C'est réglé.

La voix d'Irving changea.

— Et toi ? Tu as mis la main au collet de Settles avant qu'il ne cause des problèmes ?

Caleb jeta un regard autour de lui dans la cuisine, au sang, à sa mère et son chien, à Jacqueline, à Tyler, et son visage s'enflamma. Il était toujours très en colère, mais plutôt inquiet pour elle et pour sa mère.

— Tout va bien, répondit Jacqueline. Nous vous retrouverons sous peu.

Caleb mit fin à la conversation.

Jacqueline baissa les yeux vers la paume de sa main. L'explosion de magie qui avait assommé Tyler avait guéri sa blessure. Les points de suture avaient disparu. L'entaille n'était plus qu'une mince cicatrice blanche.

Cependant, son autre paume la démangeait et l'élançait.

Elle regarda et vit un autre œil, le reflet du premier, tracé dans la paume de son autre main.

Elle poussa une exclamation de surprise.

Caleb se précipita à ses côtés.

— Qu'est-ce qu'il y a ?

Elle lui montra ses mains.

Il les prit dans les siennes et les regarda fixement avec émerveillement.

— Y a-t-il eu des prophéties à cet effet ?

— Je l'ignore.

— Qu'est-ce que ça signifie ?

— Ça, je le sais. Je suis prête pour les combats qui se présenteront, puisque je suis le meilleur médium que les Élus n'aient jamais connu.

Il sourit, pas un de ses sourires contraints, mais un véritable sourire de joie qui transforma son visage.

Parfaitement consciente de la chance qu'elle avait d'avoir cette nouvelle occasion, et combien ces occasions étaient rares, elle dit :

— Je suis désolée d'avoir dit toutes ces choses. Tu avais raison à propos de tout. Presque tout.

— Non, dit-il en posant un doigt sur ses lèvres. C'est moi qui avais tort. Aucun enfant ne reçoit un tel don sans avoir été rejeté de la façon la plus cruelle qui soit, privé de l'amour auquel chaque enfant a droit. Tu... tu as eu Zusane en tant que mère, et Dieu ait son âme, je sais combien elle pouvait être difficile à vivre. J'ai perdu mon père et mon frère, mais j'étais conscient de l'amour de ma famille, et je n'avais pas le droit de te divulguer le passé de Zusane. Elle aurait détesté ça, et elle aurait surtout détesté que je compare tes problèmes aux siens. Parce qu'elle n'était pas toujours désintéressée, mais elle comprenait très bien tout ce que tu avais accompli dans ta vie.

— Oui, mais elle aurait aimé que je lui dise plus souvent que je l'aimais, rigola Jacqueline.

Il la regarda avec curiosité.

Elle lui raconterait bientôt sa rencontre avec Zusane, mais pas maintenant. Elle pouvait, à présent, entendre le bruit des sirènes qui s'approchaient, et savoir qu'il ne lui restait que quelques minutes seule avec Caleb.

— Caleb, tu m'as tant aidée. Tu m'as protégée comme tu as protégé Zusane. Je sais qu'avec toi auprès de moi, je peux avoir des visions en toute sécurité. Je sais qu'avec la disparition de l'Agence de voyages Gitane, nous aurons bien besoin de tes talents au combat. D'une certaine manière, ton amour renforce mon don et le rend plus magique, dit-elle en lui montrant de nouveau sa main.

— Ce n'est pas mon amour qui te donne de la force. C'est cette âme qui brille en toi comme un phare.

— Je t'aime. Je veux t'épouser. Tu me l'as demandé la dernière fois. C'est à mon tour. Épouse-moi et combats à mes côtés.

Il l'étreignit de nouveau, puis lâcha rapidement prise.

— Je n'ai jamais rien voulu d'autre, lui répondit son garde du corps musclé, les yeux pleins d'eau.

— Jacqueline, je t'aime.

Elle était finalement chez elle, dans ses bras.

Chapitre 36

De l'autre côté de la cuisine, Tyler haleta si bruyamment qu'on l'aurait cru sur le point de rendre l'âme.

— Quel comédien ! dit Caleb, la mâchoire crispée.

Les sirènes étaient maintenant à proximité, à l'angle de la rue où habitait madame D'Angelo.

Tyler haleta de nouveau, et cette fois le bruit s'étouffa dans sa gorge.

— Il ne semble pas jouer la comédie, cette fois, tressaillit Jacqueline.

— Je ne l'ai pas assez tabassé pour le tuer. J'aurais bien voulu, mais…

Un autre de ces bruits étouffés se fit entendre, et Caleb fut sur ses pieds.

— Reste ici, dit-il à Jacqueline.

Elle n'en tint pas compte, se leva avec difficulté et le suivit.

La peau de Tyler avait pris une teinte grise, ses doigts étaient enflés, et il roulait sur le plancher en se tenant le ventre, apparemment à cause de la douleur.

— Il a avalé quelque chose, une drogue quelconque. C'est la seule explication, dit Caleb en le secouant par les

épaules pour attirer son attention. Qu'as-tu pris ? Dis-moi !
Qu'as-tu pris ?

Tyler secoua la tête.

— Cela ne change rien. Tu ne peux rien y faire, dit-il,
d'une voix cassée, les mots mal articulés.

— Il a pris du poison ? Du cyanure ou quelque chose du
genre ? demanda Jacqueline en s'agenouillant près de lui.
Qui croit-il être ? Un espion à la solde de...

Découvrant la vérité, son regard croisa celui de Caleb.

— Un espion à la solde de l'ennemi, du genre à ne pas
se laisser attraper et questionner, termina Caleb.

Le bruit des sirènes à l'extérieur cessa.

— Vous, les Élus, n'avez aucune chance. Inexpérimentés.
Irving... ce vieux bouc... comme chef, haleta Tyler. J'ai rencontré... le mort... qui triomphera.

Jacqueline se raidit.

— Qu'est-ce qu'il y a ? demanda Caleb. Jacqueline ?

Elle secoua la tête, se concentrant sur Tyler.

Poussé encore une fois par un besoin fou d'attention,
Tyler parla malgré ses lèvres bleuies.

— Je vais... rejoindre... le maître. Je serai... à ses côtés.

— Le maître ? répéta Jacqueline, reculant d'un pas scan-
dalisée et dégoûtée. Tu veux dire... le *diable* ?

— Il... sera... honoré.

Du sang giclait de la blessure infligée par Caleb au
visage de Tyler, mais il était maintenant d'une étrange teinte
brunâtre.

Les policiers new-yorkais frappèrent à la porte avant, et
entrèrent en trombe par la porte arrière.

— Ici ! cria Caleb.

Les urgentistes, les pompiers et les policiers envahirent la maison.

Caleb aida Jacqueline à se lever.

— Idiot, dit-il à Tyler. Ton maître n'admet pas l'échec.

— Ce n'est pas... vrai! dit Tyler, avec étonnement.

— Tu brûleras en enfer pour toujours, dit Caleb.

— Non! s'écria Tyler, qui cependant reconnaissait la vérité.

Alors que l'idée faisait son chemin dans son cerveau, il s'assit et tenta désespérément de ramper vers eux.

Effrayée, Jacqueline recula.

Tyler regarda fixement une vision derrière eux. Ses yeux bleus s'écarquillèrent de plus en plus. Tandis que Caleb et Jacqueline observaient les vaisseaux sanguins éclater, couvrant le blanc. Il tomba à la renverse.

Il était mort avant de toucher le plancher.

Caleb aida Jacqueline à gravir les marches de l'escalier de chez Irving et sonna à la porte.

— Tu iras au lit, et nous te donnerons des médicaments contre la douleur pour que tu puisses dormir le reste de la journée.

— Je crois que j'ai une bonne dose d'endorphines parce que je ne me sens pas trop mal, dit Jacqueline, contredisant sa protestation en s'appuyant sur lui.

— Les meurtrissures apparaîtront dès demain, dit-il, en se blâmant de nouveau de l'avoir laissée seule pour affronter Tyler.

Toutefois, Jacqueline savait ce qu'il pensait et lui donna un baiser sur la joue.

— Ta mère restera en observation à l'hôpital pour la nuit, mais elle est si en colère qu'il est évident qu'elle s'en sortira très bien. De plus, mes blessures ne les ont pas impressionnés, ils avaient hâte de se débarrasser de moi. Alors, cesse de te culpabiliser. Tout est pour le mieux. Vraiment.

McKenna ouvrit la porte.

— Monsieur D'Angelo, mademoiselle Vargha. Entrez. Resterez-vous plus longtemps, cette fois?

— Je note un certain sarcasme, McKenna, dit Jacqueline en regardant au-delà de lui, dans l'entrée sombre. Où sont les autres?

Pendant une seconde, Caleb se raidit. Il avait ce sentiment étrange d'être observé.

Puis, on cria «Surprise!» et les Élus se précipitèrent dans l'entrée. Ils sortaient de la bibliothèque, du bureau, du haut de l'escalier, en criant, en saluant de la main et en souriant.

Caleb se détendit. L'assaut était amical.

Jacqueline se précipita dans les bras de ses amis.

— Vous n'êtes pas possibles!

Charisma et Isabelle l'accueillirent en premier les bras grands ouverts.

— Attention! dit Caleb en les éloignant.

— Caleb, ce n'est que quelques côtes cassées, le réprimanda Jacqueline avant d'étreindre ses deux amies en même temps.

Charisma prit les bras de Jacqueline et regarda ses poignets.

— Où est le bracelet de protection que je t'ai offert?

Jacqueline le sortit de sa poche pour le lui montrer.

— Le fermoir est brisé.

— Je le réparerai pour toi, dit Charisma en l'empochant, en fronçant les sourcils.

De toute évidence, ce dénouement ne lui plaisait pas.

— Bon, alors, quelques côtes de cassées ? se moqua Aaron, en étreignant gentiment Jacqueline.

— J'ai déjà eu des côtes cassées, ça fait mal, dit Samuel en lui faisant une accolade.

— Il te faut cesser de te frapper le visage, dit Isabelle en frottant la bosse que Jacqueline avait au front.

La rougeur et l'enflure diminuèrent.

— Merci.

Jacqueline interrompit Isabelle, qui aurait continué.

— Les côtes se portent plutôt bien, vraiment. Je crois que j'ai développé des pouvoirs de guérison, dit-elle en bougeant les épaules pour vérifier.

— Où tu te remets encore de la guérison d'Isabelle, suggéra Charisma.

— Son travail en tant qu'Élue a des avantages, dont celui de guérir plus rapidement, dit Irving.

La foule s'écarta pour le laisser passer. Il mit ses vieilles mains tordues autour du visage de Jacqueline et la regarda droit dans les yeux.

— Dieu te bénisse, Jacqueline Vargha ! Tu nous as tous sauvés, dit-il en levant les yeux pour croiser le regard de Caleb. Et toi, Caleb D'Angelo. Sans toi, nous serions tous deux morts et idiots.

— Oui, dit Samuel en lui tendant la main. Merci de nous avoir avertis à temps. Charisma venait de mettre la main sur le téléphone cellulaire lorsque McKenna est arrivé en trombe.

Caleb lui serra la main, et celle d'Aaron, et celle d'Irving, avant de l'offrir à McKenna.

— Merci à toi de t'être précipité.

— J'ai simplement hâté le pas, répondit McKenna, sa dignité intacte.

— Je n'ai jamais voulu être au cœur d'un anéantissement, dit Charisma en étreignant Caleb.

Isabelle tendit la main. Caleb était reconnaissant qu'elle ne soit pas aussi chaleureuse et attendrissante que Charisma, mais il l'attira tout de même à lui dans une étreinte. Elle avait guéri Jacqueline et, pour le moment, elle était son Élue préférée.

Aleksandr s'approcha de Jacqueline. Avec un grand sourire, il lui offrit un sac-cadeau à imprimé de léopard.

— Nous nous sommes mis ensemble pour t'offrir un cadeau.

Alors qu'elle se serait empressée de le déballer, Caleb posa une main sur le sac.

— Attends. Nous ne pouvons rester là toute la journée. Jacqueline vient à peine de quitter l'hôpital. Elle a besoin de s'asseoir.

— Devrais-je préparer la bibliothèque pour une réunion ? demanda McKenna.

— Les réunions sont mortelles, dans la bibliothèque, dit Charisma, se corrigeant immédiatement après avoir compris son faux pas. Je veux dire que l'endroit est superbe, mais la pièce est trop vaste, et j'ai peur de briser toutes ces antiquités…

— Le bureau, alors ? La salle de jeux ? La salle à manger, peut-être ? suggéra McKenna d'un ton distant.

— Elle a raison. Le manoir est superbe, mais c'est comme habiter au musée. J'ai toujours peur de briser quelque chose, dit Aleksandr, qui de toute évidence ne se souciait pas d'avoir du tact.

McKenna fut si agacé qu'il dit d'un ton cassant :

— Alors, où suggérez-vous d'aller pour que mademoiselle Vargha s'installe confortablement et que vous puissiez vous parler avec aisance ?

— Allons à la cuisine, dit Caleb, qui savait ce dont il avait envie.

— Bonne idée ! dit Aaron en lui donnant une tape sur l'épaule.

— Oui, je suis toujours à l'aise dans une cuisine, dit Samuel en jetant un regard sarcastique à Isabelle. Ça doit venir de ma mentalité servile.

— Vraiment ? dit Isabelle, démontrant qu'elle maîtrisait le sarcasme aussi bien que lui. Je croyais que c'était parce que tu aimais regarder une femme te préparer à manger.

Jacqueline s'interposa entre les deux.

— Parfait. C'est réglé. Nous tiendrons nos réunions à la cuisine.

— Mais… je… chez moi… bredouilla Irving en gesticulant dans l'entrée.

Charisma lui prit le bras et se dirigea vers l'escalier qui menait à la cuisine.

— Ce n'est pas que nous n'aimons pas ta maison, Irving. C'est que nous la respectons beaucoup trop.

Aaron étouffa un sourire et leva le pouce à Caleb.

— C'est vrai, dit Caleb en encerclant d'un bras les épaules de Jacqueline. Tu dois te rappeler que je suis avant tout un paysan italien.

McKenna trotta derrière le groupe, le visage long de désapprobation.

Alors qu'ils entraient à la cuisine, Martha était à ses casseroles pour la préparation du repas. Elle se redressa et les regarda fixement.

— Que se passe-t-il? Vous avez décidé de dévaliser le réfrigérateur?

Caleb savait que ni Martha ni McKenna n'approuvaient ce groupe excentrique d'Élus.

Tant pis. Ils étaient pris avec eux.

La cuisine était un vestige d'une époque révolue où l'aristocratie new-yorkaise donnait des fêtes pour tout le grand monde, alors que trois douzaines de domestiques travaillaient pendant une semaine pour préparer et décorer assez de nourriture pour nourrir quelque deux cents convives affamés, alors que personne n'avait encore jamais entendu parler d'efficacité à l'égard de la cuisine. La pièce était aussi vaste qu'une entrée, avec des tablettes partout, des armoires qui montaient jusqu'au plafond de près de quatre mètres de haut, une cuisinière à gaz à six ronds et un grill, trois fourneaux, un immense réfrigérateur, et un congélateur qui pouvait accueillir un bœuf entier. Le long comptoir de granit était si lourd qu'il fallait un cric pour le lever, et seule une base en chêne solide pouvait le soutenir. Le plancher était sous le niveau du sol, et le plafond, au-delà. Les fenêtres étaient placées en haut des murs et donnaient sur le trottoir. Alors que les Élus prenaient des chaises et des tabourets pour s'installer autour de la table, ils virent les jambes des piétons qui déambulaient sur la rue.

Irving s'installa, évidemment, au bout de table.

Aleksandr glapit et avisa les autres de ne pas se frapper les genoux sur les pieds de la table parce que ça faisait très mal.

Isabelle décida que la table était trop froide et demanda une nappe. Lorsque McKenna et Martha lui jetèrent un regard furieux, elle se mit à fouiller les armoires, jusqu'à ce que McKenna abdique avec dégoût et lui en trouve une.

La cuisine était chaleureuse, sentait bon, et tout le monde était à l'aise.

— C'est très bien comme ça, approuva Charisma en versant du café à Jacqueline, à Irving et à elle-même. C'est amical. Être ainsi sous terre, les vibrations sont bonnes.

— Jacqueline, tu déballes ton cadeau ? demanda Aleksandr en posant son coca-cola sur la table et en retournant sa chaise pour s'asseoir à califourchon.

Jacqueline ouvrit le sac-cadeau, retira le papier à imprimés léopard — de toute évidence, l'emballage avait été fait par les femmes — et découvrit une boîte. Elle l'ouvrit pour y trouver un petit téléphone cellulaire rouge garni de faux diamants.

Sur le banc à ses côtés, Caleb cligna des yeux.

— Ouf, c'est éclatant !

Jacqueline le sortit de la boîte.

— Wow, c'est... quelque chose !

De toute évidence, elle ignorait quoi.

— C'est l'idée d'Aleksandr, dit Irving un peu troublé par ses Élus, mais aussi fier. Je suis heureux de l'avoir proposé.

Le jeune homme se pomponna.

— Je n'ai peut-être pas un don sensationnel comme vous tous, mais je peux aussi être utile de cette manière.

— Nous en avons tous un, dit Aaron en montrant le sien, qui était noir. Leurs GPS sont liés ensemble. À moins de posséder l'un de ces appareils, impossible d'accéder à la localisation.

— Aleksandr s'est également occupé de la programmation, dit Samuel, en tendant un colis à Caleb. Voici le tien, il est noir, dit-il tout bas.

— Merci, dit Caleb du même ton. Il ne voulait pas de faux diamants.

Plus fort, et à Aleksandr, il dit :

— Merci. Tu as résolu un des problèmes qui me tourmentaient, comme suivre la trace des Élus et communiquer à distance. Particulièrement avec Jacqueline.

Jacqueline attendit que les rires se calment pour ajouter en toute sincérité :

— Les amis, vous êtes les meilleurs.

— J'ai choisi le téléphone cellulaire et j'ai mis et aligné les pierres pour te protéger du mal, dit Charisma avec un sourire de satisfaction.

— Tu peux aligner des pierres artificielles ? demanda Jacqueline.

— Elles ne sont pas artificielles. Irving me les a données, dit Charisma en se penchant pour en toucher une avec révérence. Ce sont de vrais diamants.

— Je ne peux pas avoir de diamants. Je *perds* toujours mon téléphone cellulaire, dit Jacqueline, horrifiée en lançant l'appareil, que Caleb rattrapa.

— Tu ne perdras pas celui-là, dit Aaron avec un sourire vengeur. Tu vois ce gros diamant? Celui entouré des petits diamants jaunes? C'est le bouton à presser pour nous appeler s'il y a des problèmes. Ainsi, si tu perds ton appareil ou, Dieu nous en garde, si quelqu'un te le vole, lorsque la personne pressera ce bouton, nous nous ramènerons...

— Et elle regrettera d'être née... poursuivit Aleksandr.

— De plus, personne ne volera un téléphone cellulaire qui a cette allure, dit Samuel.

— Je le trouve joli! dit Charisma.

Caleb n'en était pas certain, mais elle était peut-être blessée dans son amour-propre.

Apparemment, il avait raison, car Isabelle lui encercla les épaules de son bras, jeta un regard furieux à Samuel, et dit :

— Tu as raison, il *est* très joli!

Caleb salua l'effort de Samuel, qui s'empressa de corriger son erreur.

— Je veux dire qu'aucun *type* ne volerait ce téléphone cellulaire. Il est trop féminin.

— Merci, tout le monde, dit Jacqueline avec délicatesse. Personne ne me le volera, et je ferai attention de ne jamais, jamais perdre quelque chose d'aussi précieux qu'un cadeau offert par mes amis.

— Tu veux dire tes amis bizarres, dit Aaron en lui donnant un coup d'épaule amical.

— Exactement, mais avant tout, Caleb et moi devons vous raconter ce que nous avons découvert, dit-elle en tenant l'appareil à deux mains, le visage sérieux, les doigts tremblants.

Chapitre 37

— Tyler était un traître. Nous le savons tous, dit Jacqueline en glissant la main sur le téléphone cellulaire, sur tous les diamants étincelants. Toutefois, en mourant, il nous a confié quelque chose…

— À propos d'un mort, ajouta Caleb. Il a dit qu'il a parlé à un homme mort.

— Ouais, c'est ça, dit Samuel.

Jacqueline se rapprocha de Caleb sur le banc.

— Non, c'est la vérité.

Le silence qui plana dans la cuisine était profond. Les Élus se regardèrent les uns les autres.

— Comment le savez-vous ? demanda Isabelle.

Jacqueline glissa le téléphone cellulaire dans la poche de son jeans et dit :

— J'ai eu une vision dans le grenier de madame D'Angelo.

— Tu ne m'avais pas dit ça, dit Caleb en se retournant brusquement vers elle.

— Quand aurais-je pu ? dit-elle en grimaçant.

— Bon, acquiesça-t-il, mais pourquoi es-tu montée au grenier ?

— Parce que mère était morte et que tu étais en danger ; je devais bien faire *quelque chose*, dit-elle, d'une voix enrouée au souvenir de la crise qui avait mené à sa décision. Je voulais voir si j'étais en mesure d'avoir une vision directe, pour m'aider à découvrir qui nous avait trahis. Et j'ai réussi... d'une certaine manière.

— Tyler nous a trahis, dit Aaron.

Irving secoua la tête et précisa :

— Non, en fait, il n'est pas le seul. Sans les codes nécessaires, Tyler n'aurait pas pu faire entrer clandestinement des explosifs à l'Agence de voyages Gitane et chez moi. Tous les directeurs ne connaissaient même pas les codes. Alors, qui les lui a donnés ?

— Un homme mort ? dit McKenna avec incrédulité.

Lorsque tout le monde se retourna vers lui, son visage celtique rougit de gêne.

— Je m'excuse, messieurs, dames, d'avoir pris la parole alors que ce n'était pas mon tour.

— Mais tu as raison, dit Jacqueline. C'était le mort. Je l'ai entendu. Il est en colère et hostile. Il déteste tout le monde, particulièrement ceux qui ont déjà été ses amis, et qui l'auraient, à son avis, trahi.

— Mais comment un mort peut-il communiquer avec Tyler Settles ?

— Tyler Settles était capable de manipuler les esprits et de parler dans les esprits. Il a farfouillé dans ma tête en tentant d'avoir une certaine influence, et je crois qu'il peut le faire avec d'autres également. Tout ça n'est que conjecture, pour l'instant, mais s'il était en mesure de manipuler les mauvais esprits, cet esprit pourrait communiquer avec lui. Cet esprit pourrait même prendre le dessus.

Cela semblait logique à Jacqueline.

— Je ne crois pas que Tyler Settles était difficile à convaincre de faire le mal. Selon ce qu'il a dit, il menait des affaires plutôt rentables en faisant en sorte que les personnes malades lui donnent accès à leurs comptes bancaires.

— Comment a-t-il été choisi pour devenir un des Élus ? s'enquit Aaron.

— S'il communiquait déjà avec ce mort, peut-être a-t-il été en mesure d'utiliser certains renseignements fournis par celui-ci, en plus de ses propres pouvoirs, pour s'infiltrer au sein de l'organisation, suggéra Samuel.

— Ta façon de penser est plutôt effrayante également, dit Aaron en regardant Samuel.

— Je *suis* avocat, dit Samuel, l'air malicieux.

Martha remplit la tasse de café de Jacqueline et demanda :

— Mais qu'en est-il de ce mort ? Il doit être lié d'une façon ou d'une autre à l'Agence de voyages Gitane pour avoir accès aux codes. Comment allons-nous le démasquer ?

— Où est-il enterré ? demanda Aleksandr.

— J'ai vu une rue new-yorkaise. Il y avait un hôpital, une église abandonnée et un cimetière. Le seul indice que je possède, c'est qu'il entend l'eau goutter... comme un supplice sans fin, dit Jacqueline en écoutant dans sa tête et en soupirant. Je peux entendre cette eau qui goutte, en ce moment.

— Alors, tout ce qu'il nous reste à faire, c'est de découvrir qui connaissait les codes de protection de l'Agence de voyages Gitane et de la maison d'Irving et de le chercher dans un cimetière, dit Aaron qui, de toute évidence, ne croyait pas tout à fait la vision de Jacqueline.

Jacqueline ne s'en préoccupait pas. Elle trouvait cela idiot elle-même. Si seulement elle ne l'avait ni entendu ni vu.

— Une voix lui parlait dans son esprit, lui offrant une nouvelle chance de vivre, dit-elle en mettant ses mains autour de sa tasse chaude. Tout ce qu'il avait à faire, c'est de trahir ceux qui l'avaient trahi. J'ai reconnu la voix.

— La voix du diable, dit Irving.

Samuel secoua la tête et sourit.

Irving se releva avec la dignité d'un vieillard.

— Je vous assure, Monsieur Faa, que je ne suis pas un vieillard affaibli. Je reconnais la façon d'opérer du diable. La tentation est une offre traditionnelle pour lui.

— Oui, c'était le diable, dit Jacqueline, frissonnante.

Caleb prit sa veste et la posa sur les épaules de Jacqueline, l'enveloppant de sa chaleur et de son odeur, lui rappelant tout ce qu'elle avait acquis en devenant amoureuse de lui.

Elle lui prit la main avec reconnaissance.

— Était-ce le mort ? Un vampire ? demanda Aleksandr, avec incrédulité. Parce que mon grand-père affirme que ça n'existe pas. Pour une fois, j'aimerais croire qu'il a raison.

— Non, ça n'a rien à voir, dit Jacqueline qui n'avait même pas envisagé cette possibilité. Il n'a pas d'envie sanguinolente. Il est humain. Mais il est dans l'obscurité, dans un tombeau où tout est immuable.

— Ainsi, dans ta vision, tu étais dans la tête du mort ? dit Charisma en s'humectant les lèvres. J'ai tenté de lire le plus possible de la bibliothèque d'Irving, pour voir comment je pouvais être utile, et tes visions... elles sont dangereuses. Seul le premier médium était en mesure de se transporter dans un autre lieu, et seulement trois pouvaient faire corps avec autrui, et aucun n'était en mesure de faire les deux.

— Dangereuses ? répéta Caleb, dont l'attention était accrue. Comment ?

Il entrait toujours directement dans le vif du sujet.

— Les autres médiums étaient tous du nombre des… Autres, leur dit Charisma.

Caleb éclata de rire.

— Alors, c'est la preuve que les temps changent, parce que Jacqueline ne pourrait jamais faire le mal.

Sa certitude réchauffa le cœur de Jacqueline.

— Et si elle reste prise d'une vision ? demanda Charisma. C'est déjà arrivé. Les gens deviennent fous.

— Charisma, ne t'inquiète pas autant, dit Jacqueline en se penchant vers l'avant pour parler du fond du cœur. Lorsque j'ai eu ma première vision, j'étais véritablement en danger. Toutefois, je crois que Tyler avait raison. Je crois que j'aurais pu mourir, et Zusane m'a sauvé la vie en me poussant hors de l'avion. Mais lorsque j'ai eu cette vision, j'étais seule et effrayée. Aujourd'hui, quand je suis entrée dans la vision, je savais que peu importe ce qui arriverait, Caleb m'aimait, et que cet amour me gardait les pieds ancrés dans la réalité.

— Génial, dit Charisma, dont les bracelets cliquetaient alors qu'elle applaudissait Jacqueline et Caleb. Alors, son amour a renforcé ton don ?

— Exactement, sourit de bonheur Jacqueline. C'est exactement ça !

Tout le monde présent dans la cuisine se mit à applaudir.

Caleb leva la main de Jacqueline dans la sienne.

— J'aimerais que vous soyez tous les premiers à savoir que Jacqueline et moi allons nous marier dès que nous aurons l'autorisation de l'État de New York.

Instantanément, tout le monde se leva pour les étreindre et les embrasser. Martha et McKenna firent fi de leur mécontentement, à la suite de l'invasion de la cuisine, et se démenèrent à épousseter des flûtes à champagne, faisant voler les bouchons et servant au groupe des hors-d'œuvre exquis.

Jacqueline étreignit Caleb, se demanda comment elle avait pu être assez idiote pour le fuir alors que tout ce qu'elle désirait était... ici.

De sa voix douce et réconfortante, Isabelle dit :

— Jacqueline et Caleb ont remporté notre première victoire. Nous commençons à devenir un groupe uni, et j'en suis bien heureuse. Toutefois, nous devons décider de ce que nous allons faire ensuite. Nous avons des décisions à prendre, et viendra un moment où nous n'aurons pas le choix de les prendre.

Caleb tira Jacqueline vers lui sur le banc.

— Isabelle a raison.

Tout le monde reprit sa place.

McKenna et Martha posèrent les hors-d'œuvre sur la table.

Isabelle resta debout.

— Je crois qu'il serait préférable que nous élisions un président. Ensuite, nous utiliserons les règles de convenance nécessaires pour mener les réunions.

— Elle a raison, nous avons besoin d'un chef, dit Aaron.

— Ce devrait être Isabelle, dit Samuel, avec l'autorité d'un juge.

Tout le monde regarda d'abord Samuel, puis Isabelle.

— Isabelle, répéta-t-il. Elle a été formée pour diriger son association d'étudiantes, pour mener des campagnes de financement pour des œuvres de charité, et pour organiser des fêtes en bonne et due forme pour des politiciens et des banquiers. Elle n'élève jamais la voix, elle ne s'énerve jamais et elle n'échoue jamais. Quelqu'un aurait-il de la difficulté à recevoir des ordres d'Isabelle?

— Ça me va, dit Aaron en se grattant le menton.

— Moi aussi, ajouta Aleksandr.

— C'est trop génial! dit Charisma en se levant pour étreindre Isabelle.

Jacqueline sourit à Samuel. S'il continuait ainsi, elle finirait peut-être par l'apprécier.

— Vous voyez? Je savais que nous y parviendrions.

— Vous êtes au chaud, au sec et nourris, entourés de sécurité et de tout un chacun, et votre première aventure se solde bien, dit Irving en remplissant une première flûte à champagne qu'il fit passer le long de la table. Êtes-vous prêts à affronter ce qui s'en vient? Les Autres sont mieux préparés, mieux formés, et jusqu'à maintenant, ils ont réussi à nous battre. Je vous garantis que jusqu'à ce que nous découvrions la prophétie qui nous guidera, cela n'ira pas en s'améliorant, et même lorsque nous la découvrirons, rien ne nous garantit que cela s'améliorera.

— Irving a raison. Notre simple survie dépendra de nos capacités et notre dévouement, dit Aaron qui n'avait jamais paru aussi sérieux, aussi intense.

Jacqueline devait dire quelque chose.

— Cela nécessitera quelque chose d'encore plus important. Je vous ai rencontré il y a quelques jours à peine. Je ne vous connaissais pas. Je ne désirais pas vous connaître. Je ne voulais pas faire partie de cette mission. Mais j'ai senti quelque chose en me tenant à l'extérieur du cercle de craie. J'ai senti une certaine chaleur, et le vent frais du changement, et j'ai su que je ne pouvais pas être lâche. Je devais entrer dans le cercle. Avec vous. Depuis, j'ai appris à vous connaître tous. J'aime certains d'entre vous, dit-elle en regardant Isabelle et Charisma. Mais pas tous, dit-elle en regardant Samuel.

— Merci, dit Samuel en s'adossant, sans être perturbé.

— Et toi, je t'aime, dit-elle en regardant Caleb.

Caleb l'embrassa passionnément.

Elle poursuivit :

— Mais je sais une chose. Seuls, nous sommes des cibles pour nos ennemis. Ensemble, nous pouvons les vaincre.

En parlant, elle retira ses gants.

— Nous ne sommes que six, certains diront que c'est le chiffre du diable, et jusqu'à ce que le septième fasse son apparition, je promets de vous protéger. Et je sais que vous me protégerez.

Elle tendit sa main droite, avec son tatouage clair, éclatant et guéri. Puis, elle présenta sa main gauche, avec sa nouvelle marque de pouvoir.

Ils poussèrent tous une exclamation de surprise.

— Oui, voilà la preuve. Les choses peuvent s'améliorer, dit-elle en plaçant sa main droite sur la table, paume vers le haut. Alors, jurez-vous sur votre âme d'être authentique et de vous donner corps et âme aux Élus ?

Cinq mains joignirent la sienne, une à une, une par-dessus l'autre.

Elle se tourna vers Caleb.

— Toi aussi. Et toi, Irving. Et Martha. Et McKenna.

Les deux domestiques se raidirent et regardèrent autour d'eux, incertains de leur poste au sein de ce nouveau pouvoir.

— Ce n'est pas convenable, dit McKenna.

— Je n'ai aucun don, dit Martha.

— Et nous ne sommes pas sept comme nous devrions l'être, mais seulement six, dit Samuel.

Avec la vigueur qui accompagnait chacune de ses paroles, Charisma dit :

— Pourtant, nous ne pouvons pas rester là à attendre que se pointe le septième. Nous devons poursuivre dans la bonne direction.

— Nous n'avons jamais eu tant besoin de nos alliés, et vous en savez tous beaucoup plus que nous. Nous comptons sur vous pour nous apprendre les traditions des Élus, et pour être tolérants lorsque nous devons en forger de nouvelles. Allez, venez, dit Isabelle, d'une voix douce, mais autoritaire.

Martha posa sa main douce et ridée sur la pile, puis McKenna posa la sienne sur le dessus. Les longs doigts d'Irving furent les suivants, Caleb posa sa main, paume vers le bas, puis Jacqueline posa sa main gauche au sommet.

On aurait dit un circuit électrique fermé. Un courant chaud et clair partit de la marque dans la main de Jacqueline et traversa toutes les paumes pour revenir vers elle.

Ils sursautèrent tous.

Ils rirent et, lentement, un après l'autre, retirèrent leur main.

— C'est un signe, dit Irving en leva sa flûte à champagne, que nous faisons ce que doit.

Tout le monde leva son verre.

— Grâce à toi, Jacqueline, dit Caleb en embrassant sa paume nue. Grâce à toi.

À proximité, dans un hôpital new-yorkais, une préposée aux soins se pencha sur un Gary White dans le coma. Elle lui plia les jambes, dans toutes les directions, tentant de ralentir l'atrophie qui attaquait ses muscles. Elle le fit rouler sur un côté, puis sur l'autre, pour diminuer la douleur causée par les plaies de lit qui s'était formées sous ses hanches et sa colonne vertébrale. Elle remplaça la poche à perfusion vide par une nouvelle, s'assurant que le compte-gouttes avait le même débit régulier qui gouttait depuis quatre ans pour alimenter et hydrater un patient sans espoir de guérison.

Alors qu'elle s'apprêtait à quitter la chambre pour terminer sa tournée, quelque chose attira son attention. Un mouvement dans le lit.

Elle se retourna vers le patient, certaine d'avoir mal vu.

Cependant, pour la première fois en quatre ans, ses yeux étaient ouverts. Il la regardait fixement, et elle resta figée, subjuguée par son regard.

Lentement, à l'aide de ses muscles amaigris, il réussit à s'asseoir dans le lit. Sinistrement, il regarda la poche à perfusion qui gouttait. Brutalement, il arracha le tube de son bras.

— Apportez-moi mes vêtements. Je m'en vais.

Elle recula, chercha la porte à tâtons, et s'enfuit dans le couloir en criant :

— Docteur! Docteur! Venez voir! Un miracle s'est produit!

À PROPOS DE L'AUTEURE

CHRISTINA DODD est une auteure à succès du *New York Times* dont les romans sont traduits dans douze langues, sont inscrits au Doubleday Book Club^{MD}, sont enregistrés en livres audio pour les personnes aveugles, ont reçu les prestigieux prix Golden Heart et RITA, de l'association Romance Writers of America, ont été qualifiés de meilleurs romans de l'année par le *Library Journal* et, au sommet de sa glorieuse carrière, ont servi d'indices pour les mots croisés du *Los Angeles Times*. Christina Dodd habite à Washington avec son mari et ses deux chiens. Vous pouvez recevoir son bulletin d'information (en anglais) en vous inscrivant sur le site www.christinadodd.com.

Extrait du

Livre 2

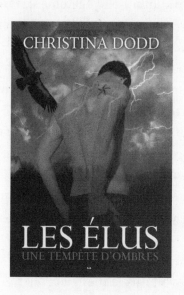

Chapitre 1

Je cherche le bibliothécaire spécialiste des antiquités. J'ai un rendez-vous. Mon nom est Aaron Eagle.

— Oui, Monsieur Eagle, vous êtes inscrit à l'horaire, répondit l'adjointe administrative de la bibliothèque, qui était superbe, bien en chair et au courant de sa disponibilité.

Elle lui sourit dans les yeux et poussa le livre vers lui.

— Si vous voulez bien signer juste ici, dit-elle en lui tendant un crayon, et lui frôlant innocemment les doigts au passage. Et ici, indiqua-t-elle également. Puis, si ça ne vous dérange pas, nous aimerions prélever vos empreintes digitales. Votre pouce gauche seulement.

— Je suis toujours étonné du système de sécurité entourant les antiquités, sourit Aaron, en pressant son pouce sur la plaque de vitre du comptoir.

Une lumière en dessous numérisa son pouce.

— Le service des antiquités de la bibliothèque des arts Arthur W. Nelson comprend des manuscrits et des parchemins rares. La sécurité nous tient donc beaucoup à cœur.

— Ainsi, si je passais ma vie à voler des antiquités, vous le sauriez.

— Exactement.

— Si on m'avait mis la main au collet.

— Les voleurs sont souvent pris un jour ou l'autre, répondit-elle, avant de lui demander de se tenir sur la ligne pour prendre une photo.

— Je l'espère bien, dit-il, en s'avançant sur une grille qui le secoua bien, puis en passant à travers un détecteur d'explosifs qui l'enveloppa d'un nuage de poussière.

Elle fouilla dans une pile de papiers sur son bureau, les compara aux données inscrites à l'ordinateur, et sourit de satisfaction.

— Toutefois, vous semblez être exactement celui que vous prétendez être.

— Apparemment, n'est-ce pas ? Pourrions-nous discuter de qui vous êtes ce soir en prenant un verre, dit-il en regardant son porte-nom, Jessica ?

— Ça me plairait bien, dit-elle en jetant un coup d'œil au formulaire posé sur son bureau… Aaron.

— Génial. Je prendrai votre numéro en sortant, et nous pourrons convenir d'un endroit et d'une heure.

Elle hocha la tête et sourit.

Il lui rendit son sourire, se dirigea vers le couloir et, en marchant, retira la pellicule de plastique recouvrant son pouce et la glissa dans sa poche.

— Vous n'avez qu'à emprunter l'ascenseur pour descendre au sous-sol, lui cria-t-elle.

— Merci, je le ferai. Je suis déjà venu.

— C'est vrai. Vous êtes déjà venu, dit-elle avant que sa voix ne s'évanouisse.

Le couloir était vide, d'un gris industriel, et l'ascenseur était en acier inoxydable à l'extérieur, et l'intérieur arborait une technologie du milieu du XXᵉ siècle. Les panneaux de bois étaient évidemment en plastique, les boutons étaient craquelés, les chiffres, usés et presque invisibles, et le mécanisme craquait en descendant à un rythme seigneurial.

Toutefois, il s'agissait bien de la bibliothèque des arts Arthur W. Nelson, et le financement ne comprenait pas les frais d'entretien ou les éléments non essentiels comme un nouvel ascenseur pour le service des antiquités qui était rarement visité. Ils devaient s'estimer heureux de profiter d'un système de sécurité mis à jour au cours des dix dernières années, et cela n'est survenu que lorsqu'il avait été découvert que l'un des bibliothécaires retirait systématiquement des pages de manuscrits médiévaux pour les vendre à gros prix à des collectionneurs. S'il n'avait pas été cupide et décidé de subtiliser un parchemin perse, il ferait peut-être toujours des affaires, mais le Dr Hall était le bibliothécaire des antiquités depuis environ cent cinquante ans et s'en était rendu compte sur-le-champ.

C'était avec le Dr Hall qu'Aaron avait rendez-vous. En matière de langues anciennes, l'homme était un génie, et il en savait long sur les prophéties, les religions et autres. Et c'est exactement ce dont Aaron avait besoin.

La porte de l'ascenseur s'ouvrit, et il arpenta un autre couloir gris industriel qui le mena vers une porte de métal à son extrémité. Il appuya sur la sonnette sur le côté. Le loquet cliqueta, il tourna la poignée et entra.

Il n'y avait personne. La personne qui avait autorisé son accès l'avait fait à distance.

L'endroit fleurait la bibliothèque : la poussière, les vieux documents, la colle craquelée, le linoléum brisé et encore la poussière. Des étagères en métal gris emplissaient le sous-sol d'une extrémité à l'autre, en rangées, complètement remplies de livres.

Il n'y avait personne en vue.

— Allo ? appela-t-il. Dr Hall ? C'est Aaron Eagle.

— Ici, derrière ! répondit une voix parvenant d'au-delà des étagères.

Une voix de femme.

Ils avaient dû trouver assez de financement pour offrir au Dr Hall une nouvelle adjointe, finalement. Ce qui était une bonne chose. Le vieillard pourrait mourir ici, et personne ne s'en rendrait compte avant des jours.

Aaron s'aventura entre une étagère titrée Études médiévales et une autre indiquée Dieux babyloniens. Il sortit des étagères dans une zone de travail où de vastes tables de bibliothèques étaient couvertes de manuscrits, de parchemins et d'une énorme tablette de pierre.

Une jeune fille était penchée sur la tablette, pinceau en poils de vison à la main, à les étudier.

— Posez-les là, dit-elle en agitant le pinceau vers le coin.

Aaron jeta un regard sur la table où se trouvaient des contenants en mousse de polystyrène et des sacs de livraison de nourriture tamponnés en boules. Puis, son regard se reporta vers la jeune fille.

Sa peau était crème, fine et parfaite, ce qui était une bonne chose, puisqu'elle ne portait pas une seule goutte de maquillage. Aucun fond de teint, pas de fard à joues, pas de poudre, pas de rouge à lèvres. Elle était de taille moyenne, peut-être un peu trop mince, mais avec ce qu'elle portait, qui pourrait l'affirmer? Sa robe bleue s'affaissait là où elle aurait dû être ajustée et pendouillait de façon inégale au bas. Il se dit qu'elle devait la porter pour une question de confort. Il ne connaissait aucune autre raison pour laquelle une jeune fille se ferait voir dans une telle tenue. L'encolure lui tombait sur une épaule; la bretelle de son soutien-gorge était défraîchie, l'élastique, étiré et usé. Elle portait des gants de latex minces — rien ne tuait plus rapidement les intentions amoureuses d'un homme que des gants de latex — et elle portait des galoches en cuir brun provenant de Birkenstock. De vraies antiquités. Pour couronner le tout, elle portait des lunettes écailles de tortue en plastique qui semblaient être une extension de sa chevelure carotte frisottée attachée à l'arrière du cou par un élastique qui avait connu de meilleurs jours… il y a quelque cinq ans.

Toutefois, bien qu'elle ne fût absolument pas attirante, elle ne lui accorda aucune attention, et il n'était pas habitué à ce genre de traitement de la part d'une femme.

— Qui croyez-vous que je sois?

— Le goûter, ou — ses lunettes lui avaient glissé sur le nez — ai-je manqué le déjeuner ? Est-ce déjà l'heure du dîner ? Quelle heure est-il ?

— Il est quinze heures.

— Zut. J'ai manqué le déjeuner, dit-elle en relevant la tête pour le regarder.

Il eut une réaction de surprise si violente qu'il se donna un coup de fouet.

Derrière ces lunettes, des cils denses et longs soulignaient des grands yeux violets les plus empathiques qu'il n'avait jamais vus.

Comme un hibou venant de se réveiller, elle demanda :

— Qui êtes-vous ?

— Je suis Aaron... Eagle, dit-il en soulignant chaque mot, donnant à tout un chacun assez de temps pour bien saisir son nom.

— Qui êtes-*vous* ?

— Dre Hall.

Aaron fut subitement en rogne.

— J'ai rencontré le Dr Hall. Et vous n'êtes absolument pas le Dr Hall.

— Oh, dit-elle, un sourire idiot sur ses lèvres rose pâle. Vous avez connu mon père ?

— Votre père ?

— Le Dr Elijah Hall. Il a pris sa retraite il y a un an, répondit-elle, et son sourire disparut. Je suis désolée de vous l'apprendre, mais, hum, il est décédé il y a quelques mois.

— Le Dr Elijah Hall était votre père ? dit Aaron, sans vraiment la croire.